MAEVE BINCHYOVÁ

Strieborná svadba

Vydal Slovenský spisovateľ, a. s.
Andreja Plávku 12, 813 67 Bratislava
Editorka Anna Blahová
Zodpovedná redaktorka Viera Prokešová
Číslo publikácie 4635. Vydanie prvé
Sadzba a zalomenie DTP SYSTEMS, Bratislava
Vytlačila Svornosť, a. s., Bratislava

Z anglického originálu Maeve Binchy: Silver Wedding,
ktorý vyšiel vo vydavateľstve Random House, London 1988,
preložila Kristína Stupárková

The publisher acknowledges the financial assistance
of ILE (Translation Fund), Dublin, Ireland

Vydavateľstvo ďakuje za finančnú podporu
prekladovému fondu ILE, Dublin, Írsko

ISBN 80-220-1060-X

OBSAH

GORDONOVI SNELLOVI,
mojej veľkej láske
a najlepšiemu priateľovi

1 Anna

Anna vedela, že sa veľmi snaží, aby sa tváril pozorne. Mala ho dobre prečítaného. Takto sa tváril vtedy, keď si k nim v klube prisadli starší herci a začali rozprávať historky o ľuďoch, ktorí sú už dávno mŕtvi. Vtedy sa Joe tiež usiloval tváriť pozorne, príjemne, zdvorilo a vážne. Dúfal, že vyzerá, akoby ho to skutočne zaujímalo, a dúfal, že rozhovor nepotrvá príliš dlho.

„Prepáč, trochu som sa rozrečnila," ospravedlnila sa. Uškrnula sa a sadla si na druhý koniec postele, oblečená len v jednej z jeho košieľ. Medzi nimi ležali nedeľné noviny a podnos s raňajkami.

Aj Joe sa usmial, tentoraz úprimne.

„Nie, páči sa mi, že to tak berieš, to je fajn, že ti na nich tak záleží."

Vedela, že to myslí vážne a v kútiku srdca je presvedčený, že starať sa o rodinu je niečo úžasné, také úžasné ako zachraňovať mačence zo stromov, ako nádherné západy slnka a veľké kólie. Joe v podstate nemal nič proti rodine. On sám sa však o tú svoju nestaral. Nevedel ani, koľko rokov sú jeho rodičia manželmi. Možno nevedel ani to, ako dlho je ženatý on sám. S niečím takým, ako je strieborná svadba, by sa Joe Ashe nikdy nezaťažoval.

Anna sa naňho zahľadela so známou zmesou nehy a obáv. Nežne a s láskou – bol taký pôvabný, svetlé vlasy mu padali do tváre a útle hnedé plecia sa spokojne a nenútene opierali o veľké vankúše. Bála sa, že ho stratí, že jej zo života vykĺzne tak jemne a nenásilne, ako doň vstúpil.

Joe Ashe sa nikdy nehádal, so širokým chlapčenským úsmevom Anne hovorieval, že život je príliš krátky na to, aby sa človek stihol hádať. A bola to pravda.

Keď sa jeho rola nespomínala alebo ho kritika zhodila, len mykol plecom – nuž, mohlo to dopadnúť aj lepšie, ale nechajme to.

Tak ako aj jeho manželstvo s Janet – je po ňom, čo si budeme navrávať? Jednoducho si zbalil svojich sedem slivák a vypadol.

Anna sa obávala, že jedného dňa si aj v tejto izbe zbalí svojich sedem slivák a vypadne. Aj ona bude žobroniť a hromžiť ako Janet, a takisto si nepomôže. Janet dokonca prišla za Annou a ponúkla jej peniaze, ak ho nechá. Poplakala si, aká bola s Joeom šťastná. Ukázala jej obrázky svojich dvoch synčekov. Všetko by bolo zasa dobré, len keby ho Anna nechala.

„Ale on vás predsa neopustil kvôli mne, už rok býval sám, keď sme sa spoznali," vysvetľovala Anna.

„Áno, a po celý ten čas som dúfala, že sa vráti."

Anna si s nechuťou spomenula, ako Janet plakala, kým jej ona robila čaj, ale ešte viac sa jej protivila predstava, že jedného dňa by sa to mohlo stať aj jej, presne tak nečakane, ako sa to stalo Janet. Mráz jej prešiel po chrbte, keď sa pozrela na toho pekného, nenúteného chlapca vo svojej posteli. Bol to chlapec, aj keď už mal dvadsaťosem. Nežný, krutý chlapec.

„O čom rozmýšľaš?" spýtal sa.

Nepovie. Nikdy mu nepovedala, ako veľmi naňho myslí a ako veľmi sa obáva dňa, keď odíde.

„Uvažujem, že je načase nanovo sfilmovať *Rómea a Júliu.* Ty si taký fešák, že by nebolo fér, aby svet nedostal šancu ťa vidieť," prehodila so smiechom.

Načiahol sa a podnos s raňajkami položil na dlážku. Za ním skĺzli nedeľné noviny.

„Poď ku mne," poprosil Joe. „Obaja myslíme presne na to isté, *presne a úplne na to isté,* ako vravíte vy Íri."

„To sa ti podarilo," utrúsila Anna, ale pritúlila sa k nemu. „Nie div, že si najlepším hercom na celom šírom svete a že ťa na celej šírej zemeguli poznajú pre tvoju dokonalú imitáciu prízvukov."

Uvelebila sa mu v náručí, ale nepovedala, ako veľmi ju trápi tá strieborná svadba. Z jeho tváre vyčítala, že sa tejto téme venuje už pridlho.

Joe by ani za milión rokov nepochopil, čo to v jej rodine znamená. Dvadsiate piate výročie sobáša matky a otca. V domácnosti Doylovcov sa oslavovalo všetko. Mali albumy spomienok, škatule s chronologicky usporiadanými pamiatkami na všetky predchádzajúce oslavy. Na stene obývačky visela galéria najdôležitejších osláv. Deň svadby, trojo krstín. Boli tam aj šesťdesiatiny starej mamy O'Haganovej, návšteva deda Doyla v Londýne s celou rodinou po boku kráľovskej gardy pred Buckinghamským palácom, vážny mladý gardista v husárskej baranici, ktorý si očividne uvedomoval dôležitosť návštevy deda Doyla.

Boli tu tri prvé sväté prijímania a tri birmovky; bola tu malá športová sekcia – Brendanov školský tím v roku, keď hral za seniorov. Ešte menšia bola sekcia akademická – jeden promočný portrét Anny, veľmi študovanej a strojenej, s diplomom v ruke, ktorý akoby vážil tonu.

Matka a otec o tejto stene vždy zo žartu hovorievali, že je to najhodnotnejšia zbierka na svete. Čo by si počali so starými majstrami a slávnymi obrazmi, oni mali predsa niečo omnoho hodnotnejšie, živú stenu, ktorá hlásala svetu, o čom je ich život.

Annu vždy myklo, keď to hovorili návšteve. Myklo ju aj teraz, v Joeovom náručí.

„Zľakla si sa, alebo tebou lomcuje vášeň?" spýtal sa.

„Bezuzdná vášeň," prisvedčila a uvažovala, či je normálne, že leží vedľa najatraktívnejšieho muža v Londýne a nemyslí naňho, ale na obývačkovú stenu v rodičovskom dome.

Rodičovský dom by sa mal na striebornú svadbu vyzdobiť. Malo by tam byť veľa papierových zvoncov a strieborných stužiek. Kvety by sa mali nastriekať nastrieborno. Treba zohnať aj pásku s tým ich valčíkom. Na okenné parapety položia blahoželania, ale určite sa ich nazbiera toľko, že budú musieť natiahnuť stuhy a pohľadnice popripínať tak, ako to robievali na Vianoce. Mali by mať tradičnú svadobnú tortu a pozvánky so striebornými rohmi. Ale s akým textom? To všetko vírilo Anne hlavou. Ako deti by mali pre rodičov niečo zorganizovať. Anna, jej sestra Helen a brat Brendan.

Teda vlastne Anna.

Všetko bude musieť urobiť sama.

Anna sa obrátila k Joeovi a pobozkala ho. Už na to výročie nebude viac myslieť. Porozmýšľa o tom zajtra, keď bude platená za to, že postáva v kníhkupectve.

Nebude na to myslieť teraz, keď môže myslieť na omnoho príjemnejšie veci.

„To už je lepšie, myslel som, že si mi tu zaspala," pritiahol si ju Joe k sebe.

Anna Doylová pracovala v Books for People, malom kníhkupectve, veľmi uznávanom autormi, vydavateľmi a všetkými druhmi médií. Donekonečna omieľali, že ich kníhkupectvo má dušu, nie ako tie veľké, absolútne bezduché obchody. Anna s tým však v duchu odmietala súhlasiť.

Pričasto za deň musela sklamať ľudí, ktorí prišli s úplne normálnymi požiadavkami – najnovší bestseller, vlakový cestovný poriadok, kuchárska kniha Mrazené potraviny. Zakaždým ich musela nasmerovať do iného obchodu. Anna mala pocit, že kníhkupectvo hodné svojho mena by v skutočnosti malo mať na sklade práve takéto knihy, a nie vnucovať zákazníkom ťažkú psychológiu, podrobné cestopisy a poéziu, sociológiu či súčasnú satiru.

Akoby to ani nebolo kníhkupectvo. Chcela odtiaľ odísť už pred rokom, ale práve vtedy sa zoznámila s Joeom. A keď sa k nej nasťahoval, stávalo sa, že bol občas bez práce.

Joe pracoval trochu tu i tam, ale nikdy sa nepretrhol. Vždy mal dosť na to, aby kúpil Anne prekrásnu indiánsku šatku alebo nádherný papierový kvet, alebo aby z lahôdkarstva v Soho doniesol tie najúžasnejšie lesné huby.

Nikdy však nemal na nájomné, televízor, telefón či elektrinu. Anna by bola blázon, keby nechala stály džob, ak nemá poruke lepší. Takže zostala v Books for People, hoci ten názov nenávidela, a snažila sa väčšinu kupujúcich pokladať za normálnych ľudí. Všetci, čo tu pracovali, boli absolútne perfektní, nikdy sa neflákali a občas usporadúvali autogramiády, večery poézie, a raz dokonca večierok so známymi osobnosťami na pomoc malému divadlu v susedstve. A tu sa zoznámila s Joeom Ashom.

V pondelok Anna chodievala do práce skoro. Ak chcela trochu popremýšľať alebo napísať zopár listov, jedinou nádejou bolo prísť skôr ako ostatní. Pracovali tu len štyria: každý z nich mal kľúč. Anna vypla poplašné zariadenie a z rohožky zodvihla škatuľu s mliekom a poštu. Samé obežníky a letáky. Poštár tu ešte nebol. Keď zapínala elektrickú kanvicu, aby si urobila kávu, v malom zrkadielku na stene zachytila svoj obraz. Má veľké a ustarané oči, pomyslela si. Anna sa starostlivo poprezerala v zrkadle. Bola bledá a pod veľkými hnedými očami mala tmavé kruhy. Vlasy mala stiahnuté jasnoružovou mašľou, presne takou ako jej ružové tričko. Musí sa trochu primaľovať, pomyslela si, ináč sa jej všetci zľaknú.

Ľutovala, že sa pred časom neodhodlala a nedala sa ostrihať. Bolo to také zvláštne, objednala sa v nóbl kaderníctve, kam chodievajú členovia kráľovskej rodiny. Jedna z kaderníčok, čo tam pracovali, raz prišla k nim do kníhkupectva a pustila sa s ňou do reči. Dievčina Anne povedala, že jej môže dať zľavu. Ale večer, keď sa na benefičnom večierku pre divadlo zoznámila s Joeom, dozvedela sa, že jej husté tmavé vlasy sú krásne také, aké sú.

Spýtal sa jej ako odvtedy už neraz: „O čom rozmýšľaš?" A ona mu vtedy, na začiatku, povedala pravdu. Že sa chce dať zajtra ostrihať.

„To nech ti ani na um nepríde," povedal jej Joe a potom navrhol, aby to prebrali pri nejakom dobrom gréckom jedle.

V ten teplý jarný večer jej porozprával o svojom herectve a ona jemu o svojej rodine. Ako si zaobstarala byt, aby sa nestala príliš závislou od rodiny, ktorá ju aj tak zaťahuje do svojich problémov. Samozrejme, že chodievala domov, každú nedeľu a ešte jeden večer v týždni. Joe ju priam hltal očami. On nikdy nepoznal život, kde sa dospelí vracajú do hniezda, z ktorého vyšli.

Zo začiatku chodievala ona k nemu, potom on k nej, pretože to bolo pohodlnejšie. Krátko a vecne jej povedal o Janet a o dvoch synoch. Anna mu zas porozprávala o profesorovi z vysokej, do ktorého sa v poslednom ročníku veľmi nerozumne zamilovala, a výsledkom bol treťotriedny diplom a veľký pocit straty.

Joe bol prekvapený, že mu o profesorovi rozpráva. Nemali predsa spoločný majetok ani deti. O Janet jej povedal len preto, lebo ešte vždy bol s ňou ženatý. Anna mu však chcela povedať všetko, čo Joe vlastne ani nechcel počúvať.

Bolo len logické, že sa k nej nasťahoval. Nikdy jej nenavrhol, aby sa k nemu nasťahovala ona, a ona podchvíľou rozmýšľala, čo by mu asi povedala, keby ju o to požiadal. To by sa veru ťažko vysvetľovalo rodičom. Ale po jednom nádhernom dlhom víkende sa rozhodla, že sa ho spýta, či by sa nenasťahoval do jej malého prízemného bytíku v Shepherd's Bush natrvalo.

„Dobre, ak teda chceš," povedal Joe polichotene, ale nie prekvapene, ochotne, ale nie priveľmi vďačne. Vrátil sa domov, vybavil prenájom a s dvoma cestovnými taškami a koženou bundou cez rameno sa nasťahoval k Anne Doylovej.

Anna musela jeho príchod tajiť najmä pred matkou a otcom, ktorí žili v Pinneri, a v ich predstave si slobodné dcéry nedovolia pozvať domov večer ženatého muža, nieto aby s ním bývali.

Od toho vlaňajšieho aprílového pondelka teda spolu žijú. Dnes máme máj 1985 a Anne sa pomocou série komplikovaných manévrov ešte vždy darí držať svety Pinneru a Shepherd's Bushu dosť ďaleko od seba a poletovať medzi nimi so vzrastajúcim pocitom viny.

Joeova matka mala päťdesiatšesť rokov, ale vyzerala omnoho mladšie. Pracovala pri výdaji jedla v podniku, kde sa schádzali herci, takže sa s ňou vídali dva či trikrát do týždňa. Bola to povrchná a priateľská žena, vždy im zakývala ako dobrým zákazníkom. Šesť mesiacov ani netušila, že spolu žijú. Joe sa jednoducho neobťažoval jej to oznámiť. Keď sa to dozvedela, povedala Anne len „to je fajn, drahá," presne tým istým tónom, ako sa rozprávala s úplne cudzím človekom, ktorý si pýtal teľací rezeň a šunkový koláč.

Anna ju chcela pozvať k nim do bytu.

„Načo?" spýtal sa Joe s úprimným údivom.

Takže keď mala Joeova matka zasa službu, Anna podišla k pultu a rovno ju pozvala.

„Neprišli by ste nás niekedy pozrieť?"

„Načo?" spýtala sa zvedavo.

Anna sa však nedala len tak ľahko odbyť. „Neviem, len tak, na pohárik."

„Bože, drahá, ja vôbec nepijem, keď to tu človek vidí, na celý život sa mu sprotiví alkohol, to mi ver."

„Tak teda len pozrieť syna," nedala sa Anna.

„Toho predsa vidím tu, či nie? On už je dospelý, miláčik, určite sa nechce dennodenne pozerať na svoju starú mater."

Odvtedy ich Anna s úžasom pozorovala – napoly s hrôzou, napoly so závisťou. Boli to jednoducho dvaja ľudia, ktorí žili v tom istom meste, a keď sa stretli, príjemne a nezáväzne si podebatovali.

Nikdy sa nerozprávali o ostatných členoch rodiny. Nikdy nepadlo ani slovo o Joeovej sestre, ktorá sa liečila v sanatóriu z drogovej závislosti, ani o staršom bratovi, ktorý slúžil ako žoldnier niekde v Afrike, ani o mladšom bratovi, ktorý pracoval v televízii ako kameraman.

Anna sa jej nepýtala na vnúčatá. Joe jej povedal, že Janet ich k nej občas vezme a on bráva chlapcov príležitostne do parku, vedľa ktorého býva matka, a ona na chvíľu zíde za nimi. Nikdy ich neberie k sebe domov.

„Myslím, že tam má frajera, nejakého mladého, a určite nechce, aby sme k nej ťahali kŕdle vnúčeniec." Pre Joea to bolo jednoduché a jasné.

Anne to však znelo ako z inej planéty.

Keby boli v Pinneri vnúčatá, určite by boli stredobodom pozornosti celého domu, ako bývali deti už skoro štvrťstoročie. Anna si opäť vzdychla, keď pomyslela na oslavy, ktoré ju čakajú, a na to, ako ich zvládne, keď má toľko vlastných problémov.

Nemalo zmysel vysedávať v prázdnom kníhkupectve nad kávou a trápiť sa, že Joe nie je ako ostatní chlapi, o ktorých sa žena môže oprieť a podeliť sa s nimi o svoje starosti. Už od prvého večera, ktorý strávili spolu, si uvedomovala, že nič také nebude.

Teraz musela rozmýšľať nad tým, ako zorganizuje tú striebornú svadbu v októbri tak, aby sa z toho všetci nezbláznili.

Jedno je isté, Helen jej nepomôže. Pošle im svetielkujúcu pohľadnicu, na ktorej budú podpísané všetky sestry, matku a otca pozve do kláštora na rodinnú omšu, vezme si deň voľna a príde do Pinneru v tom svojom ošumelom sivom pulóvri a sukni, s matnými a neupravenými vlasmi, stískajúc v ruke veľký kríž na retiazke okolo krku. Helen dokonca ani nevyzerá ako mníška, ale ako mierne prispatá, zle oblečená osôbka skrývajúca sa za veľký krucifix. A v mnohých ohľadoch taká aj je. Helen by bola v poriadku, keby bolo všetko hotové, a v plátennej taške by si odnášala zvyšky jedál, lebo jedna mníška ľúbi zázvorníky a druhá má slabosť pre všetko s lososom.

Zúfalá Anna už mesiace vopred tušila, čo ju čaká s mladšou sestrou Helen, členkou mníšskeho rádu v južnom Londýne, ktorá sa hrabe v jedle ako nejaký bezdomovec v kontajneri, vybrané kúsky balí do fólie a pchá do škatule od keksov.

Helen však aspoň príde. Ale čo Brendan? To bol problém, na ktorý nechcela ani pomyslieť. Ak Brendan odmietne cestovať vlakom, loďou a zasa vlakom a na dvadsiate piate výročie svadby svojich rodičov sa do Pinneru nedostaví, môže to celé zabaliť. Tú hanbu nikdy neprežijú, tá prázdnota tu zostane navždy.

Fotografia nekompletnej rodiny na stene.

Zrejme budú klamať a povedia, že je v Írsku a nemôže sa uvoľniť z farmy, zo žatvy alebo strihania oviec, či čo sa to robieva v októbri na farmách.

Anna si však bolestne jasne uvedomovala, že je to veľmi chabé ospravedlnenie. Družba a družička zistia, že tu vládne chlad, a zistia to aj susedia a kňaz.

A strieborná svadba stratí glanc.

Problémom bolo, ako ho dostať sem. Vážne? Načo by sem chodil? Zdôvodniť mu to bude zrejme ešte väčší problém.

Brendan bol ako školák vždy veľmi tichý. Kto by si len pomyslel, že tak veľmi túži odísť ďaleko od rodiny? Anna bola šokovaná, keď im to oznámil. Povedal to ako hotovú vec a vôbec ho nezaujímalo, ako tým všetkým ublíži.

„V septembri sa nevrátim do školy, nemá zmysel ma presviedčať. Nikdy neurobím skúšky a ani ich nepotrebujem. Idem k Vincentovi. Do Írska. Hneď ako to bude možné."

Zdržiavali ho, prosili. Bezúspešne. Bolo to presne to, čo chcel.

„Prečo nám to robíš?" plakala matka.

„Ja vám nič nerobím," odvetil pokojne Brendan. „Robím to pre seba, vás to nebude stáť nič. Je to farma, na ktorej vyrastal môj otec, myslel som, že vás to poteší."

„Nemysli si, že tú farmu automaticky zdedíš," vybuchol otec. „Ten starý pustovník by ju radšej odkázal misiám. Ľahko môžeš prísť na to, že si sa angažoval zbytočne."

„Otec, ja nemyslím na dedičstvo ani na závet alebo na smrť, myslím na to, ako chcem stráviť svoj život. Bol som tam šťastný a Vincentovi ďalší pár rúk len pomôže."

„Nuž ak je to tak, čudujem sa, že sa nikdy neoženil, aby mal v dome ďalší pár rúk a nemusel si pozývať cudzích."

„Ja predsa nie som cudzí, otec," namietol Brendan, „som jeho vlastná krv, dieťa jeho brata."

Bolo to ako nočná mora.

Tým sa ich komunikácia obmedzila na minimum, len na pohľadnice k Vianociam a narodeninám. Prípadne k výročiam. Anna si už nepamätá. Výročia. Ako sa jej len podarí dať všetkých dokopy?

Družičkou, ako ju zvyčajne volali, bola Maureen Barryová, matkina najlepšia priateľka. V Írsku chodili spolu do školy. Maureen sa nikdy nevydala, mala toľko rokov čo matka, štyridsaťšesť, ale vyzerala mladšie. V Dubline mala dva obchody s odevmi – odmietla ich nazvať butikmi. Možno by sa Anna mala pozhovárať s Maureen, aby zistila, čo by bolo najlepšie. V hlave jej však hlasno zazvonil poplašný zvon. Matka by nikdy nepripustila, aby sa rodinné záležitosti pretriasali mimo rodiny.

Vždy mala pred Maureen tajnosti.

Napríklad, že otec prišiel o zamestnanie. O tom sa nesmelo hovoriť.

Napríklad, že Helen v štrnástich rokoch ušla z domu. O tom sa Maureen nikdy nesmela dozvedieť. Matka tvrdila, že sa vlastne nič nedeje a všetko sa dá zvládnuť, ak sa rodinné záležitosti nebudú vynášať, a susedia a priatelia predsa nemusia o Doylovcoch vedieť všetko. Vyzeralo to ako veľmi účinné a spoľahlivé riešenie, takže sa toho všetci držali.

Najlepšie by bolo teraz zavolať Maureen Barryovej a ako najstaršej matkinej priateľky sa jej spýtať, čo by mala urobiť s Brendanom a vôbec s celou tou oslavou.

Matku by to však položilo. Neprežila by, keby čo i len tušila, že niekto z rodiny odhalil niekomu cudziemu rodinné tajomstvo. A chladné vzťahy s Brendanom takým tajomstvom naozaj boli.

Nikoho z rodiny nemohla požiadať, aby jej robil sprostredkovateľa.

Takže čo to bude za oslavu? Keďže bude sobota, môže to byť obed. V okolí Pinneru, Harrowu a Northwoodu bolo mnoho hotelov, reštaurácií a sál, ktoré sa využívajú pri príležitostiach, ako je táto. Najlepší bude zrejme hotel.

V istom zmysle by to bola formálna párty, lebo vedúci banketovej sály by im pomohol s chlebíčkami, zákuskami aj s fotografiami.

Nemuseli by celé týždne intenzívne upratovať rodičovský dom, ani manikúrovať predzáhradku.

Po celý život však Anne ako najstaršej z Doylovcov vtĺkali do hlavy, že hotel nie je to správne miesto. Myslela na všetky odmietavé poznámky, ktoré kedy počula na adresu hotelov, na deštruktívne a kritické poznámky na adresu rodiny, ktorá je lenivá robiť takúto vec doma, či rodiny, ktorá vás celkom ochotne pozve do obyčajného hotela, na neosobné miesto, ale nedovolí vám prekročiť prah vlastného domu – ďakujem pekne.

Musí to teda byť doma, pozvánky by mali strieborným písmom pozývať hostí do Salthillu na Rosemary Drive 26 v Pinneri. Salthill je prímorská oblasť v západnom Írsku, kam chodievali matka s Maureen Barryovou, keď boli mladé, a ako hovorili, bolo tam nádherne. Otec tam nebol nikdy, hovoril, že na dlhé rodinné dovolenky nebol nikdy čas, keď sa ako malý chlapec potuloval ešte po Írsku.

Anna si znudene písala zoznam; ak nepríde írsky kontingent, bude ich toľko, ak sa dostaví, bude ich toľko. Pre toľkých ľudí možno podávať jedlo pri stole, pre toľkých len formou bufetu. Ak ich však bude až toľko, musia stačiť len nápoje a malé občerstvenie, pretože ak sa má podávať riadne jedlo, nesmie ich prísť viac ako toľko.

A kto to všetko zaplatí?

Najskôr deti, to vedela.

Helen však zložila sľub chudoby a nemá nič. Brendan, aj keby prišiel, čo nebolo vôbec pravdepodobné, pracoval za plat poľnohospodárskeho robotníka. Anna na takúto párty zas nemá dosť peňazí.

Ona vôbec nemá dosť peňazí. Úporným šetrením na úkor obedov a rozumnými nákupmi v Oxfame ušetrila 132 libier. Vložila ich do stavebnej spoločnosti a dúfala, že z nich raz bude dvesto, a keď bude mať aj Joe 200 libier, pôjdu spolu do Grécka. Joe mal momentálne 11 libier, takže pokiaľ ide o šetrenie, jemu to zrejme potrvá dlhšie. On si však bol istý, že tú sumu čoskoro zoženie. Jeho agent totiž tvrdil, že sa mu črtá hŕba príležitostí. Môže kedykoľvek pracovať.

Anna dúfala, že aj bude, naozaj v to pevne verila.

Keby tak dostal niečo dobré, niečo, kde ho patrične ocenia, niečo stále, všetko by sa vyriešilo. Nielen dovolenka v Grécku, ale všetko. Mohol by zabezpečiť svojich synov, dať Janet toľko, aby sa cítila nezávislou, mohol by začať rozvodové konanie. Potom by Anna zariskovala odchod z Books for People a išla by do väčšieho obchodu, vo veľkom kníhkupectve by ľahko dosiahla povýšenie, lebo má diplom a už aj odbornú prax. To by určite ocenili.

Zahĺbená v úvahách si ani nevšimla, ako čas pokročil, a o chvíľu sa vo dverách otočil kľúč a prišli ostatní. Čoskoro bude treba otvoriť. Plánovanie bolo zase raz v keli.

Cez obed sa Anna rozhodla, že večer zájde do Pinneru a rovno sa rodičov spýta, ako si predstavujú oslavu. Vyzerá to síce menej slávnostne, ako keby im povedala, že má všetko pod kontrolou, ale skúsiť a urobiť to by bol číry nezmysel a nemuselo by to vyjsť. Radšej sa ich teda priamo spýta.

Zavolala im a oznámila, že sa zastaví. Matka sa potešila.

„To je fajn, Anna, nevideli sme ťa už celé veky, práve som tatovi hovorila, že dúfam, že Anna sa má dobre a všetko je v poriadku."

Anna zaškrípala zubami.

„Prečo by nemalo byť?"

„Nuž, len si tu dlho nebola a nevieme, čo robíš."

„Mama, bola som u vás pred ôsmimi dňami. Minulý víkend."

„Áno, ale nevieme, ako sa ti darí..."

„Skoro každý deň vám volám, takže *viete*, ako sa mi darí a čo robím; ráno vstanem, metrom sa doveziem zo Shepherd's Bush sem a potom zasa domov. To robím, mama, to isté čo milióny ľudí v Londýne." Podráždená matkinou pozornosťou zvýšila hlas.

Odpoveď bola prekvapivo pokojná. „Prečo na mňa kričíš, Anna, dieťa moje drahé? Veď som povedala len toľko, že som rada, že dnes večer prídeš, a že tvoj otec bude priam prešťastný. Urobím stejk so šampiňónmi? Oslávime tvoj príchod. Áno, poobede zbehnem k mäsiarovi... To je fantastické, že prídeš. Už sa nemôžem dočkať, kedy to poviem tvojmu otcovi, hneď mu zavolám do práce a poviem mu to."

„Nie... mama, ibaže ... nuž, myslím..."

„Samozrejme, že mu zavolám, bude mať radosť, bude sa mať na čo tešiť."

Anna zavesila a zostala tam stáť s rukou na slúchadle. Spomenula si, ako raz priviedla Joea na obed do Salthillu na Rosemary Drive 26. Pozvala ho ako „kamaráta" a celou cestou ho nútila, aby jej sľúbil, že neprezradí: (a) že žijú spolu a (b) že je ženatý s inou.

„A ktoré z tých dvoch ziel je horšie?" spýtal sa so smiechom Joe.

„Oboje je rovnako zlé," povedala tak vážne, až sa k nej naklonil a vo vlaku pred všetkými ju pobozkal na nos.

Podľa Anny návšteva dopadla dobre, matka s otcom sa zdvorilo vypytovali na Joeovu hereckú kariéru, a či sa pozná s niektorými známymi hercami a herečkami.

V kuchyni sa jej matka spýtala, či s ním náhodou nechodí.

Je to len kamarát, trvala na svojom Anna.

Cestou domov sa spýtala Joea, čo si o nich myslí.

„Veľmi milí, ale dosť nervózni ľudia," odpovedal.

Nervózni? Matka a otec. Nikdy o nich neuvažovala ako o nervóznych. Ale v istom zmysle mal pravdu.

A to Joe ani netušil, akí sú, keď tam nie je nikto cudzí, že matka rozmýšľa, kde je Helen, lebo tento týždeň už dvakrát volala do kláštora, a ona tam nebola. Otec sa dlhými krokmi prechádza po záhrade, strihá hlavičky kvetov a stále opakuje, že ten jeho chlapec je taký nepokojný a lenivý, že ani nemohol skončiťináč než ako dedinský idiot na malej farme so slamkou v ústach, a nevie pochopiť, prečo musel odísť akurát do Írska, do dediny, kde ich všetci poznajú, a žiť s tým Írom, ktorý Doylovcom robí len hanbu, s jeho vlastným bratom, Brendanovým strýkom Vincentom. Keby tú mizernú farmu aspoň zdedil.

Joe ich z tejto stránky nepoznal a napriek tomu si myslí, že jej rodičia sú nervózni.

Pátrala ďalej. Prečo? Ako sa to prejavuje?

Joe sa však nechcel do toho miešať.

„To je tak," začal a pre istotu sa usmial, aby ju jeho slová príliš neranili. „Niektorí ľudia jednoducho žijú vo svete, v ktorom niečo možno povedať a niečo nie, a stále musia myslieť na to, čo môžu povedať a čo nie. Tak to vyzerá, keď je všetko len samá pretvárka, hra... Pre mňa za mňa, ak chcú tak žiť, nech žijú. Môj spôsob to síce nie je, ale ľudia si občas vytvárajú čudné pravidlá, ktorých sa držia..."

„My nie sme takí!" ohradila sa.

„Ja vás nekritizujem, láska moja. Len ti hovorím, že vidím... vidím, ako si prívrženci Hare Krišnu holia hlavy, tancujú a oháňajú sa zvoncami. Vidím, že ty a tvoja rodina robíte to isté v modrom. Nechcem, aby ma otravovali, ani Hare Krišna, ani tvoji starkí. Dobre?" Víťazoslávne sa na ňu zaškeril.

S pocitom prehlbujúcej sa prázdnoty vo vnútri sa naňho usmiala a rozhodla sa, že o domove už nepadne ani slovo.

Deň sa končil. Pri záverečnej bol v obchode len jeden z tých príjemnejších zákazníkov. Pozval ju na drink.

„Chystám sa do najtemnejšieho Pinneru," povedala Anna. „Radšej by som mala ísť hneď."

„Som tu autom a máme spoločnú cestu, tak prečo by sme si nemohli dať ten drink niekde po ceste?" navrhol.

„Do Pinneru nechodí nikto," zasmiala sa.

„Och, ako vieš, či nemám tým smerom milenku, alebo či nedúfam, že nejakú zbalím?" doberal si ju.

„Na Rosemary Drive sa takéto veci nerozoberajú," povedala Anna so strojenou škrobenosťou.

„Poďme, nastupuj, auto stojí na dvojitej žltej čiare," zasmial sa.

Bol to Ken Green, v kníhkupectve sa s ním už veľakrát rozprávala. Obaja začali pracovať v ten istý deň, a to ich zbližovalo.

On sa chystal dať výpoveď a prejsť k väčšej spoločnosti, ona tiež; ani jeden z nich to však neurobil.

„Myslíš, že sme zbabelci?" spýtala sa ho, keď sa predierali hustou premávkou.

„Nie, vždy sa nájdu dôvody. A tebe čo bráni, tí moralisti z Rosemary Drive?"

„Ako vieš, že sú moralisti?" spýtala sa udivene.

„Práve si mi povedala, že vo vašom dome sa o milenkách nehovorí," odvetil Ken.

„To je fakt a boli by veľmi sklamaní, keby zistili, že aj ja som jednou z nich," povedala Anna.

„Aj ja," zvážnel Ken.

„Ale choď," usmiala sa naňho. „Ľahko sa skladajú komplimenty tomu, o kom vieš, že je zadaný, je to bezpečnejšie. Keby som ti povedala, že som voľná a na love, určite by si ma nepozval na drink, ale namiesto toho by si radšej zdupkal, len aby si bol odo mňa na míle ďaleko."

„Úplne vedľa. Naschvál som zostal v kníhkupectve do záverečnej, celý deň som myslel na to, aké by bolo fajn vidieť ťa. Hej, hádam ma len nechceš obviniť, že mám zajačie úmysly?"

Priateľsky ho plesla po kolene. „Nie. Nedocenila som ťa." Zhlboka si vzdychla. S Kenom sa jej tak ľahko rozprávalo, nemusela si dávať pozor na to, čo povie. Nie ako v Salthille na Rosemary Drive. Nie ako keď sa neskôr vráti k Joeovi.

„To vzdycháš od šťastia?" spýtal sa.

Keby sa jej to spýtal Joe, alebo matka, či otec, odpovedala by áno.

„Od únavy: už ma tie lži unavujú," priznala. „Veľmi unavujú."

„No už si veľká, nemusíš predsa klamať, ako a s kým žiješ."

Anna nevrlo prikývla. „Ale ja klamem, fakt klamem."

„Možno si len myslíš, že klameš."

„Nie, ja fakt klamem. Aj s telefónom. Doma som povedala, že mi vypli telefón, aby mi nevolali. Pretože na odkazovači je nahrané: ‚Dovolali ste sa k Joeovi Ashovi.' Musí to tak byť, vieš, on je herec na voľnej nohe a musí byť v dosahu."

„Samozrejme," súhlasil Ken.

„Takže, prirodzene, nechcem, aby mi matka volala a počula mužský hlas. A nechcem, aby sa ma otec pýtal, čo ten mladý muž robí v *mojom* byte."

„To je fakt, to by sa mohol spýtať, ale prečo ten chlap vlastne nemá svoj aparát a svoje číslo?" spýtal sa kruto Ken.

„Ja si musím dokonca dávať pozor aj na to, aby som pred nimi nespomínala nič také, ako je platenie telefónnych účtov, musím si pamätať, že ja *nemám* telefón. To je len jedna z tých deviatich miliónov lží."

„A čo na druhom konci linky, myslím, či musíš klamať aj tej hereckej hviezde?" Zdalo sa, že Ken to veľmi chce vedieť.

„Klamať? Nie, vôbec nie, prečo by som mu mala klamať?"

„Neviem, hovorila si, že musíš klamať všade. Myslel som, či to nie je nejaký žiarlivý ‚macho', ktorému nemôžeš povedať, že si šla so mnou na drink. Teda ak sa vôbec k nejakému drinku dostaneme." Ken smutne pozrel na kolónu áut.

„Ale nie, ty mi nerozumieš, Joe by bol rád, keby vedel, že som šla na drink s priateľom. Ibaže..." Stíchla. Aké ibaže? Ibaže tu bola tá nekonečná, absolútne nekonečná potreba niečo predstierať. Predstierať, že sa dobre baví v tých čudných kluboch, kam chodievali. Predstierať, že chápe ten neurčitý vzťah s jeho matkou, jeho ženou, jeho deťmi. Predstierať, že sa jej páčia tie periférne divadielka, v ktorých hrával malé úložky. Predstierať, že sa vždy chce milovať. Predstierať, že si nerobí starosti s tým veľkým rodinným problémom, ktorý má pred sebou.

„Joeovi neklamem," povedala akoby pre seba. „Len trochu hrám."

V aute zavládlo ticho.

„Jasné, on *je* herec," prikývol Ken pokúšajúc sa trochu oživiť rozhovor.

V tom to nebolo. Herec, ten vôbec nehral, nikdy nič nepredstieral len preto, aby potešil druhých. Hrala hercova priateľka. Zvláštne, že o tom doteraz nikdy takto neuvažovala.

Takto sedeli a celkom dobre sa bavili, až kým nenarazili na krčmu.

„Nechceš zavolať vašim a povedať im, že prídeš trochu neskôr?" navrhol Ken.

Prekvapene naňho pozrela – aký je pozorný.

„Nuž, ak nakúpili stejky a všetko..." súhlasila.

Matka bola dojatá. „To je od teba pekné, drahá, otec ťa už začínal vyzerať. Povedal, že sa prejde na stanicu."

„Nemusí, dovezú ma."

„Joe? Joe Ashe, ten herec?"

„Nie, nie, mama, Ken Green, kamarát z roboty."

„Neviem, či budem mať dosť stejkov..."

„On nepríde na večeru, iba ma dovezie."

„Ale pozveš ho dnu, dobre? Veľmi radi sa zoznámime s tvojimi priateľmi. Tvoj otec a ja by sme chceli, aby si k nám častejšie vodila svojich priateľov. Celé veky si k nám nikoho nepriviedla." Jej hlas znel melancholicky, akoby sa dívala na svoju stenu s obrázkami a nič lepšie jej nenapadalo.

„Tak ho na chvíľu zavolám dnu," sľúbila Anna.

„Zvládneš to?" spýtala sa Kena.

„Veľmi rád. Môžem ti robiť slona."

„Čo je to, preboha?"

„Ty nečítaš klebetníky? To je človek, ktorý odpútava pozornosť od tvojej skutočnej lásky. Ak spoznajú správnych chlapíkov, ako som ja, ani v päte nebudú mať diabolských, zmyselných hereckých milencov, ktorí si pripájajú svoj odkazovač na tvoj telefón."

„Och, čuš," zasmiala sa. Bol to uvoľnený smiech, nie silený.

Dali si ešte drink. Povedala Kenovi Greenovi o výročí. Stručne mu porozprávala, že jej sestra je mníška, jej brat vypadol na farmu otcovho staršieho brata Vincenta, na malé, zabudnuté miestečko na západnom pobreží Írska. A keď sa už cítila ľahšie a pokojnejšie, povedala mu aj, prečo dnes večeria s rodičmi. Po prvý raz za celý ten dlhý čas sa rozhodla hovoriť otvorene, spýtať sa ich, čo si želajú, povedať im, aké sú hranice jej možností. Vysvetliť problémy.

„Hranice a problémy veľmi nerozoberaj, ak sú takí, ako hovoríš, bavte sa radšej o oslave," odporúčal.

„Mali už tvoji rodičia striebornú svadbu?"

„Pred dvoma rokmi," odpovedal Ken.

„Bola dobrá?" spýtala sa.

„Ani nie."

„Och!"

„Keby sme sa poznali lepšie, porozprával by som ti o tom," vyhlásil.

„Myslím, že sa už dosť dobre poznáme, či nie?" sklamane sa spýtala Anna.

„Nie. Na to, aby som ti hovoril podrobnosti zo svojho života, mi jeden drink nestačí."

Anne bolo zrazu nepríjemné, že mu porozprávala o Joeovi Ashovi a o tom, ako musí doma všetko tajiť.

„Myslím, že priveľa táram," pripustila skrúšene.

„Nie, si len prívetivejšia. Ja som skôr utiahnutý," povedal Ken. „Poďme, dopi a ide sa do Saltmines."

„Kam?"

„Nehovorila si, že tak sa volá váš dom?"

Anna sa rozosmiala a zahnala sa po ňom kabelkou. Znova sa cítila normálne. Tak ako kedysi dávno, keď bolo úžasné byť súčasťou rodiny Doylovcov, a nie predierať sa mínovým poľom ako dnes.

Matka ich čakala na schodoch.

„Vyšla som pre prípad, že by ste mali problémy s parkovaním," vysvetľovala.

„Ďakujeme, ale vyzerá, že je tu miesta dosť... máme šťastie," povedal pokojne Ken.

„Veľa sme toho o vás nepočuli, takže je to príjemné prekvapenie." Matke svietili oči, možno až priveľmi.

„Áno, aj pre mňa je to prekvapenie. Nepoznám Annu veľmi dobre, len sa občas rozprávame, keď zájdem do kníhkupectva. Dnes večer som ju pozval na drink, a keďže to bol jeden z tých večerov, keď chodieva k vám do Pinneru, myslel som, že sa po ceste môžeme trochu porozprávať."

Anna si spomenula, že Ken Green je obchodník. Na živobytie si zarábal predajom kníh, tým, že získaval väčšie objednávky, než boli predavači kníh ochotní podpisovať, tým, že ich prinútil urobiť výklad, naviedol ich na veľké, reprezentačné kartónové obaly s obrázkami. Prirodzene, bol schopný predať i sám seba.

Aj otcovi sa páčil.

Kenovi sa darilo klásť správne otázky a vyhýbať sa tým nesprávnym. Nenútene sa spýtal, v akej sfére pracuje pán Doyle. Otcovi sa zjavil na tvári zvyčajný tvrdohlavý, obranný výraz. Jeho hlas nadobudol známy tón ako vždy, keď sa hovorilo o práci a racionalizácii.

Vtedy väčšina ľudí rezignovala a popletená jeho žoviálnosťou istým spôsobom s ním sympatizovala a načúvala tej jeho žalostnej historke o spoločnosti, ktorá si, vďakabohu, viedla celkom dobre dovtedy, kým sa nezačalo s racionalizáciou pracovných miest a perfektné, dobre platené, stále miesta sa rušili. Desmond Doyle tiež musel zmeniť miesto, povedal Kenovi Greenovi. Úplne zmeniť. Dnes je to už veru celkom inak.

Anna sa nudila. Otcovu verziu už poznala naspamäť. V skutočnosti otca vyhodili kvôli stretu záujmov, ako to volala matka. Ale to bolo tajomstvo. Veľké tajomstvo, ktoré sa nikto nemal dozvedieť.

V škole o tom nesmeli ani pípnuť. Anna si uvedomila, že zrejme vtedy získala prvé návyky tajnostkárstva. Možno práve vtedy sa to začalo. Pretože o rok neskôr sa otec znova zamestnal v tej istej firme. Ale to už nikto ďalej nevysvetľoval.

Ken Green sa nesťažoval na dohodu so svetom, ani na spôsoby biznismenov.

„Ako sa vám podarilo prežiť racionalizáciu? Mali ste nejaké významné postavenie?"

Anne vyletela ruka k ústam. V tejto domácnosti ešte nikto nehovoril tak priamo. Jej matka zmätene blúdila pohľadom z jedného na druhého. Na chvíľu zavládlo ticho.

„Neprežil som to, stalo sa," priznal Desmond Doyle. „Rok som bol preč. Ale pri ďalšej výmene personálu ma vzali späť, určité osobnostné rozpory sa vyžehlili."

Anna si ešte vždy zakrývala rukou ústa. To bolo po prvýkrát, čo otec *vôbec* priznal, že bol rok nezamestnaný. Až sa bála pozrieť na matku, ako to prijme.

Ken prikyvoval. „To sa stáva, je to, ako keď strčíte všetko do jedného vreca, zatrasiete ním a neviete, čo vypadne. Veci sa občas nevrátia na správne miesto, však?" Povzbudivo sa usmial.

Anna civela na Kena Greena, akoby ho nikdy predtým nevidela. Čo to ten chlap robí, sedí si tu, v tejto izbe a vypytuje sa otca na zakázané veci? Hádam si len matka s otcom nemyslia, že s ním preberala súkromné záležitosti?

Našťastie to otec vôbec nebral zle; usilovne vysvetľoval Kenovi, že ľudí naozaj prekladali na nesprávne miesta. On sám, pôvodne prevádzkový riaditeľ, bol teraz vedúcim zvláštnych úloh. Zvláštne úlohy znamenali tak málo a tak veľa, ako kto chcel. Bolo to vymyslené miesto.

„Takže je len na vás, čo z neho urobíte, to je podstata vymyslených miest. Ja mám také miesto, Anna ho má tiež, a každý sa svojím spôsobom snažíme z toho niečo urobiť."

„Moje miesto *nie je* vymyslené!" vykríkla Anna.

„Ale možno ho tak nazvať, či nie? Nemáš žiaden strop, žiadnu možnosť riadneho povýšenia alebo uznania, ale robíš to dobre, lebo ťa to baví, čítaš katalógy, chápeš, prečo sa vydávajú knihy a kto ich kupuje. Môžeš si spokojne pilníkovať nechty ako tá tvoja kolegyňa s fialovými vlasmi."

Annina matka sa nervózne zachichotala.

„Samozrejme, máš pravdu, kým si mladá. Ken, ľudia môžu niečo urobiť, lenže nie vtedy, keď sú už starí..."

„Tak potom je všetko v poriadku," povedal zdvorilo Ken.

„Ale choďte, nemusíte mi lichotiť..."

„Nelichotím." Kenova tvár vyjadrovala, že nič mu nie je vzdialenejšie. „Vy predsa nemôžete mať viac ako štyridsaťšesť, ak sa nemýlim, štyridsaťšesť, štyridsaťsedem?"

Anna zúrila nad vlastnou hlúposťou, že toho hulváta pozvala domov.

„Máte pravdu, budem mať štyridsaťsedem," povedal otec.

„Takže nie ste až taký starý. Nemáte päťdesiatosem ani šesťdesiatdva."

„Deirdre, môžeme tie stejky rozdeliť na štyri? Tento mladý muž sa mi páči, musí zostať na večeru."

Anne horela tvár. Ak povie áno, nikdy mu to neodpustí.

„Nie, ďakujem, pán Doyle, nie, vážne, pani Doylová. Určite by to bolo fajn, ale nie dnes. Ešte raz ďakujem. Len dopijem a nebudem vás ďalej obťažovať."

„Ale vy nás predsa neobťažujete, boli by sme radi..."

„Dnes nie, viem, že Anna chce s vami hovoriť."

„Nuž, som si istá, že ak je to niečo..." Annina matka placho zablúdila zrakom od dcéry k tomu zaujímavému čiernovlasému mladému mužovi s tmavohnedými očami. Anna určite neprišla domov preto, aby im o ňom niečo povedala. Nemá to náhodou napísané v tvári...?

Ken ju vyviedol z pochybností. „Nie, to nemá so mnou nič spoločné. To je rodinná záležitosť, chce s vami hovoriť o vašej striebornej svadbe, ako ju budete oslavovať."

Desmond Doyle bol sklamaný, že Ken definitívne odchádza. „Och, to je ešte ďaleko," namietal.

„Aj tak, nech je to akokoľvek ďaleko, hlavne, že si to dnes preberiete a urobíte, čo obaja chcete. Viem, že Anna prišla domov, aby sa s vami porozprávala, takže teraz vás už nechám."

Pri odchode si podal so všetkými ruku a druhou rukou úchytkom stisol Anne rameno.

Sledovali, ako vycúval na cestu a zľahka im zatrúbil na pozdrav.

Traja Doylovci stáli na prahu Salthillu na Rosemary Drive číslo dvadsaťšesť, akoby stratili reč.

Anna sa obrátila k rodičom. „Len som mu spomenula, že ideme robiť plány, neviem, prečo z toho robil takú vedu."

Mala pocit, že ani jeden z rodičov ju nepočúva.

„Ale nielen preto som prišla. Jednoducho som vás chcela vidieť."

Stále ticho.

„A viem, že mi neveríte, ale povedala som mu to len preto... nuž, lebo som musela niečo povedať."

„Je to veľmi príjemný mladý muž," povedal Desmond Doyle.

„A dobre vyzerá. Taký elegantný," dodala Deirdre Doylová.

Annu zaliala vlna odporu. Už ho porovnávajú s Joeom Ashom, s Joeom, ktorého milovala telom i dušou.

„Áno," počula svoj dutý hlas.

„Nikdy predtým si o ňom nehovorila," vyzvedala matka.

„Viem, mama, to si mu povedala dve sekundy potom, čo si sa s ním zoznámila."

„Nebuď drzá," upozornil ju automaticky Desmond Doyle.

„Mám dvadsaťtri rokov, prekristapána, nie som drzé decko," vzbúrila sa Anna.

„Neviem, čo sa tak rozčuľuješ," čudovala sa matka. „Pripravili sme ti skvelú večeru, pýtame sa ťa na bežné veci, hovoríme, akého máš milého priateľa, a ty nám za to ideš odtrhnúť hlavu."

„Prepáčte." To už bola zasa tá stará Anna.

„Nie, to je v poriadku, si unavená po dlhom dni. Možno ti nesadli tie drinky po dlhej ceste."

Anna potichu zaťala päste.

Trojica sa vrátila do domu a skrúšene zastala v jedálni. Pri stene s rodinnými fotografiami.

„Takže, čo teraz, ideme jesť?" matka sa bezradne dívala z jedného na druhého.

„Tvoja matka sa vybrala na špeciálne nákupy, keď sa dozvedela, že dnes večer prídeš," prezradil otec.

V tej bláznivej chvíli si želala, aby Ken Green predsa len zostal, aby bol tu a ukončil tento zamotaný rozhovor, ktorý sa len krútil dokola a nikam neviedol. Ten pocit v nej rástol, začala sa cítiť previnilo, napäto, ale potom ju to zrazu prešlo.

Keby tu bol Ken, určite by povedal: „Ešte polhodinu nechajme jedlo jedlom a radšej mi povedzte, ako by ste si predstavovali to svoje výročie." Áno, presne tak by to Ken povedal. Nehovoril by, čo by sa malo urobiť, alebo čo možno očakávať, alebo čo by bolo správne. Keď odchádzal, povedal len toľko, že Anna by sa rada porozprávala s rodičmi o tom, čo by si oni dvaja želali v ten deň.

Želali. To bol v tejto rodine pokrok.

Impulzívne použila presne tie isté slová, ktoré by povedal Ken Green.

Napodiv sa obaja posadili a s očakávaním na ňu hľadeli.

„Je to váš deň, nie náš. Čo by ste si *vy* najviac želali?"

„Nuž, teda ..." začala po chvíli matka. „Nuž, to nezávisí od nás."

„Ak sa tým chcete zaoberať, budeme vám, prirodzene, veľmi vďační..." vyhlásil otec.

Anna na nich neveriacky hľadela. Naozaj si myslia, že to nezávisí od nich? Naozaj si myslia, že žijú v krajine zázrakov a ich život je v rukách detí, ktoré sa budú tou oslavou zaoberať? Neuvedomujú si, že v tejto rodine je všetko len hrané... a herci sa po jednom potichu vytrácajú zo scény – Helen do svojho kláštora, Brendan na svoju ďalekú skalnatú farmu v západnom Írsku. Len Anna, ktorá býva o dve stanice ďalej, je vždy nablízku.

Zaplavilo ju obrovské zúfalstvo. Vedela, že sa nesmie rozčúliť, že celá návšteva by nemala význam, keby sa skončila hádkou. Už počula, ako sa jej Joe pokojne pýta, prečo sa, preboha, vydávala na vlastnú päsť na tú dlhú, únavnú cestu, keď aj tak boli z nej všetci len nervózni a nešťastní.

Joe si vedel zariadiť život.

Bolelo ju, priam fyzicky ju bolelo, že nie je s ním, nesedí na zemi pri jeho kresle a on ju nehladká po vlasoch.

Netušila, že je možné niekoho tak milovať, a keď sa pozrela na ustaraného muža a ženu, ktorí poslušne sedeli na pohovke pred ňou, napadlo jej, či niekedy zažili čo i len zlomok takej lásky. Nevedela si predstaviť, ako si rodičia vyznávajú lásku, a už vôbec si nedokázala predstaviť, že spolu spávajú a milujú sa ako skutoční ľudia... ako ona s Joeom. Anna však vedela, že to si nedokáže predstaviť nikto.

„Počujte," povedala, „musím si zavolať. Chcem, aby ste chvíľu nerozmýšľali nad večerou, ale porozprávali sa o tom, čo by ste chceli, a potom to začnem organizovať. Dobre?" Oči jej podozrivo žiarili, možno jej tie poháriky predsa len sadli.

Vyšla k telefónu. Musí si niečo vymyslieť, aby mohla zavolať Joeovi, nič vážne, len aby počula jeho hlas, určite jej to zdvihne náladu. Povie mu, že príde domov o niečo skôr, ako predpokladala, a spýta sa, či nemá doniesť nejakú čínu alebo pizzu, alebo aspoň zmrzlinu. Ani teraz, ani neskôr mu nepovie, ako pusto a depresívne na ňu pôsobí jej starý domov, aký smutný a depresívny pocit má zo svojich rodičov, aká je bezmocná a naštvaná. Joe Ashe z toho nechcel počuť nič.

Vykrútila svoje číslo.

Telefón niekto okamžite zodvihol a ozval sa dievčenský hlas. Musela byť v spálni...

Anna si odtiahla slúchadlo od ucha ako vo filme, keď niekto neverí vlastným ušiam, načisto zmätený. Uvedomila si, že teraz to robí aj ona.

„Haló?" ozvalo sa opäť dievča.

„Aké je to číslo?" spýtala sa Anna.

„Počkajte, telefón je na zemi, neviem to prečítať. Počkajte sekundu." Hlas dievčaťa znel priateľsky. A mlado.

Anna zdrevenela. V byte na Shepherd's Bush bol telefón naozaj na zemi. Keď ho chcete nadvihnúť, musíte sa vykloniť z postele.

Nechcela dievča ďalej trápiť, číslo poznala.

„Je tam Joe?" spýtala sa. „Joe Ashe?"

„Nie, ľutujem, šiel kúpiť cigarety, o chvíľu bude späť."

Prečo len nezapol odkazovač, spytovala sa v duchu Anna, *prečo* automaticky neotočil spínač ako vždy, keď odchádzal z bytu? Keby náhodou volal jeho agent. Keby sa konečne dočkal uznania. Namiesto toho ho odhalila.

Oprela sa o stenu domu, v ktorom vyrastala. Potrebovala oporu.

Dievčaťu sa to ticho nepáčilo. „Ste tam ešte? Zavoláte mu, alebo má zavolať on vám, alebo čo?"

„Uhm... nie som si istá." Anna sa snažila získať čas.

Ak teraz zavesí, Joe sa nikdy nedozvie, že ho prekukla. Všetko bude tak ako doteraz, nič sa nezmení. Ak povie, že má zlé číslo, alebo že sa nič nestalo, alebo že ešte zavolá, dievčina mykne plecom, zavesí a možno Joeovi ani nespomenie, že niekto volal a zavesil. Anna sa ho na to nikdy nespýta, nebude predsa kaziť, čo si vybudovala.

Čo si to vlastne vybudovala? Má chlapa, ktorý si privedie dievča do postele, do *jej* postele, len čo ona vytiahne päty z domu. Prečo sa ho drží zubami-nechtami? Lebo ho miluje, a ak si ho neudrží, zostane po ňom len veľká, krikľavá prázdnota a bude jej chýbať tak veľmi, že umrie.

Čo keby počkala pri telefóne a potom ho konfrontovala? Bude mu to ľúto? Bude jej vysvetľovať, že to bola kolegyňa a len sa učili spolu texty?

Alebo jej povie, že je koniec? A potom jej zostane len prázdnota a bolesť.

Dievča sa snažilo nestratiť spojenie pre prípad, že by to bola práca pre Joea.

„Neskladajte, zapíšem si vaše meno, ak chcete, momentík, len vstanem, už som hore... Pozrime sa, tu pod oknom je akýsi stôl, nie, to je toaletka... ale tu je nejaká ceruzka na obočie alebo čo. Takže, ako sa to voláte?"

Anne zhorklo v ústach. V jej posteli, pod nádhernou drahou prikrývkou, ktorú si kúpila vlani na Vianoce, leží nahé dievča, ktoré teraz prenáša telefón k malému stolíku s jej toaletnými potrebami.

Anna sa počula, ako sa pýta: „Je tá šnúra dosť dlhá?"

Dievča sa zasmialo. „Áno, dosť."

„Dobre. Tak ho na chvíľu položte na stoličku, na tú ružovú, a natiahnite sa ku kozubu, dobre, tam nájdete špirálový blok, z ktorého visí ceruzka."

„Hej?" Dievčina bola prekvapená, ale nie znepokojená.

Anna pokračovala. „Dobre, teraz odložte tú ceruzku na oči, aj tak je to kajal, nepíše dobre. A teraz napíšte Joeovi len toto: Volala Anna. Anna Doylová. Žiaden odkaz."

„Naozaj vám nemá zavolať?" Do hlasu tej druhej ženy, ktorá bude možno týždne, mesiace a možno roky svojho života tráviť pokusmi ulahodiť Joeovi Ashovi, hovoriť správne veci, aby ho nestratila, sa vlúdila obava.

„Nie, nie, momentálne som u rodičov. Vlastne tu zostanem aj spať. Môžete mu to povedať?"

„Vie, kde vás nájde?"

„Áno, ale nemusí mi volať, ja mu neskôr brnknem."

Zavesila a musela sa chytiť stola, aby nespadla. Spomína si, ako rodičom hovorila, že najhorším miestom pre telefón je hala. Je tu chladno, žiadne súkromie ani pohodlie. Teraz im žehnala za to, že ju neposlúchli.

Zostala chvíľu stáť a snažila sa pozbierať si myšlienky – vírili jej hlavou, naháňali sa ako myši. Nakoniec, keď si už myslela, že je schopná aspoň hovoriť, vrátila sa do izby, kde sedeli matka s otcom. Tí, ktorí nikdy nepoznali takúto lásku ani takúto bolesť. Oznámila im, že ak ju nevyhodia, rada by zostala na noc, takže na plánovanie majú čas do rána.

„Ty sa predsa nemusíš pýtať, či môžeš prespať doma," povedala matka, potešená i zmätená. „Dám ti do postele termofor, aby ti nebolo zima, vaše izby sú vám vždy k dispozícii, deti, lenže ani jeden z vás nepríde tak, aby tu prespal."

„Nuž, dnes by som rada," usmiala sa silene Anna.

Práve sa dopracovali k skutočnému počtu pozývaných hostí, keď zavolal Joe. Pokojne zodvihla telefón.

„Odišla," oznámil.

„Vážne?" utrúsila ľahostajne.

„Áno. Nie je to nič vážne."

„Nie. Nie."

„Nemusíš tam zostať a robiť scény, ani ma konfrontovať."

„Och, nie, nič také."

Bol v koncoch.

„Takže čo?" spýtal sa.

„Zostanem tu, ako som povedala tvojej priateľke."

„Ale nie navždy?"

„Samozrejme, že nie navždy, len dnes."

„Takže zajtra večer po práci... budeš doma?"

„Samozrejme, a ty budeš zbalený."

„Anna, len nedramatizuj."

„Ani nápad, som celkom pokojná. Dnes tam, samozrejme, zostaň, preboha, hádam si nemyslíš, že ťa vyhodím hneď. Až zajtra večer. Dobre?"

„Prestaň, Anna, ľúbim ťa, ty ľúbiš mňa, ja ťa neklamem."

„Ani ja teba, Joe, zajtrajšok platí. Vážne."

Zavesila.

Keď o desať minút znova zavolal, hneď šla k telefónu.

„Prosím ťa, nebuď únavný, Joe. To je ten tvoj úžasný výraz... únavný. Nepáči sa ti, keď ťa niekto pritlačí a pýta sa na veci, ktoré ho zaujímajú, je proste únavný. Niečo som sa naučila."

„Musíme sa porozprávať..."

„Zajtra po práci. Keď *ja* skončím, alebo nebodaj aj ty pracuješ? Potom sa môžeme chvíľu porozprávať, napríklad o tom, kam ti mám posielať poštu a či nemáš nejaké odkazy, takže si niečo zariaď."

„Ale..."

„Ja už neprídem k telefónu, takže nabudúce budeš musieť hovoriť s mojím otcom a ty si vždy tvrdil, že je to príjemný dedo, s ktorým si nemáte čo povedať..."

Vrátila sa k debate. Videla, že matka a otec premýšľajú, kto to asi volal.

„Prepáčte, že ruším, pohádala som sa Joeom Ashom, mojím priateľom. Prenášať také niečo do tohto domu je síce veľmi nespoločenské, ale ak ešte zavolá, nechcem s ním hovoriť."

„Je to vážne, myslím tá hádka?" spýtala sa zvedavo matka.

„Áno, mama, myslím, že ťa poteší, keď ti poviem, že je to pomerne vážna hádka. Zrejme posledná. Ale teraz sa pozrime, čo ponúkneme na jedenie."

A keď im Anna Doylová rozprávala o veľmi príjemnej žene menom Philippa, ktorá podniká v stravovaní, myšlienky jej blúdili inde. Myslela na dni, keď bolo všetko nové a vzrušujúce a každý kútik jej života zaplnený Joeovou prítomnosťou.

Ťažko sa jej budú vypĺňať všetky tie kúty odznova.

Povedala, že si môžu vyžiadať vzorové menu a rozhodnúť sa, čo budú chcieť. Každému by mali v riadnom predstihu napísať osobný list s pozvánkou, aby bolo jasné, že ide o niečo špeciálne.

„Je to predsa špeciálne, či nie? Dvadsaťpäť rokov manželstva?" Pozrela z jedného na druhého a dúfala, že jej pritakajú. Očakávala ten útulný klaustrofóbický rodinný pocit, ktorý sa darilo vytvárať len Doylovcom. Na jej veľké prekvapenie a poľutovanie to však dnes večer tak nevyzeralo. Matka s otcom si zjavne neboli istí, či je dobré oslavovať štvrťstoročie manželstva. Anna teraz po prvýkrát v živote potrebovala mať pocit, že život beží ďalej a že aj keď sa ten jej rúca, zvyšok civilizácie stojí na pevných základoch.

Možno sa však do toho len vžila ako básnici, ktorí uverili klamu a myslia si, že príroda sa mení podľa ich nálady a nebo je temné, pretože *oni* majú temné myšlienky.

„Urobíme z toho fantastickú udalosť," navrhla rodičom. „Bude ešte lepšia ako vaša vlastná svadba, pretože vám s oslavami všetci pomôžeme."

Odmenou jej boli dva úsmevy a ona si uvedomila, že aspoň bude mať čo robiť počas toho dlhého, nudného a desivo prázdneho leta, ktoré ju čakalo.

2 *Brendan*

Brendan Doyle podišiel ku kalendáru pozrieť sa na dátum, kedy bude Christy Moore spievať v meste dvadsať míľ odtiaľ. Bude to niekedy na budúci týždeň a rozmýšľal, že si ho pôjde pozrieť.

Do veľkého kuchynského kalendára si poznačil deň, ktorý hlásili v rádiu. Na svoje prekvapenie zistil, že dnes má narodeniny. Šokovaný si uvedomil, že už je jedenásť a jemu ešte nedošlo, že má narodeniny. Kedysi by vedel, že má narodeniny, už celé týždne vopred.

„Už len tri týždne do Brendanových narodenín," hovorila by matka každému, kto by ju počúval.

Keď bol malý, neznášal tie tirády okolo narodenín. Oslavy. Dievčatkám v parádnych šatočkách sa to, samozrejme, páčilo. Lenže oni nepozývali nikoho zvonku. Brendan si nemohol spomenúť na žiadnu poriadnu párty s deťmi, krekermi a hrami, len na vyobliekanú rodinu, koláčiky a puding so šľahačkou, ako každý rok. Od všetkých dostal darčeky v narodeninovom balení s malými visačkami a pohľadnice s blahoželaním, ktoré boli naaranžované na kozube. Potom nasledovalo povinné fotenie, teda fotka oslávenca s papierovou čiapkou na hlave. A ešte jedna s rodinou. Tieto fotky sa uchovávali v albume a triumfálne ukazovali hosťom. Brendanove narodeniny, no povedzte, nie je to už veľký chlapec? A Helenine narodeniny a Annine. Pozrite. A ľudia pozerali a chválili matku. Je taká úžasná, vravievali, úžasná, čo všetko pre nich robí, má s tým určite veľa starostí.

Jeho matka sa nikdy nedozvedela, ako to neznášal. Ako nenávidel to vyspevovanie, tlieskanie a matku, ktorá pri piesni „Je to taký fajn chlapík" odbehla po fotoaparát.

Namiesto všetkých tých klauniád a akcií by stačilo len ticho sedieť a pózovať. Ako na javisku.

A to tajnostkárstvo. Nepovedz tete Maureen, že máme novú pohovku. Prečo? Nechceme, aby vedela, že je nová. Prečo to nemá vedieť? Lebo nechceme, aby nás ohovárala, že máme všetko, a punktum. A nie je pekná? Je, ale nechceme, aby si všetci mysleli, že sa ňou chválime, a keď sa teta Maureen opýta, povedz len „ach, pohovka, tú máme už dávno“, akoby to bolo normálne. Veď *vieš.*

Brendan to nevedel a nikdy nepochopil. Zdá sa, že stále niečo pred niekým skrývali. Pred susedmi, pred deťmi zo školy, pred ľuďmi z farnosti, pred Maureen Barryovou, matkinou najlepšou priateľkou, aj pred Frankom Quigleym, otcovým kolegom, ktorého pokladali za najlepšieho priateľa rodiny. A najmä pred tými tam v Írsku. Nepovedz babke O'Haganovej a neopováž sa povedať čo i len slovo pred dedom Doylom.

Podľa matkiných a otcových pravidiel sa žilo pomerne jednoducho, ak ste pochopili, že mimo rodinného kruhu nesmiete povedať vlastne nič.

Podľa Brendana však nemalo veľký význam hovoriť niečo ani v rodinnom kruhu.

Pamätá sa na svoje narodeniny v tom roku, keď otec prišiel o zamestnanie. Vtedy mali *obrovské* tajomstvo. Otec odchádzal z domu ráno vo zvyčajnom čase a vracal sa ako normálne z práce. Brendan sa čudoval, ba dodnes sa čuduje, načo to bolo dobré.

A tak tu, na Vincentovej farme, malej usadlosti na úbočí kopca, kde vyrastal jeho otec, sa vôbec necítil osamelejší ako na Rosemary Drive predstierajúc, že je výborným žiakom, že si chce urobiť maturitu a ísť na univerzitu. Aj keď celý čas vedel, že sa vráti sem, na toto skalnaté miesto, kde od neho nikto nič nečaká a kde nikto nič neprekrúca.

Vincent pre nich nikdy nebol *strýkom* Vincentom, hoci bol najstarší z otcových bratov, bol to jednoducho Vincent. Vysoký, prihrbený muž s vráskavou, vetrom ošľahanou tvárou. Nikdy netáral. V domčeku na úbočí, v ktorom vyrastal otec ako jedno zo šiestich detí, sa vôbec nikdy nehovorilo do vetra. Boli veľmi chudobní. Otec o tom ani o tých časoch však nikdy nehovorieval. A Vincent už tobôž nie. Hoci sa prakticky na každej streche malej vidieckej farmičky v okolí týčila televízna anténa, Vincent Doyle nevidel dôvod, prečo by televízor mal vlastniť aj on. Aj rádio mal len maličké a praskalo. Každý večer si však o pol siedmej vypočul správy a pred nimi reportáž pre farmárov. Občas si zapol nejaký dokument o Íroch v Austrálii alebo úvahu o tom, ako sa Napoleonove armády dostali až do západného Írska. Brendan netušil, ako sa mu podarilo zistiť, kedy sa tieto relácie vysielajú. Nekupoval si denníky ani program, kde by sa pozrel, kedy čo dávajú. A nebol ani takým pravidelným poslucháčom, aby vedel, čo sa kedy bude vysielať.

Nebol však ani pustovníkom, samotárom či excentrikom. Vincent vždy chodil v obleku. Nikdy sa nezmieril so svetom búnd a nohavíc. Každé tri roky si kúpil nový oblek a ten, ktorý práve nosil, posunul o stupeň nižšie, takže z dobrého kostolného obleka sa na druhý deň, po kúpe ďalšieho, stal oblek druhej kategórie. Ten potom nosil k ovciam a dokonca v ňom nakladal a vykladal vlečku.

Brendan Doyle sa do tohto miesta zamiloval v to zvláštne leto, keď tu boli na návšteve. Celou cestou loďou a vlakom boli všetci v napätí a museli si zapamätať strašne veľa vecí. Neopováž sa povedať, že sme celú noc cestou do Holyheadu vo vlaku sedeli. Pamätaj, že nesmieš hovoriť o tých davoch ľudí na kufroch, lebo by zistili, že sme cestovali štvrtou triedou. Pamätaj, že nesmieš hovoriť o tom, ako sme celé hodiny vyčkávali na studenom nástupišti. Žiadne sťažnosti, všetko muselo byť perfektné. Toto mu matka vtĺkala do hlavy počas celej tej nekonečnej cesty. Otec radšej nehovoril nič, povedal len, aby netárali a nechvastali sa strýkovi Vincentovi všetkým tým komfortom, ktorý majú v Londýne. Brendan si jasne spomína, ako im vtedy položil jednu otázku; už bol taký popletený, že sa to musel spýtať, aj keby čo bolo.

„A ktorí to teraz vlastne budeme? Tí bohatí, na ktorých sa hráme pred babkou O'Haganovou, alebo tí chudobní, na ktorých sa hráme pred strýkom Vincentom a dedom Doylom?"

Zavládlo hrozivé mlčanie.

Zdesení rodičia si vymenili pohľady.

„My že sa hráme!" vykríkli skoro jednohlasne. My sa na nikoho nehráme, zaprotestovali. A potom deťom odporučili, aby netárali o veciach, ktorým nerozumejú, respektíve aby neobťažovali starších. A bolo to vybavené.

Brendan si jasne spomína, ako po prvý raz uzrel farmu. Tri dni strávili s babkou O'Haganovou v Dubline, a potom nasledovala tá dlhá, únavná cesta vlakom. Matka s otcom sa trápili tým, ako sa vyvinuli veci v Dubline. Aspoň že deti sa správali slušne a zbytočne netárali. Brendan si pamätá, ako sa z okna vlaku díval na malé írske políčka. Helen bola v nemilosti za nejakú volovinu, čo vyviedla na stanici, no čert bol len v tom, že sa to stalo pred babkou

O'Haganovou. Anna bola potichu, zahrabaná nosom v knižke. Matka s otcom sa neprestajne ticho zhovárali.

Nič z toho ho však nepripravilo na pohľad na malý kamenný domček a dvor zapratany pokazenými strojmi. Vo dverách stál dedo, starý a zhrbený, v ošúchaných starých šatách, roztrhanom kabátci a košeli bez goliera. Vedľa neho strýko Vincent, jeho vyššia a mladšia kópia, lenže v obleku ako vážený pán.

„Vitajte doma," privítal ich dedo Doyle. „Z tejto zeme pochádzate, deti, a je pekné, že ste predsa len opustili tie červené autobusy a davy ľudí, aby ste sa zasa raz prešli po rodnej zemi."

Dedo Doyle bol v Londýne na návšteve raz. Brendan to vedel z obrázkov – z toho na stene spred Buckinghamského paláca a z ostatných v albumoch. V skutočnosti si tú návštevu veľmi nepamätá. Teraz však, keď sa díval na dvoch mužov pred domom, mal zvláštny pocit, akoby sa vrátil domov. Ako keby sa skončilo dobrodružstvo a deti vyšli z lesa, ako v detských rozprávkach, ktoré čítaval. Bál sa povedať čo i len slovo, aby to čaro nepokazil.

Vtedy tu zostali týždeň. Dedo Doyle bol už slabý a neprešiel oveľa ďalej ako po vchodové dvere. Zato Vincent ich povodil všade. Niekedy aj v starom aute s vlečkou; tá vlečka sa od ich prvej návštevy vôbec nezmenila. Vincent sa vtedy neobťažoval ju odpájať, hoci neprevážal ovce, a tak im zakaždým príjemne hrkotala za ušami.

Vincent vychádzal za ovcami dvakrát denne. Ovce majú zlý zvyk padať na chrbát a zostať ležať s nohami vo vzduchu; potom ich treba znova stavať na nohy.

Anna sa spýtala, či to robia len ovce strýka Vincenta, alebo všetky. Nechcela by o tom rozprávať doma v Londýne, keby to robili len doylovské ovce. Vincent sa uškrnul, ale vážne jej povedal, že nič sa nestane, ak pripustí, že ovce sa občas prevrátia, lebo u oviec je to pomerne častý jav dokonca i v Anglicku.

Vincent zastal a popravil ohradu; ovce sa stále prevaľujú cez nízke kamenné valy a dole sa potom roztrieštia na kusy, vysvetlil. Áno, potvrdil Anne, skôr než to stihla vysloviť, aj to je u tohto druhu celkom bežné.

V meste ich vzal do baru s vysokými stoličkami a kúpil im limonádu. Nikto z nich dovtedy nebol v krčme. Helen požiadala o pintu piva, ale nedostala ho. Vincent síce nemal námietky, lenže barman tvrdil, že je primladá.

Až cestou späť si Brendan uvedomil, že Vincent sa nikomu neobťažoval vysvetliť, kto vlastne sú, jednoducho ich predstavil ako deti svojho brata, nevysvetľoval, že sú tu týždeň na návšteve, že ináč bývajú na krásnom zelenom predmestí severného Londýna zvanom Pinner a že v lete cez víkendy hrávajú tenis. Matka s otcom by to porozprávali skoro každému. Vincent bol jednoducho taký, aký bol, málovravný, a keď ste sa ho na niečo spýtali, odpovedal pomaly a pokojne.

Brendan nadobudol pocit, že Vincent vôbec *nemá* rád, keď sa ho vypytujú. Niekedy, dokonca aj cez tie prázdniny, prešli s Vincentom celé míle a ledva medzi nimi padlo slovo. Bolo to mimoriadne upokojujúce.

Keď sa týždeň skončil, Brendan posmutnel.

„Možno sa vrátime," povedal Vincentovi, keď odchádzali.

„Možno," potvrdil nie veľmi presvedčivo Vincent.

„Prečo myslíš, že nie?" Opierali sa o bráničku zeleninovej záhradky. Bolo v nej niekoľko hriadok so zemiakmi a bežné veci ako kapusta, mrkva a paštrnák. Človek sa tu nepretrhne, vysvetlil Vincent.

„Och, počul som, že sa sem vrátite, ale myslím, že z toho nič nebude. Po tom, čo tu videli."

Brendanovi poskočilo srdce.

„Vrátime... myslíš na dlhšie, nielen na návštevu?"

„A o čom hovorím?"

„Vážne?"

Zachytil strýkov nežný pohľad.

„Áále, to nech ťa zatiaľ netrápi, Brendan, chlapče môj, ty si nateraz ži, ako najlepšie môžeš, a potom, jedného dňa, odíď a zariaď si život po svojom."

„Kedy?"

„Neboj sa, dočkáš sa," utrúsil Vincent, nespustiac oko zo zemiakových hriadok.

A Brendan sa *dočkal*.

Keď sa po tej návšteve vrátili späť do Londýna, všetko sa zmenilo. Po prvé, otec dostal späť svoju robotu a nemuseli sa viac tváriť, že je zamestnaný. Ale potom začali tie kruté hádky s Helen. Stále tvrdila, že nechce zostávať sama doma. Denne sa každého vypytovala, kedy pôjde preč a kedy sa vráti, a keď meškali päť minút, zariadila si to tak, že šla čakať Brendana ku škole.

Pokúšali sa zistiť, čo to má znamenať, ona však len mykla plecom a povedala, že jednoducho nenávidí samotu.

Niežeby sa bolo na Rosemary Drive čoho obávať. Brendan by bol občas radšej sám, než aby počúval tie večné táraniny pri jedle, prestieral na stôl a diskutoval o tom, čo je práve na stole a čo sa bude jesť nabudúce. Nevedel pochopiť, prečo Helen s otvoreným náručím nevíta každú šancu mať pokoj.

Zrejme preto sa napokon rozhodla, že sa stane mníškou. Pre pokoj. Alebo preto, že neustále pociťovala potrebu byť s ľuďmi, a keď Anna odišla do vlastného bytu a Brendan sa odsťahoval do Írska, vedela, že na Rosemary Drive to už nikdy nebude ono.

Je čudné, že s touto rodinou žil tak dlho, celé týždne, mesiace, ba roky počúval ich nekonečné rozhovory, a predsa ich poznal tak málo.

Brendan sa rozhodol vrátiť do tohto kamenného domčeka v deň, keď v škole prebiehala výstava zameraná na voľbu povolania. Stojany a panely informovali o kariére vo výpočtovej technike, maloobchode, telefónnych službách, londýnskej doprave, bankovníctve, ozbrojených zložkách. Skľúčene chodil od jedného k druhému, ale nič ho nenadchlo.

Dedo Doyle umrel hneď po tej návšteve, keď ich privítal na pôde, odkiaľ pochádzajú. Na pohreb mu, samozrejme, nešli. To nie je ich skutočný *domov*, tvrdila matka, a dedo by bol prvý, kto by s ňou súhlasil. Strýko Vincent ich ani nečakal a nemal žiadnych susedov, ktorí by sa nad tým pozastavovali a ohovárali ich, že neprišli. V kostole objednali omšu za spásu jeho duše a všetci farníci, s ktorými sa poznali, im vyslovili sústrasť.

Riaditeľka školy tvrdila, že v živote mladého človeka je najdôležitejšie rozhodnutie, ako strávi svoj ďalší život; to nie je ako kam ísť do kina, alebo ktorému futbalovému tímu fandiť. A vtedy Brendanovi svitlo, že musí preč, preč od neustálych diskusií o tom, čo je správne a čo nie a ako má hovoriť, že je manažérom, a nie predavačom, či nejaké ďalšie, novšie lži. Bolo mu nad slnko jasnejšie, že sa musí vrátiť k Vincentovi.

Salthill na Rosemary Drive 26 však nie je dom, z ktorého sa odchádza len tak, bez vysvetlenia. No Brendan si uvedomil, že toto bude jeho úplne posledné vysvetlenie. Bude to skúška ohňom, takže zatne zuby a zvládne to.

Bolo to však horšie, než si dokázal predstaviť. Anna a Helen plakali, prosili ho, zaprisahávali, aby nikam nechodil. Matka takisto plakala a spytovala sa, čo také spravila, že si to zaslúži; otec chcel vedieť, či ho na to nahovoril Vincent.

„Vincent o tom ani nevie," tvrdil Brendan.

Nič ho nemohlo zastaviť. Brendan ani netušil, že má toľko sily. Boj trval celé štyri dni.

Napokon prišla za ním matka s dvoma šálkami horúcej čokolády a sadla si k nemu na posteľ. „Všetci chlapci prechádzajú takýmto obdobím, chcú sa postaviť na vlastné nohy a odtrhnúť od mamkinej sukne. Navrhla som otcovi, aby si šiel na pár dní k Vincentovi, možno ťa to prejde."

Brendan odmietol. To by nebolo čestné. Keď raz odíde, už sa nevráti.

Aj otec mu urobil prednášku. „Počuj, chlapče, zrejme som bol včera večer trochu hrubý, keď som povedal, že tam ideš len preto, aby si zdedil tú hŕbu starého kamenia, nemyslel som, že to vyznie tak tvrdo. Ale vieš, ako to bude vyzerať. Môžeš si predstaviť, ako sa na to budú pozerať ľudia."

Brendan nemohol, ani vtedy, ani teraz.

Nikdy však nezabudne na výraz Vincentovej tváre, keď sa zjavil na ceste.

Celú cestu z mesta šiel pešo. Vincent so starým psom Shepom stál v kuchynských dverách. Keď uzrel prichádzať Brendana, prižmúril vo večernom svetle oči, aby v žiare zapadajúceho slnka rozoznal jeho siluetu.

„Takže si sa dočkal," privítal ho..

Brendan neodpovedal. V ruke mal malú cestovnú tašku, celý svoj majetok do nového života.

„To si celý ty," povedal Vincent. „Poďme dnu."

V ten večer sa ani raz nespýtal, prečo Brendan prišiel, alebo ako dlho ostane. Nikdy sa nespýtal, či o tom vedia tamtí v Londýne, alebo či má na túto návštevu oficiálne povolenie.

Podľa Vincenta všetko vyjde časom najavo, a pomaly, o niekoľko týždňov a mesiacov, naozaj aj vyšlo.

Dni prichádzali a odchádzali. Medzi dvoma Doylovcami, strýkom a synovcom, nikdy nepadlo krivé slovo. V skutočnosti tých slov bolo vôbec málo. Keď si Brendan zmyslel, že pôjde do susedného mestečka na zábavu, Vincent mu povedal, že podľa neho je to celkom dobrý nápad. On sám síce nikdy nebol veľký tanečník, ale počul, že je to výborné cvičenie. Podišiel k bielizníku, otvoril zásuvku, kde mal uložené peniaze, a podal Brendanovi štyridsať libier, aby tam nešiel naprázdno.

Z času na čas si Brendan poslúžil zásuvkou aj sám. Sprvu sa pýtal, ale Vincent povedal, že peniaze sú spoločné a môže si z nich vziať, koľko potrebuje.

Ceny stúpali a Brendan občas chodieval po večeroch pracovať do baru, aby aj on prispel do zásuvky niekoľkými librami navyše. Ak to aj Vincent zistil, nikdy to nepriznal, neprotestoval, ani ho nepochválil.

Brendan sa v duchu rehotal, keď si pomyslel, ako ináč by to bolo na Rosemary Drive.

Nechýbali mu; uvažoval, či ich vôbec niekedy čo i len trochu ľúbil. A ak ich neľúbil, bol nenormálny? Vo všetkom, čo čítal, bola láska, všetky filmy boli o láske, ba zdalo sa, že všetko, čo kedy videl v novinách, sa robilo z lásky, alebo preto, že niekto niekoho miloval, a ten mu lásku neopätoval. Možno bol len čudák, ktorý nevie, čo je to láska.

Vincent bol zrejme taký istý, a preto nikdy nepísal listy ani neviedol vášnivé rozhovory. Preto mal rád tento život tu, v horách, medzi kamennými cestičkami a pokojnými nebesami.

Je to trochu neprirodzené, hovoril si v duchu Brendan, že dvadsaťdvaročný chlap žije sám ako pustovník. Keby to povedal Vincentovi, strýko by sa naňho len zamyslene pozrel a na tvári by mal údiv. Neprivítal by ho v kruhu pustovníkov, ani by ho nepozval na pivo.

Vincent bol vonku na pochôdzke. Vráti sa na obed. Bude huspenina s rajčinami. K tomu si zajedia horúce zemiaky, pretože obed bez niekoľkých veľkých múčnych zemiakov by nebol dosť sýty. Nikdy nejedávali baraninu alebo jahňacinu. Nie z nejakého jemnocitu voči ovciam, ktoré boli ich živobytím, lenže nemali veľkú mrazničku ako niektorí susedia, ktorí zabíjali ovce každú sezónu. A nemohli si dovoliť platiť u mäsiara toľko za zvieratá, ktoré predávali za omnoho nižšiu sumu, než boli náklady mäsiara na chladiareň.

Po ceste sa štverala malá dodávka poštára Johnnyho Riordana.

„Máš tu kopu listov, Brendan, nemáš ty náhodou narodeniny?“ spýtal sa veselo.

„Mám.“ Brendan v mlčanlivosti dobehol už aj svojho strýka. „Gazda, a nepozveš nás večer na pivo?“

„Možno.“

Na pohľadnici od otca bola smiešna mačka. Pomerne nevhodné od otca, ktorý sa mu odcudzil. Slovo „otec“ bolo napísané úhľadne. Žiadne „s láskou“, ani „so želaním všetkého najlepšieho“. Nuž čo, bolo to vlastne v poriadku. Aj on posielal otcovi automaticky každý rok pohľadnicu len s podpisom „Brendan“.

Matkina bola kvetnatejšia a stálo v nej, že nemôže uveriť, že má takého veľkého syna, a je zvedavá, či má priateľku a či ho niekedy uvidia ženiť sa.

Helenina pohľadnica bola plná pokoja a požehnania. Písala o sestričkách a o penzióne, ktorý sa chystajú otvoriť, o peniazoch, ktoré potrebujú, a o tom, ako sa dve sestričky vybrali s gitarou vyhrávať na Picadilly Station, aby niečo zarobili, a ako sa komunita nevedela dohodnúť, či je to pre nich tá správna cesta. Helen vždy písala o tisícoch ľudí a predpokladala, že ich všetkých pozná, pamätá si ich mená a zaujíma ho, čo robia. Nakoniec pripísala: „Prosím Ťa, ber Annin list vážne.“

Otváral ich teda v správnom poradí. Ten Annin otváral pomaly. Zrejme mu oznamuje nejaké zlé správy, otec má rakovinu, alebo matka ide na operáciu. Keď však uzrel tie táraniny o výročí, pohŕdavo sa uškrnul. Nič sa nezmenilo, vôbec nič, sú stále rovnakí, trčia vo svete nablýskaných pohľadníc a nezmyselných rituálov. Celé ho to znechucovalo tým viac, že sestra Helen mu striktne prikázala, aby bral Annin list vážne. Zasa na niekoho váľa zodpovednosť.

Bol nabrúsený a nepokojný, ako vždy, keď ho zaťahovali do rodinných záležitostí. Vstal a vyšiel von. Trochu sa prejde po kopcoch. Chcel skontrolovať jednu ohradu. Možno bude treba spraviť viac, než len prestaviť kamene, ako to často robieval.

Cestou narazil na Vincenta, ktorý sa snažil vyslobodiť ovcu s hlavou zaseknutou v bráničke. Zviera bolo vystrašené, kopalo a metalo sa tak, že bolo skoro nemožné ho uvoľniť.

„Prišiel si práve včas,“ povedal Vincent, keď sa im podarilo vyslobodiť vystrašenú ovcu. Zúfalo bečala a tupo na nich civela.

„Čo je s ňou, je zranená?“ spýtal sa Brendan.

„Nie. Ani škrabnutie.“

„Tak čo tak zúfalo bľačí?“

Vincent sa zadíval na nešťastnú ovcu. „To je tá, čo si pridlávila mláďa. Rozmliaždila ho," povedal.

„Trdlo makové," prehodil Brendan. „Prisadne si vlastné, vydarené, perfektné jahniatko, a potom strčí hlavu do bráničky – a vraj prečo sú ovce hlúpe."

Ovca naňho dôverčivo pozrela a vydala zo seba dlhé béééé.

„Nevníma, že ju urážam," pozrel na ňu Brendan.

„Kašle na teba. Hľadá jahňa."

„Nevie, že ho zniesla zo sveta?"

„Ani netuší. Ako by mohla?" odvetil Vincent.

Dvaja muži sa družne vydali na cestu domov robiť obed.

Vincentovi padol zrak na obálky a pohľadnice.

„Takže ty máš dnes narodeniny," povedal. „Predstav si."

„Áno," odvrkol Brendan.

Strýc sa na neho na chvíľu zadíval.

„Pekné od nich, že si spomenuli. Keby si sa spoliehal len na mňa, veľmi zle by si dopadol."

„Nepotrpím si na to… najmä od nich nie." Ešte vždy namosúrený umýval v dreze zemiaky a ukladal ich do veľkého hrnca s vodou.

„Dám ti ich na kozub?"

To teda od Vincenta nečakal.

„Nie, nie. Tam nie."

„Aj tak dobre." Strýko pekne pozbieral pohľadnice a poskladal ich na hromádku. Zbadal aj dlhý, strojom písaný list od Anny, ale mlčal. Pri jedle čakal, kým chlapec spustí.

„Anna ma chce nahovoriť, aby som sa šiel do Anglicka zahrať na akúsi striebornú svadbu. *Striebornú*," zaškľabil sa.

„To je koľko?" spýtal sa Vincent.

„Dvadsaťpäť úžasných rokov."

„Tak dlho sú manželmi? Pane Bože."

„Ty si im nebol na svadbe?"

„Bože, Brendan, povedz mi, čo by ma tam bolo dostalo?"

„Chce, aby som prišiel. Lenže ja nepôjdem ani na túto, ani na žiadnu svadbu."

„Nuž, každý robí, čo chce."

Brendan sa zamyslel.

„Myslím, že nakoniec predsa pôjdem," povedal.

Zapálili si cigaretu a pofajčievali nad veľkými hrnčekmi s čajom.

„Oni ma tam vlastne ani nechcú, budem ich len rušiť. Matka

bude musieť vysvetľovať ľuďom, prečo som neurobil to alebo ono, alebo prečo nevyzerám tak, ale takto, a otec ma bude vypočúvať, bude sa vypytovať."

„Veď si povedal, že nejdeš, tak čo?"

„Do októbra času dosť," povedal Brendan.

„To je až v októbri?" spýtal sa prekvapene Vincent.

„Áno, ale vieš, to sú celí oni, organizujú to už teraz."

Na chvíľu to nechali, ale Brendan sa tváril tak mrzuto, že strýko vedel, že sa k tomu ešte vráti.

„Istým spôsobom, samozrejme, by sa raz za pár rokov aj patrilo tam ísť. Keď to tak vezmeme, asi im to aj dlhujem."

„Je to tvoje rozhodnutie, chlapče."

„Predpokladám, že ma nebudeš presviedčať, alebo sa mýlim?"

„Veru nebudem."

„Zrejme si tú cestu však nebudeme môcť dovoliť, je to pridrahé."

Brendan zazrel na škatuľu od keksov, možno je to naozaj vylúčené.

„Vieš, že na cestu sú vždy peniaze."

Nevedel. Len dúfal, že sa na to bude môcť vyhovoriť. Aj sám pred sebou.

„Ale teraz budem len jeden z mnohých, ak mám ísť, bolo by hádam lepšie, keby som šiel inokedy a sám."

„Ako myslíš."

Zvonka sa znova ozvalo bľačanie. Ovca s tupým výrazom, tá, ktorá si pridlávila mláďa, ho stále hľadala. Došla až k domu dúfajúc, že by mohlo byť niekde tu. Vincent a Brendan vyzreli cez kuchynské okno. Ovca stále vybľakovala.

„Aj keby žilo, bola by mu beznádejnou matkou," povedal Brendan.

„Ona netuší, že sa riadi len akýmsi inštinktom. Chcela by ho aspoň na chvíľu vidieť, aby vedela, že je v poriadku, a tak."

To bol jeden z najdlhších prejavov, aký kedy strýko predniesol. Brendan naňho pozrel a vystrel k nemu ruku. Nežne objal staršieho muža okolo pliec, do hĺbky srdca dojatý nežnosťou a veľkomyseľnosťou jeho ducha.

„Pôjdem do mesta, Vincent," odtiahol ruku. „Možno napíšem zopár listov a možno natočím aj zopár pínt."

„V škatuli je dosť," dobrácky poznamenal Vincent.

„Je, ja viem. Ja viem."

Vykročil do záhrady, prešiel okolo osamelej ovce, ktorá stále volala svoje stratené jahňa, naštartoval staré auto a vybral sa do mesta. Na tú striebornú svadbu predsa len pôjde. Veď tam nestrávi pol života. Toho života, ktorý si zvolil. Môže im predsa venovať trocha času, aby ukázal, že sa má dobre a patrí do rodiny.

3 Helen

Starec s nádejou pozrel na Helen. Uvidel dievča medzi dvadsiatkou a tridsiatkou v sivom pulóvri a sukni. Vlasy mala stiahnuté dozadu a previazané čiernou stužkou, ale vyzerali, akoby sa každú chvíľu mali uvoľniť a v strapatých kučerách rozpadnúť na pleciach. Mala nepokojné tmavomodré oči a na nose pehy. Niesla čiernu plastikovú nákupnú tašku, ktorou hompáľala vpred i vzad.

„Slečna," oslovil ju starý opilec, „môžete mi urobiť láskavosť?"

Helen sa pristavila, nedalo jej. Niektorí chodci prejdú bez zastavenia, iní sa pristavia. Roky pozorovania ho naučili rozoznávať tieto dva druhy ľudí.

„Samozrejme, čo potrebujete?" spýtala sa.

Zaspätkoval. Jej úsmev bol príliš pohotový, príliš ochotný. Ľudia zvyčajne zamrmlú, že nemajú drobné, alebo sa ponáhľajú. Aj keď vyzerajú, že by ožranovi možno aj pomohli, nikdy nie sú až takí ochotní.

„Nechcem peniaze," povedal.

„Samozrejme," prikývla Helen, akoby to bolo to posledné, čo by chlap v kabáte stiahnutom povrazom s prázdnou fľaškou od jablčkového vína v ruke mohol chcieť.

„Chcem, aby ste šli tam do toho obchodu a doniesli mi ďalšiu fľašu. Tí bastardi mi povedali, že ma neobslúžia. Povedali, že do obchodu nesmiem. Dám vám dve libry, mohli by ste zájsť dnu a priniesť mi ju?"

Jeho popolavá tvár lemovaná strapatou hrivou so strniskom pod malými ostrými očkami žiarila nadšením z toho plánu.

Helen si zahryzla do spodnej pery a uprene naňho hľadela.

Bol to Ír, samozrejme, ako všetci, alebo Škót. Waleskí ožrani sa zašívajú vo svojich údoliach a anglickí toľko nechľascú, aspoň nie na verejnosti. Bolo to odporné.

„Myslím, že už máte dosť."

„Ako môžete vedieť, kedy mám dosť? O to tu predsa nejde. To predsa nie je jadro nášho problému."

Helen bola šokovaná, hovoril tak učene, používal také frázy... jadro problému. Ako môže chlap, ktorý takto hovorí, klesnúť tak hlboko, že sa z neho stane vyvrheľ spoločnosti?

Hneď sa však zahanbila. Takto by určite hovorila stará mama O'Haganová. A Helen by s ňou určite nesúhlasila. Teraz však, ako dvadsaťjedenročná, si myslí to isté.

„Nerobí vám to dobre," usúdila a odvážne dodala, „povedala som, že vám urobím láskavosť, ale dať vám ešte alkohol, to nie je láskavosť, ale medvedia služba."

Opilcovi sa jej reči a definície zjavne páčili a bol pripravený trochu si s ňou zašpásovať.

„Lenže tu nejde o to, či mi vy *dáte* alkohol, drahá slečna," vyhlásil triumfálne. „Na tom sme sa predsa nedohodli. Ja vás len žiadam, aby ste mi ho v zastúpení kúpili," zažiaril nad svojím víťazstvom.

„Nie, to vás položí."

„Tak ho dostanem inde. Mám dve libry a dostanem ho kdekoľvek. Teraz však ide o to, že vy ste mi dali slovo a potom ho nedodržali. Povedali ste, že mi urobíte láskavosť, a teraz mi zrazu hovoríte, že odmietate."

Urazená Helen vletela do malého obchodíka s alkoholom.

„Fľašu jablčkového," požiadala a zablýskala očami.

„Aké?"

„Neviem. Hocaké. Toto," ukázala na parádnu fľašu. Opilec zvonku zaklopal na výklad, pokrútil strapatou hlavou a pokúšal sa upozorniť ju na inú značku.

„Dúfam, že to nekupujete tomu ožranovi?" spýtal sa mladík.

„Nie, sebe," povedala previnilo a zjavne nepravdivo Helen. Opilec horúčkovito ukazoval na jednu značku.

„Počujte, nedávajte mu to, slečna... prosím."

„Tak predáte mi tú fľašu, alebo nie?" V krátkych výbuchoch hnevu dokázala byť Helen veľmi autoritatívna.

„Dve libry osemdesiat," povedal muž. Helen mu zlostne hodila peniaze, *svoje* peniaze, na pult a predavač jej rovnako zlostne strčil fľašu do igelitky.

„Takže," povedala Helen. „Robím, alebo nerobím, o čo ste ma žiadali?"

„Nerobíte, je to svinstvo, parádna fľaša do výkladu. To nepijem."

„Tak to nepite." V očiach sa jej zaleskli slzy.

„A okrem toho nemíňam na to svoje dobré prachy."

„Berte to ako dar," hlesla zničene.

„Och, aká ste zrazu milostivá," povedal. Z fľaše vyzunkol na jeden hlt asi štvrtinu. Ešte vždy ju držal zabalenú v igelitke.

Helen sa nepáčil výraz jeho tváre, chlap sa dostával do nálady, ba povedala by, že do poriadnej. S úžasom sledovala, ako mu dolu hrdlom v obrovských hltoch steká opovrhované jablčkové víno.

„Potkania šťanka," odpľul si. „Tí zlodejskí obchodníci ju balia do fliaš pod hrdým názvom alkohol."

Znova hlasno zabúchal na výklad. „Vyjdi, ty podvodník, ty gauner, poď sem a ochutnaj to svinstvo!"

Pred obchodom stáli debničky so zeleninou, s pekne naukladanými jablkami a pomarančmi, a košíky so zemiakmi a šampiňónmi. Chlap s poloprázdnou fľašou jablčkového vína ich začal systematicky prevracať na zem.

Z obchodu vybehli predavači; dvaja ho chytili a ďalší utekal po policajtov.

„To vám teda pekne ďakujem," povedal chlapec, ktorý predal Helen víno. „To sa vám teda podarilo."

„Ty ma, doriti, vôbec nepočúvaš," reval muž, ktorému sa už tvorila okolo úst pena.

„Nikto ťa nepočúva, kamoško," odvetil mu podráždený vedúci, ktorý ho držal ako vo zveráku.

Helen sa potichu vyparila. Vyspätkovala, akoby sa nechcela obrátiť chrbtom k tomu zmätku a nešťastiu, ktoré spôsobila. Lenže, bohužiaľ, stáva sa jej to až príliš často.

Helen zistila, že sa jej to stáva vlastne skoro vždy.

Keď sa vrátila do kláštora, sestre Brigid nepovedala ani slovo. Zrejme by to aj tak nepochopila. Sestrám by nedošlo, že by sa to stalo tak či tak. Chlap by bol možno ešte násilníckejší a zlostnejší, keby mu tú fľašu nekúpila. Možno by rozbil výklad alebo aj niekoho zranil. Helen túto trápnu historku radšej nikomu rozprávať nebude. Brigid by si považovala za povinnosť pozrieť na ňu smutne a čudovať sa, prečo Helen Doylovú prenasledujú problémy všade, kam sa pohne.

Zrejme by to oddialilo aj deň, keď má Helen zložiť sľub a stať sa členkou rádu, nielen príživníčkou. Čo všetko ešte musí zvládnuť?

Prečo sestra Brigid stále odďaľuje deň, keď budú Helen naozaj pokladať za členku rádu? Pracovala tak tvrdo ako každá iná, bola tu už tri roky, a pritom z nej stále mali pocit, že je to len akýsi prechodný vrtoch.

Helen v istom zmysle pôsobila labilne aj v tých najbezvýznamnejších a najbežnejších situáciách. Bolo to hrozne nespravodlivé a určite nebude tento zoznam príhod predlžovať tým, že im porozpráva, čo práve spôsobila. Určite by si zas povedali, že je to jej chyba.

Radšej bude myslieť na oslavu striebornej svadby a na to, ako by mohla čo najlepšie pomôcť.

Nuž, nemá žiadne peniaze ani nič podobné, takže po tejto stránke sa od nej naozaj nedá nič čakať. A tak, ako hovorí sľub mlčanlivosti, ktorým sa zaviazala – alebo lepšie povedané, ktorým sa chcela zaviazať –, bola v tieto dni trochu mlčanlivejšia a akosi mimo. A ak aj denne chodila do práce ako všetky sestry, nepoznala tú stránku života, na ktorú by sa asi sústredila matka alebo Anna – tú materiálnejšiu. A nebude schopná obehať ani susedov a priateľov. Možno by mohla vybaviť aspoň omšu... Helen však pochybovala, či starý farár v kostole, do ktorého chodievali Doylovci, zvládne modernú liturgiu obnovy manželského sľubu.

Lepšie bude, ak to všetko nechá na Annu, ktorá má na takéto veci času dosť. Annu aj tak znervózňovalo, keď jej Helen pomáhala, často bolo lepšie, keď nerobila nič a len pokojným hlasom hovorila: áno, Anna, alebo nie, Anna, či tri plné tašky, Anna. To by jej určite odporučila aj Brigid. Brigid tento pokojný hlas ovládala priam majstrovsky. Alebo sa to možno Helen len zdalo. Helen často pripadal láskavý, ba až pokrytecký, ale Brigid hovorila, že svet ho taký potrebuje. A občas si Helen zádumčivo pomyslela, že má zrejme pravdu.

Samozrejme, matka vždy chcela, aby bolo všetko zámerne zdržanlivejšie a jemnejšie, a vo väčšine prípadov by sa o tom radšej vôbec nemalo hovoriť. Matka mala rada ani nie tak pokoj, skôr ticho. Matka by zrejme bola najradšej, keby sa Helen narodila ako hluchonemá.

V tomto rozpoložení dorazila k sv. Martinovi, k domu, kde žili sestry. Brigid ho nikdy nevolala kláštorom, aj keď to bol kláštor. Brigid ho volala buď U sv. Martina, alebo domov. Nemala však nič proti tomu, ak dom z červených tehál, v ktorom žilo a denne odchádzalo za sociálnou prácou do rôznych londýnskych agentúr jedenásť žien, nazývala Helen Doylová formálnejšie.

Nessa pracovala s mladými matkami, z ktorých väčšina ešte nemala ani šestnásť, a pokúšala sa ich naučiť určitej materskej zručnosti. Sama Nessa mala tiež kedysi dávno dieťa, vychovávala ho sama, ale umrelo, keď malo tri roky. Helen si len nemôže spomenúť, či to bol chlapček, alebo dievčatko. Ostatné sestry o tom veľa nehovorili. Pokiaľ však ide o starostlivosť o deti, Nessa mala vždy navrch. Brigid zvyčajne pracovala v stredisku pre bezdomovcov. Podávala obedy a snažila sa im poskytnúť kúpeľ a očistu. Sestra Maureen pracovala so skupinou bývalých väzňov. Skončili sa dni, keď mníšky len pulírovali veľké stoly v salónoch v nádeji, že k nim zavíta biskup. Teraz odchádzali za bohumilou činnosťou, ku ktorej bolo v uliciach Londýna skutočne množstvo príležitostí.

Odkedy Helen vstúpila k sv. Martinovi, striedala jednu prácu za druhou. Rada by pracovala so sestrou Brigid, ktorá viedla denné centrum. Ale to, čo by skutočne chcela, bolo, aby ju Brigid nechala viesť centrum samostatne, aby len z času na zavolala a zistila, ako sa veci majú. Takto by sa Helen cítila užitočná a mimoriadna, a keby ju raz videli v postavení, v ktorom by sa pokojne starala o blahobyt toľkých ľudí, určite by uznali, že je pripravená stať sa plnoprávnou členkou rádu.

Helen zistila, že zo všetkých cností je najdôležitejšia Poslušnosť, ale verila, že tak ako i Chudoba a Cudnosť, ani tá nebude pre ňu problémom. Nikdy nechcela vydávať zákony ani tvoriť pravidlá, poslúchla by akýkoľvek predpis. Nechcela peniaze, šperky ani jachty, vysmievala sa aj tej najmenšej narážke na také veci. A Cudnosť. Áno, bola si úplne istá, že to fakt chce. Jediná skúsenosť z opačnej strany mince jej úplne stačila na to, aby sa o tom naozaj presvedčila.

Robila poskoka v kuchyni. Nikdy si nebola istá, prečo nesmela tento výraz spomenúť pred Brigid. Poskok. Brigid nevedela pochopiť, že ľudia dnes používajú toto slovo úplne normálne, že je dokonca vtipné. Nováčikovia vravievajú, že najprv sa treba naučiť poskakovať, až potom skákať, čiže po našom, viesť domácnosť. Aj Austrálčania, ktorí sú tu prvý rok, si často nájdu prácu v bare, reštaurácii alebo robia poskokov. To predsa nie je žiadna urážka.

Helen si vzdychla a zamyslela sa nad tými priepasťami v porozumení, ktoré ju obklopovali. Zastavila sa na prahu domova. Tento mesiac viedla domácnosť, ako to Brigid volala, sestra Joan. Keď ju Joan počula vchádzať, vybehla z kuchyne.

„Práve včas, Helen, hneď ti vezmem veci. Nemohla si to ani lepšie načasovať."

Zrazu si Helen spomenula, prečo si vzala so sebou veľkú čiernu nákupnú tašku, ktorá sa jej naprázdno hojdala pri boku cestou domov. Chcela ísť na trh a lacnejšie nakúpiť to, čoho sa predavači nestihli zbaviť počas dňa. V momente zabudla, prečo sa vydala k potravinám a obchodíku s liehovinami, kde pomohla tomu ožranovi ničiť si pečeň ešte rýchlejšie ako doteraz. Dostala tri libry, aby nakúpila zeleninu. Minula to na jablčkové víno pre alkoholika.

„Sadni si, Helen. To predsa ešte nie je koniec sveta," povedala jej Joan, ktorá síce nepoznala podrobnosti, ale uvedomila si podstatu, teda že v hrnci dnes zelenina nebude.

„Sadni si, Helen, a prestaň plakať. Postavím na čaj, len čo očistím zopár zemiakov. Urobíme pečené zemiaky so syrom. Aj to bude dobré."

Nessa bola vyčerpaná; mala za sebou mimoriadne zlý deň.

Na policajnej stanici fňukala v kúte osemnásťročná matka, ktorej ďalší osud riešili sociálni pracovníci a policajtka. Jej dieťa bude síce vďaka Nesse žiť, ale čo to bude za život?

Matka sa v centre dva dni neukázala a Nessa začala mať obavy. Dvere na obytnom bloku boli vždy otvorené, a keď tam Nessa vošla, skoro sa potkla o Simona batoliaceho sa po špinavej chodbe. Všade sa váľali plechovky od piva a fľaše, smrdel tu moč, na každom kroku číhalo nebezpečenstvo, polámané bicykle, debny s ostrými hranami. Simon sa sústredene tmolil k otvoreným dverám. Zrazu sa ocitol na ulici, kde žiadne auto ani motocykel nepočítali s tým, že sa im do cesty pripletie dieťa. Mohli ho aj zabiť.

Nič sa mu však nestalo, len mu ošetrili boľačky od páchnucich plienok. Dostal protitetanovú injekciu, lebo prišiel do styku s baktériami, ale monokla na jeho oku sa nikto, zjavne zo súcitu, nedotkol.

Nessa si bola istá, že matka ho nebila, bola slabomyseľná, takže sa oň vlastne ani nestarala. Keď sa dostane z nemocnice, musí mu zohnať opateru. Čaká ho život strávený v cudzej opatere. V opatere s veľkým O.

Nessa nemala náladu na Helenine slzy a vysvetľovania. Vzala ju preto skrátka.

„Takže zasa si raz zabudla na zeleninu. Však, Helen? Teraz sa trochu upokojíme. Všetko bude zas dobré."

Helen ju zrazu prerušila: „Ja som to len vzala na seba, nechcela som zahanbiť sestru Joan."

„Och, preboha, Helen, kto by chcel zahanbiť sestru Joan alebo ktorúkoľvek inú sestru? To, prosím ťa, vynechaj, dobre?"

To bola tá najostrejšia poznámka, akú kto kedy utrúsil v Dome sv. Martina, na mieste, kde vládol pokoj a ohľaduplnosť.

Sestra Joan a sestra Maureen udivene hľadeli, ako sestra Nessa, bledá a unavená, pomaly vychádza po schodoch.

Helen na ne pozrela a znova vypukla v plač.

Sestra Brigid si zrejme nikdy neuvedomila, že niečo nie je v poriadku. Bola to jedna z jej vlastností. Helen si občas myslela, že je to slabosť, zriedkavá necitlivosť jej ináč pozoruhodnej povahy. Inokedy uvažovala, či to vlastne nie je požehnanie, niečo, čo sestru Brigid zámerne kultivuje.

Kým sestry sedeli so sklonenými hlavami čakajúc, až im sestra Brigid požehná jedlo, nepadlo o Heleniných červených očiach a uplakanej tvári ani slovo. Nikto nedal najavo ani to, že vidí, aká je Nessa bledá a uťahaná, hoci sa pretekali, kto jej čo podá, a usmievali sa na ňu častejšie ako na ostatné. Jedenásť žien vrátane Brigid, tichej matky predstavenej, ktorá tento titul nikdy nepoužívala. Keď ju Helen oslovila velebná matka, zakaždým ju zahriakla.

„Ale vy predsa ste matka predstavená!" bránila sa Helen.

„Tu sme všetky sestry, jedno spoločenstvo, a toto je náš domov, nie nejaká inštitúcia s hodnosťami, predpismi, zlomyseľnými príkazmi a zákazmi."

Helen to najprv nevedela pochopiť, ale po troch rokoch jej to už pomaly dochádzalo. Keď pozerala, ako tých desať žien šteboce nad jednoduchým jedlom, zahryzla si do pery. Jedlo dnes bolo ešte jednoduchšie ako inokedy, pretože zabudla kúpiť zeleninu.

Trkotali o práci, o tom, čo dnes robili, o praktických i smiešnych veciach, o optimizme, šanci viac pomôcť tu alebo zabojovať tam. Brigid hovorievala, že problémy sa nemajú nosiť domov k večeri, lebo sv. Martin by sa zrútil pod tlakom kolektívneho smútku a obáv ľudí pracujúcich na smutnom okraji spoločnosti. Ak by každú noc dumali nad tou mizériou a bolesťou, s ktorou sa stretávajú tam vonku, zmocnila by sa ich neprekonateľná depresia a nemohli by pracovať. Museli uniknúť, oddýchnuť si, pozbierať sa. Tieto mníšky síce nepoznali luxus útočiska ako mníšky predchádzajúcej generácie, ale nemali ani požiadavky a zodpovednosť školených sociálnych pracovníkov, vydatých žien a ženatých mužov. Nemali deti, ktoré by potrebovali ich čas, lásku a pozornosť, ani spoločenské povinnosti, ba ani intenzívne osobné vzťahy. Brigid im často hovorievala, že malé spoločenstvá mníšok, ako je to ich, môžu ideálne slúžiť mnohým a zjavne rastúcim potrebám Londýna. Jediná vec, ktorej sa musia obávať, je priveľké zameranie na seba a hĺbka obáv, ktoré môžu ohroziť účinnosť ich pomoci, pretože sa stávajú pre ne príliš dôležité.

Helen si premeriavala ich tváre: okrem Nessy, ktorá stále pôsobila krehko, vyzerali ostatné ako ženy, ktoré nemajú žiadne starosti. Keď ste ich tak počúvali, vôbec by vám nenapadlo, že niektoré z nich strávili deň na magistrátnom súde, na policajnej stanici, v centre sociálnej starostlivosti, v pelechoch a napoly zbúraných domoch, alebo, ako ona, v strediskách, kde prideľovali bezdomovcom šatstvo.

Tešilo ju, že sa smiali, keď im rozprávala o dáme s taškami, ktorá si v to ráno prišla vybrať kabát. Helen mala na starosti triedenie, čistenie a opravovanie odevov, ktoré prišli v ten deň do strediska. Istá čistiareň im veľkodušne dovolila počas slabej prevádzky zadarmo používať stroje, ak sa postarajú, aby platiaci zákazníci nezistili, že ich používajú na čistenie handier pre tulákov.

Žena trvala na svojom. „Nič zelené, sestra, zelenú som vždy pokladala za nešťastnú farbu. Nie, červená je trocha frivolná, viete, za mojich čias nosil červenú len určitý typ žien. Čo tak pekná fialová, odtieň fialiek? Nie? Nuž, tak sa teda dohodnime na hnedej. Nie na tom, čo je podľa vás radostná jarná farba. Hnedá." Ťažký vzdych. Helen Doylová vedela dobre napodobňovať, perfektne vystihla tú ženu a všetky sestry si ju vedeli predstaviť tak jasne, akoby bola tu.

„Ty si mala ísť k divadlu," povedala obdivne Joan.

„Možno raz aj pôjde," utrúsila nevinne Maureen.

Helen sa zamračila. „Ako by som mohla? Tu zostanem. Prečo mi nikto neverí, že tu zostanem? Som natoľko vaša, ako mi len dovolíte," povedala rozochvene. Nebezpečne rozochvene.

Sestra Brigid však rýchlo zasiahla. „A ako vyzerala v tom hnedom kabáte, Helen?" spýtala sa pevne. Varovanie bolo jednoznačné.

Helen sa s námahou vrátila k rozprávaniu. Žena ju požiadala aj o šál, niečo tón v tóne, povedala, akoby bola v oddelení módnych doplnkov.

„Nakoniec som jej našla klobúk, žltý s hnedým perom, a darovala som jej aj svoju žltú brošňu. Povedala som jej, že to spája celú tú škálu farieb dokopy. Prikývla ako kráľovná matka, veľmi graciózne, a potom si pozbierala svoje štyri tašky haraburdia a vrátila sa na nábrežie."

„Výborne, Helen," pochválila ju sestra Brigid. „Ak chceš, aby to vyzeralo ako v módnom salóne, kde je aký-taký výber, robíš to úplne správne, tá žena aj tak nikdy nepochopí, že potrebuje charitu. Dobrá práca."

Ostatné sa tiež usmiali a Nessa dokonca mimoriadne naširoko.

„S týmito starými bosorkami to nikto nevie lepšie ako Helen," povedala Nessa, akoby sa ospravedlňovala za svoj predchádzajúci výbuch. „Ty sa vždy tak dobre vieš naladiť na ich vlnovú dĺžku."

„Je to zrejme preto, že už pomaly patrím medzi ne aj ja," vysvetľovala Helen. „Vieš, keď to tak vezmeme..."

„Z teba však nikdy nebude dáma s taškami, Helen," povedala láskavo Brigid. „Ty totiž tašky strácaš." Smiech okolo stola s večerou u sv. Martina znel vrúcne a príjemne.

Helen sa pomaly upokojila a znova nadobudla pocit domova.

Uprostred noci sa jej zazdalo, že počuje Nessu vstávať a schádzať dolu schodmi. Dom bol starý, všetko v ňom vŕzgalo a zovšadiaľ sa ozývali čudné zvuky. Každá z nich poznala chôdzu a kašeľ tých druhých. Ako v rodine.

Helen chcela vstať a nasledovať ju do kuchyne, kde by si dali kakao a trochu sa porozprávali. No zarazila sa. Brigid im totiž tvrdila, že keď je ľuďom zle, posledné, čo potrebujú, je spoločnosť, sústrasť a čaj. Helen si to síce vypočula, ale odmietala s tým súhlasiť. Ona si vždy želala spoločnosť. Doma také niečo totiž neexistovalo. Otec bol vždy unavený, matka príliš ustráchaná, Anna priveľmi zamestnaná, Brendan príliš ďaleko. Preto si našla túto druhú rodinu. Oni si vždy našli čas, aby s ňou súcitili. O tom predsa bola ich práca. Počúvať.

Predsa len by mala zísť dolu a vypočuť si Nessu, možno jej aj ona napokon porozpráva o tom opilcovi a o tom, aké to bolo hnusné.

A možno aj nie. Kým sa Helen rozhodovala, začula na schodoch ľahký krok sestry Brigid.

Odplížila sa na odpočívadlo, aby počula, o čom sa tie dve budú zhovárať.

Zvláštne, rozprávali sa len o záhrade a o tom, čo sa bude sadiť. Pod kríkmi by sa dobre sedelo a je na ne príjemný pohľad, hovorila Brigid.

„A sadneš si ty vôbec niekedy?" spýtala sa Nessa tónom, ktorý bol síce sarkastický, ale aj obdivný.

„Oj, veľakrát. Je to, akoby si človek dobíjal batériu, dodáva mi to energiu, nám všetkým."

„Ty však nikdy nevyzeráš unavene, Brigid."

„Ale som unavená, a koľkokrát! Tak či onak, starnem, už budem mať štyridsať."

Nessa sa rozosmiala. „Neblázni, veď máš len tridsaťštyri."

„Nuž, ďalší míľnik je štyridsiatka; neprekáža mi, že starnem, len už nemám toľko energie ako kedysi. Kto sa mi postará o záhradu, Nessa? Mňa už všetko pichá a bolí. Teba tá práca s deťmi možno až tak neničí."

„Po dnešku si myslím, že áno. Lenže ja neviem..."

„Pst, tíško... kto nám kázal, aby sme to robili? Je to ťažká práca, vieš, aby ten kúsok zeme vyzeral aspoň trochu ako miesto oddychu a pokoja."

„Myslíš na Helen?" pochybovačne sa spýtala Nessa.

Helen na odpočívadle pocítila, ako jej do tváre stúpa červeň.

„Och, ona by to určite spravila a mala by toľko nápadov..." Aj Brigidin hlas znel pochybovačne. „Lenže..."

Nessa ju okamžite prerušila. „Lenže na polceste stráca záujem a všetky planty, čo nakúpime, zvädnú. To si mala na mysli?"

Helen pocítila, ako ju zalieva zúrivosť.

„Nie, len nechcem, aby si myslela, že ju tlačíme do niečoho, čo v skutočnosti nie je... naša práca, veď vieš."

„*Všetko* je predsa naša práca, či nie?" spýtala sa Nessa prekvapene.

„Áno, lenže to vieš ty, to viem ja, ale nie Helen. Veď uvidíme. Poď, Nessa, ak máme byť my, staré, v tomto ráde na niečo dobré, radšej si zopár hodín v noci pospime," zasmiala sa. Sestra Brigid mala nádherný, vrúcny smiech, ktorý vedel človeka zaplniť a objať.

„Ďakujem, Brigid."

„Veď som nič nespravila, ani nič nepovedala."

„Vieš, je to v tom, ako čo robíš a ako čo hovoríš." Nessa sa už očividne cítila lepšie.

Helen vkĺzla nazad do svojej izby a dlho stála opretá chrbtom o dvere.

Tak oni si myslia, že nič nedokončí? Ona im ukáže, nebesá, veď im ona ukáže.

Tú záhradu predsa zvládne ľavou zadnou, urobí im čarovnú záhradku, kde si budú môcť posedieť a v pokoji rozjímať. Veď oni zistia, že sestra Helen vie lepšie ako ktokoľvek iný, že všetko, čo sa robí pre rád, je rovnako dôležité. Však oni jej nakoniec dovolia zložiť ten sľub. A potom sa stane skutočnou súčasťou ich sveta. A bude v bezpečí. Úplne v bezpečí.

Ako všetko, čoho sa Helen dotkla, aj tá záhrada mala svoje vrcholy a pády. Helen zohnala troch chlapov, ktorí tvrdili, že doteraz nepomáhali sestrám v ich úžasnej práci na budovaní útulku pre utečencov zo strachu, že ich odmietnu, a sú radi, že môžu za ne urobiť kus ťažkej práce. Nakúpili rýle a lopaty a sestra Joan tvrdila, že nikdy nevidela, aby niekto vypil toľko čaju a nemohol si na chlieb natrieť maslo alebo margarín, ale potreboval špeciálnu nátierku. A oni sa divili, ako im môže na obed stačiť tak málo. Sestra Joan nervózne zamrmlala, že mníšky jedávajú najviac večer, ale v strachu, že dobrovoľníci utečú, nakoniec vybehla nakúpiť proviant.

Po troch dňoch im sestra Brigid zaďakovala a povedala, že už nebude ich láskavosť potrebovať.

Mladíkom sa však začalo páčiť dobré jedlo a prehnaná vďačnosť mníšok a vôbec sa im nechcelo odísť.

Zostal po nich ešte väčší zmätok; zem síce poprevracali, ale nič tam nerástlo.

Vtedy napochodovala Helen a kopala, až sa jej narobili mozole, každú voľnú chvíľku trávila v kníhkupectve čítaním kapitol z kníh o začiatkoch záhradkárčenia.

Naučila sa rozoznávať jednotlivé druhy pôd.

Každý večer rozprávala sestrám prekvapujúce veci o sexualite rastlín.

„To nás v škole nikdy neučili," hovorila rozhorčene. „Mali nás naučiť, že všetko je buď mužského, alebo ženského rodu, dokonca i záhrade, Bože môj, a zúfalo sa to chce páriť."

„Dúfajme, že sa to aj popári, keď si už na tom tak tvrdo pracovala," povedala Brigid. „Si naozaj úžasná, Helen, neviem, kde berieš toľko energie."

Helen žiarila šťastím. A všetky tie slová chvály si pripomenula vtedy, keď nastal problém so sadením. Tá príjemná pani, ktorá jej povedala, že úprimne obdivuje sestry aj napriek tomu, že sama nie je katolíčka a nesúhlasí vo všetkom s pápežom, im priniesla do daru niekoľko nádherných rastliniek. Helen, červená od námahy zo sadenia, uisťovala sestry, že to bol pre ne veľmi, veľmi šťastný večer. Stálo by celý majetok, keby to všetko museli nakúpiť samy, ktovie, čo to stojí v záhradníctve.

Len čo skončila, dopočula sa, že všetky tie rastlinky niekto vykopal z parku pred hotelom. A opäť bola v kaši. Nijaké vysvetlenie nebolo dosť uspokojivé. Helen tvrdila, že musí chrániť svoje zdroje a neprezradí meno darcu. Ale uprostred rozhovoru s mladou policajtkou náhodou spomenula, že pani Harrisová by ich určite neukradla, ona predsa nebola taká, a to dvom strážnikom stačilo, aby presne zistili, o kom je reč. Pani Harrisová už mala záznam. Na stanici bola známa ako novodobý Robin Hood, z jednej práčovne ukradla šaty, vyžehlila ich a v ďalšom dome darovala.

S tou pani Harrisovou sa mohla zapliesť naozaj len Helen, povzdychli si mníšky. Podľa Brigid ich do toho síce tiež mohla zatiahnuť len Helen, ale tentokrát nepovedala nič.

Helen si uvedomila, že záhradu nemožno pokladať za jej celodennú pracovnú náplň. A napriek tomu, že celý rád uisťovala, že už nikdy nepožiada o pomoc takých pažravcov a kleptomanov, cítila, že sa musí venovať aj niečomu inému, nielen záhradkárčeniu. Bola rozhodnutá hrať svoju úlohu tak dobre, ako to len bude možné. Ponúkla sa, že prevezme polovicu pomocných prác v kuchyni, a sestra Joan so sestrou Maureen môžu pol dňa robiť niečo iné.

To zabralo. Alebo to aspoň tak vyzeralo.

Postupne si všetci zvykli, že Helen možno nevydrhne stôl alebo nepozbiera bielizeň, keď začne pršať. Vedeli, že nikdy nezbadá, kedy sa minie mydlo alebo kukuričné lupienky. Že kuchynské vechte nikdy nevypláchа a nevyvesí, aby uschli. Ale bola tu, nadšená a ochotná pomáhať.

A ešte dvíhala telefóny a viac-menej zvládala aj návštevy.

A tak tam bola aj vtedy, keď prišla navštíviť sestru predstavenú Renata Quigleyová.

Renata. Vysoká a počerná žena pred štyridsiatkou. Pätnásť rokov vydatá za Franka Quigleyho.

Čo dočerta môže chcieť, ako sa jej len podarilo vystopovať Helen až do kláštora? Helen búšilo srdce a hučalo jej v ušiach. Zalial ju studený pot.

Renatu nevidela od svadby, ale, pravdaže, vídavala ju v časopisoch a podnikových novinách, ktoré nosil domov otec. Ako manželka Franka Quigleyho, predtým slečna Renata Palazzová, rozpráva vtipy, pózuje na dostihoch, odovzdáva cenu učňovi roka, alebo sa na nejakej charitatívnej akcii usmieva do objektívu spolu s bohatými a mocnými tohto sveta.

Bola omnoho krajšia, než si Helen pamätala, jej pleť by matka síce nazvala sinavou, ale so svojimi obrovskými tmavými očami a lesklými tmavými vlasmi, ktoré učesal drahý kaderník, vyzerala exoticky a vznešene. Na krku mala veľmi umelecky uviazaný šál zopnutý brošňou, ktorý bol nariasený ako súčasť jej zeleno-zlatých šiat. Malá kožená kabelka bola zošívaná zo zelených a zlatých štvorčekov.

Vyzerala ustarane a v dlhých štíhlych prstoch s tmavočervenými nechtami zvierala malú zošívanú kabelku.

„Môžem, prosím, hovoriť so sestrou predstavenou?" spýtala sa.

Helen na ňu civela s otvorenými ústami. Renata Quigleyová ju nespoznala. Vtedy si spomenula na starý film, kde zopár prekrásnych herečiek hľadelo priamo do kamery a hovorilo: „Nikto sa nepozerá mníške do tváre." To bola jedna z tých vecí, ktoré sestru Brigid privádzali do šialenstva. Helen na to nikdy nezabudne. Až dovtedy si vlastne neuvedomila, aká je to pravda. Na prahu pred ňou stála Renata Quigleyová, hľadela jej priamo do očí a nespoznala ju – ju, Helen, dcéru Deirdry a Desmonda Doylovcov, priateľov jej manžela.

Tú Helen, ktorá im spôsobila toľko ťažkostí.

A možno o nich ani nevie. Šokovaná Helen si zrazu uvedomila, že Renate vtedy možno nič nepovedali.

Toto všetko sa preháňalo hlavou dievčine v sivom svetri a sukni, s krížom na krku, s vlasmi stiahnutými dozadu čiernou stužkou, s tvárou zababranou od hliny v záhrade, kde pracovala, keď začula zvonček.

Renata mníšku zrejme ani nevnímala.

Bolo jasné, že ju vôbec nespája s tým dieťaťom, ktoré poznala z Rosemary Drive v Pinneri, keď musela k nim prísť.

„Ľutujem, ale okrem mňa tu nikto nie je," povedala Helen, keď sa trochu spamätala.

„Ste z rádu?" pozrela na ňu pochybovačne Renata.

„Áno, nuž áno. Som súčasťou sv. Martina, jednou zo sestier." Nebola to síce celkom pravda, ale Helen sa rozhodla, že nenechá Renatu Quigleyovú odísť a ani nezistí, prečo prišla.

„Je to trochu komplikované, sestra," začala nervózne Renata.

Helen sa na ňu usmiala – od ucha k uchu.

„Tak poďte dnu, sadnite si a porozprávajte mi, prečo ste prišli," pozvala ju ďalej.

Odstúpila a podržala jej dvere. Žena Franka Quigleyho vošla k sv. Martinovi. Do Heleninho domu.

Tá tvár, tá tmavá úzka tvár s vysokými lícnymi kosťami. Helen Doylová ju pridobre poznala. Dobre si pamätá, ako jej mama s určitým uspokojením tvrdila, že napokon aj tak stlstne, živo si pamätá jej slová, že všetky Talianky majú v strednom veku dvojitú bradu, a pritom to kedysi boli štíhle krásavice s dokonalou, podlhovastou tvárou. To z tej ich stravy, životného štýlu, z množstva nestráveného olivového oleja.

Keď bola Helen malá, tieto matkine reči ju dráždili. Čo na tom záleží? Prečo matka tak rada všetkých kritizuje a na každom hľadá chyby?

Ale keď si neskôr Helen prezerala jej fotografie, zatúžila, aby aj ona vyzerala takto, aby aj ona mala tie jamôčky a jemnú zlatistú pleť, nie svoje okrúhle líca a pehy. Vraždila by, len aby aj ona mala také ťažké tmavé vlasy, ktoré obdivovala na fotografiách, a kruhy v ušiach, v ktorých ona síce vyzerala ako cigánka, čo ušla z tábora, ale Renata Palazzová Quigleyová v nich bola nádherná ako exotická princezná z ďalekej krajiny.

„Prišla som, lebo som sa dopočula, že je tu sestra Brigid... myslela som, že možno..." zaváhala.

„Povedzme, že teraz zastupujem sestru Brigid ja," povedala Helen. V istom zmysle to bola pravda. *Viedla* dom, keď boli ostatní preč, čiže sa dalo povedať, že ju zastupuje. „S radosťou urobím, čo budem môcť."

Helen opäť bojovala so svojimi predstavami. Kedysi dávno zavrela dvere za Renatiným portrétom v striebornom ráme na stolíku s dlhým bielym obrusom, ktorý siahal až na zem. Ďalšie dvere so slzami v očiach zavrela za Frankom Quigleym, otcovým priateľom. Teraz sa však pokúšala sústrediť len na túto chvíľu. K sv. Martinovi zavítala žena, ktorá potrebuje pomoc, a sestra Brigid tu nie je. Domácou paňou je Helen.

„Vy ste ale veľmi mladá..." zapochybovala Renata.

Helen znova nabrala istotu. Položila ruku na hrniec a odvrátila zrak od Renaty.

„Nie, nie, som omnoho skúsenejšia, než si myslíte."

Cítila sa, akoby mala trochu vypité. Naozaj to hovorí žene Franka Quigleyho?

Vtedy, keď otec prišiel o prácu, sa to na Rosemary Drive nedalo vydržať. Helen si na to zrazu spomenula, odvíjalo sa jej to pred očami ako film na prístroji, ktorý raz priniesla k sv. Martinovi, lebo tá spoločnosť ju *uistila*, že to má mesiac zadarmo a nebudú z toho vyplývať žiadne povinnosti. Tá vec s videom bola však veľmi problematická, tak ako všetko, čoho sa Helen chytila.

Nikdy sa nebála tak veľmi ako vtedy, keď otca vyhodili od Palazza. Každú noc sa konala vojnová porada a matka im donekonečna kládla na srdce, že o tom nesmú nikde hovoriť.

„Ale prečo?" čudovala sa Helen. Nemohla zniesť, že jej sestra s bratom akceptujú, že odteraz sa veci budú mať takto. „Prečo je to také tajné? To predsa nie je otcova chyba, že ho prepustili. Môže sa zamestnať inde. Oco sa predsa môže zamestnať *kdekoľvek*."

Spomenula si, ako na ňu vtedy matka zazrela.

„Tvoj otec sa nechce zamestnať *kdekoľvek*, chce robiť u Palazza. A čoskoro zas bude, takže dovtedy budeme všetci pekne čušať. Počúvaš ma, Helen? Za múrmi tohto domu nesmie padnúť ani slovo. Každý si musí myslieť, že tvoj otec chodí do práce ako vždy k Palazzovi."

„Ale odkiaľ budeme mať peniaze?" spýtala sa Helen.

Správna otázka. To, čo vtedy ponúkla, a to, čo sa vtedy spýtala, nikdy neoľutovala, nie ako to ostané.

Anna nehovorila nič, nerobila si z toho ťažkú hlavu.

Brendan nehovoril nič, pretože Brendan nikdy nehovoril nič.

Lenže Helen nemohla nehovoriť nič.

Mala šestnásť, bola dospelá, práve končila školu. Nechcela si robiť maturitu ako Anna. Aj keď cítila, že v mnohých ohľadoch má dvakrát viac rozumu ako Anna. Nie, Helen chcela vidieť svet, skúsiť ho na vlastnej koži a prax získať v práci.

Bola taká živá, že v šestnástich ju mnohí pokladali za omnoho mladšiu, za veľkú školáčku. Iní si mysleli, že je naopak staršia, životaschopná študentka, ktorá bude mať dvadsať.

Frank Quigley nemal ani poňatia, koľko má rokov, keď vtedy poobede prišla za ním do kancelárie.

Dračica, čiže slečna Clarková, ho strážila ako pes. Helen uvažovala, či tam ešte pracuje. To sú už roky. Pravdaže, už prestala dúfať, že by jej pán Quigley pozrel do očí bez okuliarov a povedal, že je krásna.

Helen si nechala sako zo školskej uniformy dolu na vrátnici a rozopla si vrchné gombičky na košeli, aby vyzerala dospelejšie. Možno ju dračica predsa len vpustí. Len málokto vedel odolať Helen, keď si vzala niečo do hlavy. Súkala zo seba jedno vysvetlenie za druhým a krôčik za krôčikom sa blížila k dverám jeho kancelárie. A skôr než si to dračica uvedomila, bola Helen vnútri.

Bola celá rozpálená a vzrušená.

Frank Quigley prekvapene zdvihol zrak.

„Ej, ej, Helen Doylová. Som si istý, že by si tu nemala byť."

„Ja viem," usmiala sa.

„Máš sedieť v škole, a nie vrútiť sa do cudzej kancelárie."

„Veľa vecí by som nemala robiť."

Uvelebila sa na roh jeho stola, koketne preložila nohy a vypla hruď. Pobavene ju sledoval. Helen vedela, že je správne, čo teraz robí, to ticho na Rosemary Drive predsa nič nerieši. Takto ku žiadnej konfrontácii nedôjde.

„Tak čo môžem pre teba urobiť?" Hral sa na galantného. Určitým spôsobom bol fešák, počerný a kučeravý. Pravdaže starý, taký starý ako jej otec. Lenže iný.

„Dúfam, že ma pozvete na obed," prehodila. Tak to počula vo filmoch a v telke. Tam to fungovalo, tak prečo nie aj tu? Usmiala sa naňho, omnoho smelšie a presvedčivejšie, než sa v duchu cítila.

„Na obed?" vyprskol smiechom. „Bože, Helen, neviem, čo si myslíš, ako tu dolu žijeme..." Ale pri pohľade na jej sklamanú tvár sa zasekol.

„Dočerta, na obede vonku som nebol už roky."

„Ja nikdy," povedala prosto Helen.

To zabralo.

Zašli do talianskej reštaurácie, kde bolo tma ako v noci a na stoloch svietili sviečky.

Zakaždým keď sa Helen pokúsila začať o otcovi, vyhýbavo zmenil tému. Ale Helen vedela, že v seriáloch sa k veľkým obchodom dostanú vždy až pri káve.

Káva sa však nekonala. Dali si Zambuccu. Likér so škoricovou príchuťou. V pohári bolo malé kávové zrnko a čašník im ju servíroval zapálenú. Helen nikdy nič také nezažila.

„To je ako narodeninová torta pre dospelých," vykríkla nadšene.

„Na sedemnásť rokov si pomerne vyspelá," poznamenal Frank. „Alebo máš viac?"

Bude výhodnejšie, ak si bude myslieť, že má viac ako šestnásť, aspoň ju bude pozornejšie počúvať. Bude ju brať vážnejšie.

„Skoro osemnásť," zaklamala.

„Asi tak, hoci vyzeráš ako školáčka," súhlasil.

„Asi tak," zopakovala Helen. Čím viac si myslel, že ju vytočí, tým pozornejšie bude počúvať, keď príde na vec.

Neprišlo.

Bol k nej milý a láskavý, hladkal ju po líci, dokonca jej nadvihol bradu, aby jej pri svetle sviečky zotrel stopu červeného vína z úst, pretože sa musí vrátiť do školy.

„Nepôjdem do školy," povedala rozhodne Helen. Pozerala Frankovi Quigleymu priamo do očí. „Viete to tak dobre ako ja."

„Pravdaže, dúfal som, že nepôjdeš," povedal trochu hrdelným hlasom. Niečo z toho, ako jej pohladkal líce a odhrnul vlasy, jej opäť zabránilo začať o otcovej práci. Helen mala pocit, že by nebolo správne s tým začať teraz, keď bol taký milý. Uľavilo sa jej, keď navrhol, aby sa vrátili k nemu a porozprávali sa.

„Myslíte do kancelárie?" spýtala sa podozrievavo. Dračica by ich mohla vyrušiť.

„Nemyslím do kancelárie," povedal veľmi pokojne a sledoval ju. „A ty to vieš tak dobre ako ja."

„Pravdaže, dúfala som," zopakovala jeho slová.

Obytný blok bol veľmi luxusný. Matka vždy hovorila, že nechápe, prečo si Frank Quigley teraz, keď sa oženil, nekúpi poriadny dom. Možno sníval len o veľkom bielom dome s tepanými železnými vrátami a veľkými, udržiavanými záhradami. O dome Palazzovcov.

Matka však nemohla tušiť, aký bol ten byt nádherný. Byt vlastne ani nebolo to správne slovo. Malo to dve poschodia, prekrásne schodisko, ktoré viedlo na poschodie s veľkým balkónom so stolom a luxusnými kresielkami, ktorý sa tiahol pozdĺž celého bytu, jedálne a spálne.

Z jedálne vyšli na balkón, aby si pozreli výhľad. Keď Helen zistila, že z balkóna sa vracajú cez spálňu, prudko sa jej rozbúšilo srdce.

Rukou si zo strachu automaticky siahla na hrdlo. „A vaša žena...?" spýtala sa.

Ešte dlho potom si v mysli prehrávala všetko, čo mohla povedať, respektíve čo mala povedať. Ako sa len mohlo stať, že jediné, čo jej *napadlo* povedať, bolo to, čo zjavne vyzeralo, že to chce, len sa bojí, aby ich niekto nevyrušil?

„Renata tu nie je, Helen," povedal mäkko Frank Quigley. „A vieš, respektíve viem, vlastne obaja vieme, že dnes sa už do školy nevrátiš."

Počula, že je zdravé pokúsiť sa vymazať si nepríjemný zážitok z pamäti, pokúsiť sa predstierať, že sa to nikdy nestalo. Helen síce bolo fuk, či je to zdravé, alebo nie, no úporne sa pokúšala zabudnúť na to popoludnie.

Na ten moment, keď už nemala kam utiecť, na jeho divý a nahnevaný pohľad, keď sa od neho najprv hanblivo odtiahla.

Náhlivosť, bolesť, ťaživé a bodavé precitnutie a strach, že sa neovládne a niečo jej urobí, možno ju zabije. Vycítila to z toho, ako sa od nej odvrátil a zastonal – nie ako ten prvý raz, ale zahanbene a roztrasene.

„Netušil som, že si panna," povedal s hlavou v dlaniach, keď sa posadil na posteľ, biely, nahý a čudný.

Ležala na druhej strane postele pri fotografii vyziabnutej Renaty s olivovou tvárou v striebornom ráme. Ticho a nesúhlasne tróniacej vedľa svojej manželskej postele. Akoby vždy vedela, že sa to raz stane.

Helen ležala a pozerala na obrázok našej dámy, ktorá vyzerala ako Madona. Naša dáma zrejme nemusela absolvovať toto, aby získala nášho pána. Bolo to zvláštne. Helen sa dívala na obrázok, aby sa nemusela dívať na otcovho priateľa Franka Quigleyho, ktorý vzlykal do dlaní. Aby sa nemusela dívať na biele, zakrvavené obliečky a myslieť na to, či si neublížila, či nebude musieť k lekárovi. Alebo či nie je náhodou tehotná.

Nevedela, ako dlho tam ležala, kým sa presunula do kúpeľne, aby sa umyla. Nevyzeralo to na ťažké zranenie, krvácanie už prestalo.

Starostlivo sa poobliekala a prepudrovala Renatiným púdrom, ktorý nebol v plechovke ako obyčajný púder, ale vo veľkej sklenej nádobe s ružovou labutienkou.

Keď vyšla, Frank bol už oblečený. A bledý.

„A posteľ...?" začala.

„Zabudni na tú poondiatu posteľ..."

„Mohla by som..."

„Už si urobila dosť," zahriakol ju.

Helen navreli oči slzami. „Ja som urobila dosť? Čo som urobila, to, že som sa prišla s tebou porozprávať o otcovi, to, že ste ho vyhodili? To ty, ty si to urobil..." ukázala rukou na posteľ.

Zatváril sa skrúšene. „O otcovi? Tak ty si to spravila len preto, aby si sa pokúsila pre Desmonda získať späť ten jeho smiešny džob? Ježiši Kriste, ty si sa skurvila, len aby si pre otca získala späť to miesto o ničom za pár drobných?"

„To nie je miesto o ničom," zahorela hnevom Helen. „Bol veľmi dôležitou osobou, a teraz, teraz ho prepustili a matka hovorí, že to nesmieme nikomu povedať, ani susedom, ani rodine, nikomu, a on každé ráno odchádza a tvári sa, že ide do roboty..."

Frank na ňu neveriacky civel.

„Áno, odchádza, a ja som sa len chcela s tebou naobedovať a povedať ti, aké je to zlé, a ty by si ma pochopil, pretože si otcov priateľ zo školy od Bratov, kde ste sa spolu škriabali na steny... hovorieval... a vedie sa ti tak dobre a oženil si sa so šéfovou dcérou a... A *to* je všetko, čo som chcela, nekurvím sa, nikdy v živote som s nikým nespala a nemyslela som si, že sa vyspím akurát s tebou, netušila som, že si sa do mňa zamiloval a že sa to stane, a ty teraz tvrdíš, že je to všetko moja chyba," rozplakala sa.

Objal ju a pritiahol k sebe.

„Kriste, si ty len decko, čo som to urobil? Bože všemohúci, čo som to len urobil?"

Vzlykala mu do saka.

So slzami v očiach ju od seba odstrčil.

„Vždy všetko pokazím. Neviem ti ani len povedať, ako ma to mrzí. Nikdy... nikdy, keby som len tušil... bol som si taký istý, že... ale to teraz nie je dôležité. Teraz si dôležitá ty."

Helen uvažovala, či ju ľúbil vždy, alebo len teraz. Ľudia sa môžu tak ľahko zamilovať.

„Musíme na to zabudnúť," povedala pevne. Vedela, že v takýchto veciach musí prevziať velenie žena. Chlapi sú nervózni a podľahnú pokušeniu. Tak či onak, Helen v pokušení nebola, a ak toto bolo pokušenie, tak pokiaľ ide o ňu, nech si ho každý strčí niekam.

„Už sa stalo, nemôžeme na to zabudnúť. Urobím všetko, aby som to odčinil."

„Áno, ale nemôžeme sa ďalej vídať, nebolo by to fér," zadívala sa na Renatin portrét.

Myslela si, že je zmätený. „Nie, samozrejme," odvetil.

„A nikomu nič nepovieme, ani ty, ani ja," trvala detsky na svojom.

„Panebože, nie, absolútne nikomu," povedal s veľkým pocitom úľavy.

„A čo otec?" Už zas hovorila úskočne, tak ako hovorievala vždy, keď sa snažila prekonať ťažobu toho, čo chcela povedať, nedbajúc na čas alebo pocity druhých.

Videla, ako sa tvár Franka Quigleyho zmrštila od bolesti.

„Tvoj otec dostane svoju prácu späť. On síce tvrdí, že žiadnu nepotrebuje, že sa už porozhliadol a dostal množstvo ponúk," povedal chladne Frank, „ale vezmem ho späť do Palazza. Zajtra to síce nebude, musím sa najprv porozprávať s Carlom, tieto veci sa musia robiť taktne. Chvíľu to potrvá."

Helen rázne prikývla.

„A čo ty, Helen? Budeš v poriadku, odpustíš mi?"

„Samozrejme. Bolo to nedorozumenie," povedala nedočkavo, akoby chcela zavesiť slúchadlo.

„To teda bolo, Helen, a, Helen, počúvaj, prosím. Jediné, čo ti poviem, je, že to nebude vždy také... bude to aj krásne a šťastné..." Zúfalo sa jej snažil povedať, že tento hrozný zážitok ju nebude sprevádzať pri každom milovaní v jej živote.

Takisto to však mohol rozprávať stene.

„Si si istý, že nemám nič robiť s plachtami, teda oprať a tak?"

„Nie."

„Ale čo povieš?"

„Prosím, Helen, prosím." Tvár sa mu opäť skrivila od bolesti.

„Mám teraz odísť, Frank?"

Nebola schopná uvažovať.

„Odveziem ťa..." navrhol neisto. Na tvári mu však bolo vidieť, že nevie, kam by ju mal odviezť.

„Nie, to je v poriadku, môžem ísť autobusom. Viem, kde som, pôjdem domov autobusom a poviem... poviem, že mi nie je dobre," zachichotala sa Helen. „Istým spôsobom je to fakt. Ale počuj, Frank, nemám na autobus, mohla by som ťa poprosiť..."

Nevedela pochopiť, prečo sa tvár Franka Quigleyho zaliala slzami, keď jej podával mince a zatvoril jej dlaň.

„Budeš v poriadku?" vyzvedal, aby sa ešte raz uistil. Nebol však pripravený na to, čo mu povedala.

„Frank," usmiala sa slabo Helen. „Nie som už decko, preboha, minulý týždeň som mala šestnásť. Som dospelá. Potrafím domov autobusom."

Potom odišla, už sa naňho nemohla dívať.

Samozrejme, prestal k nim chodiť, lebo pri pohľade na ňu by sa neovládol. To si povedala.

Nikdy si nespomína, že by odvtedy niekedy prišiel na Rosemary Drive. Vždy mal nejakú výhovorku, buď bol na konferencii, alebo v zahraničí, alebo s Renatou na návšteve u jej príbuzných v Taliansku. Veľmi ho to mrzelo, bolo to vždy veľmi zle načasované. Matka bola celá uveličená – no nie je to skvelé, že nikdy nemuseli ísť za ním s čiapkou v ruke a prosíkať, aby prijal svojho starého priateľa späť k Palazzovi? Aspoň že tento nápad dostal sám pán Palazzo, asi zistil, že takto si hodnotný vedúci personál veru neudrží.

Helen sa nikdy nedozvedela, či si jej otec uvedomil, že to zariadil Frank. S otcom sa ťažko hovorilo, zo strachu, že mu niekto ublíži, sa uzavrel do ulity, tak ako sa matka uzavrela zo strachu, že by sa nejako ponížili.

Posledné dni v škole jej pripadali nekonečne dlhé, od toho zvláštneho popoludnia sa jej svet úplne zmenil. Vždy sa bála, že ju nepochopia. Raz sa dokonca rozkričala, keď ju učiteľ spevu požiadal, aby mu šla pomôcť vyniesť noty zo skladu do haly. Ten muž sa jej ani nedotkol, ale ju pochytil priam klaustrofobický strach, že by si mohol myslieť, že ho zvádza, a znova by sa začal ten bolestný kolotoč, po ktorom by sa znova len hanbila. Nakoniec ju *predsa* len zahanbil, a to veľmi, povedal, že je neurotický, hysterický blázon, priťahuje problémy, a keby bola jedinou ženou na svete, nechcel by s ňou mať nič spoločné.

Zdalo sa, že riaditeľku školy to poriadne nahnevalo, a príkro sa spýtala Helen, prečo tak kričí, keď súhlasila, veď predsa na ňu nikto neútočí, dokonca sa o to ani nepokúša.

Helen mrzuto odvetila, že nevie. Cítila, že sa dostala do situácie, ktorú nezvláda, a keby *nezačala* kričať, niečo by sa stalo, a potom by už bolo príliš neskoro a všetko by sa len skomplikovalo.

„A už sa ti niečo také stalo?" spýtala sa nie práve najláskavejšie riaditeľka. Helen Doylová bola vždy problematická žiačka, precitlivená, bála sa o niečo požiadať a vždy sa okolo nej kopili problémy.

Helen síce povedala nie, ale neznelo to dosť presvedčivo.

Riaditeľka si vzdychla. „Nuž, môžeš si byť istá, že sa ti to bude stávať častejšie, Helen. To si celá ty. Takéto veci sa ti budú stávať znova a znova, budeš sa dostávať do situácií, ktoré nezvládaš. Alebo sa pozbieraš a začneš sa kontrolovať."

Znelo to tak rozhodne, akoby ju tým odsúdila na doživotie.

Helen toľká nespravodlivosť zarazila.

Vtedy sa rozhodla, že sa stane mníškou.

A teraz, po rokoch, je z nej už skoro mníška. Teda, bude z nej mníška, ak sestra Brigid nebude taká krutá a nepovie jej, že kláštor je pre ňu len barličkou, že sa tu pred niečím len ukrýva, a to nie je riešenie.

Helen sa u sv. Martina cítila bezpečne. Dokonca i teraz, keď si s hrnčekom kávy prisadla k prekrásnej Renate Palazzovej Quigleyovej, ktorá na ňu v ten strašný deň hľadela zo strieborného rámu... cítila sa bezpečne. Chránená pred spomienkami a strachom, ktorý vtedy prežívala.

„Povedzte, čo si želáte, a ja uvidím, čo môžeme pre vás urobiť," povedala so širokým úsmevom, pre ktorý musel Helen milovať každý. Aspoň na prvý pohľad.

„Je to veľmi jednoduché," povedala Renata. „Chceme dieťa."

Bolo to naozaj veľmi jednoduché. A veľmi smutné. Helen si pritiahla hrnček s kávou a počúvala. Frank bol v štyridsiatich šiestich rokoch pristarý. Pristarý. Zvláštne, ale spoločnosti zaoberajúce sa adopciou ho už odpísali. Okrem toho nemal dobré výsledky, trápilo ho srdce, nič vážne, len stres z práce, čo má v dnešnom svete každý biznismen. Biologické matky a otcovia mohli priviesť na svet dieťa v akýchkoľvek podmienkach, v bytoch či pelechoch neresti, nikto im nebránil a nezakazoval mať deti. Ale na adopciu muselo byť všetko viac než perfektné.

Renata kdesi počula, že ak natrafí na správneho človeka, môže sa stať, že dieťa predsa len dajú do ich dobrej, milujúcej rodiny, otcovi a matke, ktorí ho budú milovať ako svoje vlastné. Určite, aj to sa stáva.

V očiach sa jej zračila túžba.

Helen potľapkala ruku ženy, ktorá na ňu vtedy hľadela zo strieborného rámu.

Povedala Renate, aby prišla o týždeň, že dovtedy niečo zistí. Bude lepšie, ak to teraz nespomenie sestre Brigid. Sestra Brigid bola autoritatívna a musela dodržiavať medze zákona... Bude lepšie, ak sa o to postará sama Helen. Dobre? Dobre.

Nikomu nič nepovedala. Všetci zbadali, že je rozpálená a vzrušená, ale Helen pokojne bavila sestry rozprávaním o tom, ako zveľaďuje záhradu.

„Nikto nevolal?" spýtala sa Brigid.

„Nie. V podstate nikto, viete, ako zvyčajne." Helen sa vyhla jej pohľadu. Bolo to po prvýkrát, čo v kláštore priamo zaklamala. Nemala z toho dobrý pocit, ale bolo to v záujme veci.

Ak by sa jej to podarilo a ona by urobila to, čo, ako dúfa, môže, tak by aj ako dvadsaťjedenročná mohla tvrdiť, že jej život mal zmysel.

Tento poldeň mala službu v kuchyni Nessa. Nessa bola presne tá osoba v kláštore, čo pokladala Helen za skoro úplne neschopnú. Za normálnych okolností by sa jej Helen radšej vyhla. Teraz ju však skoro vybozkávala.

„Čo sa stane, keď sa narodí dieťa naozaj beznádejnej matke, Nessa? Nechcela by si, aby od začiatku malo skutočný domov?"

„Nie je dôležité, čo chcem ja, ja neurčujem pravidlá," odvetila stručne Nessa drhnúc dlážku, pričom jej Helen usilovne zavadzala.

„Ale nebolo by to pre to dieťa lepšie?"

„Dávaj pozor, Helen, prosím ťa. Práve som tam umyla."

„A vždy musíš dieťa zaregistrovať bez ohľadu na to, aká je jeho matka?"

„Čo tým myslíš?"

„Myslím, či vždy musíš ísť na radnicu či na matriku, alebo neviem kam, a povedať niečo, akože kto je to dieťa?"

„Nie, nie vždy."

„Och, a prečo nie?"

„Pretože ja to zvyčajne nerobievam, to závisí od okolností. Od okolností. Helen, nemyslíš, že keď nerobíš nič, mohla by si z tej kuchyne aspoň vypadnúť, aby som ju umyla?"

„A žiadne deti neskončia nezaregistrované?"

„Ako by mohli?"

„Neviem," hlesla sklamane Helen. Myslela si, že za dlhých nocí sa predsa nikto nemusí dozvedieť, kto bolo to dieťa alebo čie bolo. Nevedela pochopiť, ako taký štát so systémom sociálnej starostlivosti sčíta svojich občanov po svete.

„A najdúsi, deti pohodené v telefónnych búdkach alebo v kostoloch, tie kde skončia?"

Nessa naľakane zdvihla zrak. „Bože, Helen, len mi nepovedz, že si nejaké našla!"

„Nanešťastie nenašla," odvetila Helen. „Ale keby som našla, musím ho dať zaregistrovať?"

„Nie, Helen, pravdaže nemusíš, ak *ty* nájdeš dieťa, môžeš si ho ponechať, vyobliekať, a keď si spomenieš, aj nakŕmiť, keď však nebudeš mať okrajovo nič zaujímavejšie pred sebou."

„Prečo si ku mne taká hnusná, Nessa?" spýtala sa Helen.

„Lebo som v podstate od prírody hnusná."

„To nesmieš, si mníška. A k ostatným nie si hnusná."

„Ach, to je pravda. V skutočnosti som hnusná len výberovo."

„A prečo si si vybrala akurát mňa?" Nezdalo sa, že Helen sa dá len tak ľahko odbyť, chcela sa totiž niečo dozvedieť. Naozaj sa chcela niečo dozvedieť.

Nessa sa zahanbila.

„Och, preboha, jednoducho nemám náladu, nenávidím umývanie tej odpornej dlážky, a ty si tak hnusne mladá a bezstarostná, a vždy dostaneš to, čo chceš. Ľutujem, Helen, prepáč, ja ťa predsa vždy požiadam o prepáčenie. Naozaj."

„Viem," zamyslela sa Helen. „Zdá sa, že ja poznám ľudí asi len z tej horšej stránky."

Helen vyšla do záhrady a sestra Nessa ju znepokojene sledovala pohľadom. Po rozume jej určite chodí niečo zvláštne a veľmi ju to ťaží.

Helen zavolala Renate Quigleyovej. Tá istá adresa, ten istý byt, zrejme i tá istá posteľ. Povedala, že ešte to zisťuje, ale nie je to také ľahké, ako by si niekto myslel.

„Nikdy som si nemyslela, že je to ľahké," vzdychla Renata. „Ale akosi ľahšie sa mi chodí po svete, ľahšie znášam všetky tie spoločenské povinnosti, keď si pomyslím, že niekto taký milý ako vy, sestra, sa o mňa stará."

Helen Doylovú striaslo pri pomyslení, že na striebornej svadbe rodičov sa stretne s Frankom a Renatou Quigleyovcami.

Frank Quigley bol otcov najlepší priateľ v časoch, keď na tom boli ešte približne rovnako.

Predtým, než sa všetko zmenilo.

Záhrada bola hotová a viac-menej rástla sama. Sestre Joan sa zapáčilo v stredisku so šatami a ihlou narábala tak šikovne, že mohla na mieste odev upraviť, prešiť starému pánovi na saku gombíky, pochváliť ho, poobdivovať a presvedčiť, že najdôležitejšie na svete je, aby mu oblek sadol. Nech si myslí, že je šitý na mieru.

Takže Helen už zas nemala čo robiť.

Ešte raz sa spýtala Brigid, kedy môže zložiť sľub.

„Je to veľmi kruté, že ma tak odstrkujete, vážne, už som tu dlho, *nemôžete* tvrdiť, že je to len prechodný rozmar, alebo áno?" prosíkala.

„Ty utekáš, Helen," povedala Brigid. „Odvodzujem to od slova ísť. Toto nie je kláštor ako vo filmoch, miestečko uprostred džungle, kde ľudia nachádzajú pokoj, toto je pracovisko. Pokoj si musíš nájsť sama a doniesť si ho so sebou sem."

„Ale ja som ho už našla," modlikala Helen.

„Nie, bojíš sa styku so skutočnými ľuďmi, preto si tu s nami."

„Vy ste predsa omnoho reálnejší ako ktokoľvek iný. Vážne, nikdy som nestretla ľudí, ktorých by som mala tak rada."

„To nie je všetko. My ťa pred niečím ukrývame. Nemôžeme to robiť donekonečna, to nie je naša úloha. Či už je to muž, alebo sex, krach na burze... všetky sme tomu museli čeliť a zvládnuť to. Ty sa ešte vždy pred niečím skrývaš."

„Myslím, že je v tom sex."

„Tak s tým teda budeš musieť skoncovať," zasmiala sa Brigid. „Vráť sa späť do sveta, Helen, prosím ťa, aspoň na pár rokov. Zostaň s nami v styku a potom, ak ešte stále budeš cítiť, že toto je tvoj skutočný domov, sa vrátiš a preberieme to znova. Naozaj si myslím, že by si mala odísť. Pre tvoje vlastné dobro."

„Chcete, aby som odišla? Vážne?"

„Navrhujem ti to, ale vieš, čo myslím tým, že toto nie je reálny svet? Ak by bol reálny, buď by som ti teraz prikázala odísť, alebo by som ťa jednoducho vyhodila. Pre teba je to tu príliš chránené, cítim to v kostiach."

„Nechajte ma tu ešte chvíľu. Prosím."

„Zostaň teda do tej striebornej svadby rodičov," rozhodla sa náhle Brigid. „Zdá sa, že z nejakého dôvodu ti práve ona vŕta v hlave najviac. Potom uvidíme."

Helen vyšla z malej pracovne sestry Brigid taká zničená, ako nebola už dávno.

Vyzerala tak smutne, že sestra Nessa sa jej spýtala, či jej nechce prísť pomôcť s mamičkami. Po prvýkrát ju niekto pozval.

Helen šla, tentoraz ticho a bez rečí.

„Neschvaľuješ to či čo, Helen?" spýtala sa nervózne Nessa. „Nie sme tu na to, aby sme ich súdili, my im to len pomáhame zvládnuť."

„Jasné," odvetila Helen.

Sedela tam apaticky ako tie dievčatá pod účinkom slabých antidepresív, trasúce sa od strachu pred pasákom, ktorý ich núti k potratu. Nessa sa na ňu občas zvedavo pozrela. Helen však bola tichá a poslušná. Robila všetko, o čo ju požiadala. Určitým spôsobom jej aj pomohla. Šla skontrolovať ženy, ktoré sa dnes neukázali. Odkedy sa Simon vyplazil z bytu doprostred rušnej ulice, bývala nervózna.

Podvečer Nessa požiadala Helen, aby šla pohľadať Yvonne, ktorá bola v ôsmom mesiaci s druhým dieťaťom. Jej staršie, prekrásne dievčatko s jamajskými očkami po otcovi, ktorý sa pre istotu vyparil, a škótskym prízvukom po matke, ktorá ju porodila v šestnástich, sedelo vo dverách.

„Mamina šla piši-piši," povedala ochotne.

„To je fajn," odvetila Helen a odniesla batoľa dnu.

Z kúpeľne sa ozývali stony a výkriky Yvonny.

Nakoniec sa Helen odhodlala.

„Choď radšej do izby," prikázala bucľatému stvoreniatku a prisunula k dverám bielizník, aby dieťa nemohlo vyjsť.

Potom sa šla pozrieť na to, čo predpokladala, že bude predčasný pôrod na záchode.

Uprostred krvi, výkrikov a nefalšovaného rumového pachu, ktorý sa vznášal v miestnosti, začula Helen slabučký plač.

Dieťa žilo.

Yvonne si nič nepamätala. Bola taká opitá, že všetky dni sa jej zlievali do jedinej príšernej hmly.

Povedala jej, že o dieťa prišla, spláchla ho v záchode.

Sanitári ju jemne a nežne naložili na nosidlá, poobzerali sa okolo, ba zmätení nazreli i do záchodovej misy.

„Povedali nám, že sa jej už blížil termín, nemohla sa predsa len tak zbaviť donoseného plodu."

Ale Helen, dievča s chladnými očami, ktoré tvrdilo, že je dobrovoľná sociálna pracovníčka v stredisku pre matku a dieťa a žije so sestrami v kláštore U sv. Martina, ich uistila, že sa dlho nemohla dostať do bytu a počula, ako niekto stále splachuje, a potom našla všetko zakrvavené.

Trojročný drobček s okrúhlymi očkami ju, zdá sa, podporil, pretože povedal, že mama už bola dlho piši-piši a Helen dlho čakala pri dverách.

Bledá Nessa, ktorá nemohla uveriť, že by sa niečo také stalo, keby tam namiesto Helen poslala niekoho iného, potvrdila, že Helen naozaj odišla už veľmi dávno a nevedela sa jej dočkať. Helen jej zavolala, že sa vyskytli problémy, ale že vie, ako sa dostane dnu, ak sa jej podarí to dieťa presvedčiť, aby jej otvorilo. Volala zo susedného obchodu, kde sa zastavila kúpiť fľašu mlieka, pretože omdlievala pri myšlienke, čo sa asi odohráva vo vnútri.

V tú noc, keď Yvonne ležala v nemocnici a jej trojročného drobčeka dočasne umiestnili v miestnom sirotinci, kým nebude podpísaný príkaz na zverenie do opatery, Helen povedala Brigid, že je akási nepokojná, a rada by sa šla prejsť.

„Dnes teda *si* nepokojná," povedala Brigid neprítomne. „Už si aspoň tisíckrát vyšla do záhrady."

„Chcela som sa len presvedčiť, či je všetko v poriadku," bránila sa Helen.

Opatrne zdvihla malý uzlíček, chlapčeka, ktorý raz zdedí palazzovské milióny, a vzala ho na ruky. Starostlivo ho zabalila do osušky a jednej zo svojich nočných košieľ. Vzala mäkkú modrú prikrývku, ktorá zvyčajne ležala poskladaná na operadle stoličky, a dôkladne ho do nej zakrútila.

Z kláštora vykĺzla zadným vchodom a šla, až kým ju nezačali bolieť nohy. Potom v obchode, kde ju nikto nepoznal a nemohol žalovať sestrám, že videl niekoho z kláštora s dieťaťom, našla telefón a zavolala Renate.

„Mám ho," zahlásila triumfálne do telefónu.

„Kto volá a čo máte?"

„Tu je sestra Helena z kláštora U sv. Martina, mám pre vás dieťa."

„Nie, nie, to nie je možné!"

„Je, ale musím vám ho dať dnes v noci, hneď teraz."

„Je to chlapec? Vy máte chlapčeka?"

„Áno. Ale je veľmi, veľmi maličký, narodil sa len dnes."

Renata zvrieskla. „Bože, nie dnes, veď umrie, ja neviem, čo sa robí s jednodňovým dieťaťom..."

„Ani ja nie, ale pre istotu som mu kúpila fľašu mlieka a zdá sa, že mu chutí," povedala jednoducho Helen.

„Kde ste?"

„V Londýne, samozrejme, asi dve míle od kláštora. Renata, máte nejaké peniaze?"

„Aké peniaze?" spýtala sa s obavou v hlase.

„Na taxík."

„Áno, áno."

„Takže idem teraz k vám. Prinesiem vám ho. Nikto o tom nemusí vedieť."

„Áno, ale ja neviem, možno by som mala počkať, kým... Neviem, čo mám robiť."

„Narobila som si veľké problémy, kým som vám ho zohnala," povedala unavene Helen.

„Och, ja viem, sestra, som taká hlúpa, lenže je to tak narýchlo a bábo je také malinké..."

„Som si istá, že vy si už poradíte, môžete predsa niekoho zavolať a spýtať sa. Mám si teda zavolať ten taxík, aj keď to bude stáť niekoľko libier?"

„Áno, príďte."

„Dúfam, že Frank nie je doma."

„Frank – ako viete, že môj manžel sa volá Frank?"

„Predsa od vás," Helen si zahryzla do pery.

„Zrejme áno. Už neviem, čo hovorím."

Taxikár jej povedal, že to nemá po ceste. Šiel domov. Chce sa dostať do južného Londýna. Nie na míle ďaleko do Wembley.

Vtedy však zbadal jej slzy.

„Nastúpte, skôr než si to rozmyslím. Aspoň sa veziete, berte to z tej lepšej stránky, mohol som vás tam aj nechať."

„To je fakt," uznala Helen a taxikár na ňu pozrel s obavou uvažujúc, či tú fúru dostane zaplatenú, keď prídu do Wembley.

Ako vo sne udala adresu a požiadala taxikára, aby potom počkal. Domáca hneď príde a zaplatí.

Taxikár povedal kolegom, že zaňuchal nepríjemnosti, hneď ako ju zbadal. Keď jej úplne normálne zahlásil, že by šiel radšej na juh ako hore do lesov vo Wembley, začala rumádzgať. Ale, povedal, napokon bolo všetko v poriadku, pani zišla dolu aj s peňaženkou. Bola to trieda, cudzinka, no keď zbadala dieťa, rozkričala sa.

„Veď je ešte krvavé, a nie je ani dobre vyvinuté, nie, nie, nechcem ho! To ešte nie je hotové dieťa. Nie, nie."

S rukou na ústach odstúpila od dievčaťa v sivej sukni a pulóvri a v tom momente sa zjavil chlapík v Roveri, vystúpil, zistil, čo sa deje, zatriasol cudzinkou tak, že jej skoro odletela hlava, schytil dieťa a zdalo sa, že spoznal aj dievča v sivom. Stále opakoval: „Och, Bože," akoby videl mimozemšťana.

Taxikárovi strčil za stierač zväzok bankoviek, štyrikrát toľko, čo stála cesta do toho prekliateho Wembley, takže musel odísť a už sa nedozvedel, čo sa vlastne dialo a ako sa to skončilo.

Skončilo sa to, samozrejme, zle. Ako všetko, čoho sa kedy Helen Doylová chytila.

Odmietla vojsť do bytu, teraz sa už rozplakala aj ona, ešte hlasnejšie ako Renata, no žiadna z nich neprekričala to zmätené, hladné dieťa, ktoré sa narodilo v to ráno na záchode.

Zavolali sestru Brigid, aby im vysvetlila, čo to znamená. Prišla aj s Nessou, bledá, ale pokojná.

Nessa sa postarala o dieťa a Brigid sa snažila vypočuť si hysterické vysvetlenia.

Talianka tvrdila, že sa chcela len spýtať, či by jej niektorá matka nedala dieťa súkromne na adopciu, nikoho nežiadala, aby jej jedno priniesol.

Vysoký írsky biznismen zas obhajoval Helen a tvrdil, že to určite urobila s tým najlepším úmyslom ako vždy, ale svet ju nikdy nechápal. V jeho hlase znela nežnosť, ale zároveň aj strach z Helen.

Vysvetľoval, že pozná jej rodičov. Desmond Doyle je jeden z jeho najstarších priateľov.

„Ona je dcérou tých Doylovcov?" chytala Renata jeden šok za druhým.

„Áno, nemohla vedieť, že ide o nás."

V spôsobe jeho reči bolo niečo zvláštne. Niečo, čo znelo ako varovanie. Brigid zrakom prechádzala z jednej zničenej tváre na druhú a pokúšala sa v nich čítať.

Vtedy otvorila Helen ústa. „Ale ja som to *vedela*, ja som *vedela*, urobila som to preto, že išlo o *Franka*, ináč by som nikdy neukradla dieťa a nikdy by som takto neklamala. Ak by nešlo o Franka, predsa by som neriskovala život bábätka. Mala som pocit, že mu to, koniec koncov, dlhujem, za to všetko..."

Brigid po celý život pracovala s ľuďmi. Hlavne s ľuďmi, ktorí sa ocitli v nejakej núdzi. Netušila síce, čo sa teraz dozvie, ale cítila, že nech je to čokoľvek, je to príliš súkromné, a Helen by to nemala hovoriť. Helen už chcela zutekať, ale nakoniec, preglgajúc slzy, spustila.

„Nikdy som si nemyslela, že to dopadne takto, oni by mu predsa mohli dať taký báječný život, tak veľa peňazí, lenže Frank je vraj pristarý na to, aby mohol adoptovať dieťa, a ona tvrdila, že mal aj zopár infarktov..."

„To si jej povedala?" zahučal Frank na svoju ženu.

„Myslela som, že je to len neznáma mníška, kto mohol tušiť, že je to dcéra tých poondiatych Doylovcov?"

Helen si ju nevšímala. „Chcela som len urobiť dobrý skutok, všetko odčiniť. Skúsiť to napraviť. Napokon, môj život fungoval dobre, mala som všetko, čo som chcela, ale Frank nie, nemal deti a mal tie infarkty, bol potrestaný... Chcela som sa pokúsiť nejako to napraviť."

Renata teraz zmätene blúdila zrakom z jedného na druhého. Vo vedľajšej miestnosti sestra Nessa tíšila bábätko a Helen sa znova nadýchla.

„Ešte pracujete s pánom Doylom?" spýtala sa rýchlo Brigid.

„Áno a pomohol môjmu otcovi, keď ho prepustili, požiadal pána Palazza, aby ho vzal späť..." mlela Helen.

Vtedy Brigid zbadala únikovú cestu. Postavila sa.

„Takže Helen so svojou zvyčajnou impulzívnosťou sa rozhodla poďakovať vám tak, že vám zoženie dieťa, keď to nešlo normálnou cestou. Je tak?"

Frank Quigley sa zadíval do sivých očí sestry Brigid, kompetentných, bez emócií, silných. Zrejme Írka z druhého kolena, ale teraz má už londýnsky prízvuk. Pripomínala mu tých skvelých mužov, s ktorými sa stretával na rokovaniach.

„Tak je. Presne tak, sestra."

Helen neprestávala plakať. Brigid však mala pocit, že neprestane ani rozprávať. Naoko rozhodne jej ovinula ruku okolo pliec.

„Poďme domov, Helen, späť do kláštora. To je to najlepšie, čo môžeme teraz urobiť."

„Odveziem vás?" spýtal sa Frank.

„Nie, ale keby ste nám mohli zohnať nejaký taxík, pán Quigley."

V tom momente vošla Nessa; bábätko zaspalo. Odvezú ho do nemocnice, do jedinej, ktorú poznajú a kde poznajú ich. Tam sa oň postarajú.

„Zdá sa, sestra, že v istom zmysle je to aj škoda," pozrel Frank na sestru Brigid. A ona mu ten dlhý, skúmavý pohľad opätovala.

V mnohých ohľadoch to bola naozaj škoda. Chlapcovi mohli dať všetko a určite viac lásky, než by sa dočkal od Yvonny.

„Áno, ale keď to urobíme, všetko pokazíme. Úplne všetko."

Videl, že ju to pokúša.

„Nie všetko, len trochu papierovania. Matka si myslí, že zomrelo."

„Prosím," zaprosila Renata. „Prosím, sestra."

„Ja nie som Pánboh ani Šalamún," namietla Brigid.

Vedeli, že je to pre ňu ťažké, a tak ustúpili – bol to taký pekný párik. Helen sa pri pohľade na nich skrivila tvár bolesťou.

Požiadali vrátnika, aby im stopol taxík, a nešťastná štvorica sa pobrala k výťahu – uplakaná Helen podopieraná sestrou Brigid a červenovlasá sestra Nessa s drobučkým bábätkom v modrej prikrývke.

Renata vystrela ruku a dotkla sa Heleninho ramena.

„Ďakujem, sestra Helen, viem, že ste to mysleli dobre," povedala.

„Sestra Helen má úžasne veľké srdce," vyhlásila Brigid.

„Ďakujem," povedal Frank vo dverách. Na Helen ani nepozrel, ale s obdivom hľadel do sivých očí Brigid.

„V niektorých štátoch je to legálne. Ak budete chcieť, môžete prísť za mnou, a ja vám poviem, čo viem," navrhla.

„Dovidenia, Frank," pozdravila Helen.

„Ďakujem, Helen. Sestra Brigid má pravdu, máš úžasne veľké srdce," pohladkal ju po líci.

V taxíku bolo ticho, až napokon sa ozvala Helen: „Oslovili ste ma sestra Helen, znamená to, že môžem zostať?"

„Znamená to, že ťa nevyháňame. Ale možno teraz, keď si musela čeliť veciam, ktoré si dovtedy nepoznala, sa už nebudeš musieť tak skrývať. Možno si budeš vedieť zariadiť život aj niekde inde. Aj keby si mala odísť na druhý koniec sveta."

Tentokrát si Helen nemyslela, že ju sestra Brigid vyháňa. Cítila sa lepšie, tak dobre ako už dávno nie.

Pozrela na sestru Nessu, ktorá si tisla krehkého chlapčeka k prsiam.

„Nie je to smutné, že si nemôžeš to dieťa nechať, Nessa?" spýtala sa Helen v návale šľachetnosti. „Nahradilo by ti to tvoje, ktoré zomrelo. Bola by to určitá náhrada, no nie? Aspoň nejaká útecha."

Nezbadala, ako si tie dve vymenili pohľady, a potom rýchlo vyzreli z okna, každá na svojej strane.

4 Desmond

Obchod na rohu bol samozrejme drahší ako supermarket, ale bol *na rohu*, a za to sa platí. I za to, že je otvorený dlho do noci.

Desmond sem rád chodieval. Toto miesto a spôsob, akým bol Suresh Patel schopný naložiť také množstvo tovaru na police... a tak, že sa nezrútili, v ňom vyvolávalo akýsi bláznivý, magický pocit. Desmond často vravieval, že pán Patel musí skrývať nejaké tajomstvo. Vo veľkom reťazci supermarketov Palazzo Foods, kde pracoval Desmond, bol princíp úplne iný. Zákazníkom bolo treba poskytnúť maximum priestoru, aby mali kadiaľ chodiť a vyberať si, a v tom lepšom prípade kúpiť aj to, čo pôvodne vôbec nemali v úmysle. Princíp pána Patela bol úplne opačný. K nemu sa chodilo preto, že sa minul cukor, alebo nebolo čo na večeru, a obchod, do ktorého sa bežne chodievalo, je už zavretý. Niekedy sa sem chodilo len po večerné noviny alebo konzervu fazule. Pán Patel hovorieval, že by ste sa divili, koľko ľudí trávi večery doma osamote. Aj pán Patel sa často cítil lepšie v obchode, kde postával a púšťal sa do reči s každým, kto vošiel.

Desmondova žena Deirdre vždy tvrdila, že osobne síce nemá proti pánu Patelovi nič, je veľmi slušný a úctivý, ale všetko je tam o niečo drahšie. A vyzerá to tam ako v starinárstve, ako v tých kšeftoch, do ktorých radšej nevkročíte, pretože tam nemusí byť všetko celkom... nuž, čerstvé.

Nikdy nevedela pochopiť, prečo si Desmond kupoval raňajšie noviny v obchodíku na rohu, keď si ich mohol kúpiť v obchode neďaleko Palazza, a v pohode si ich prečítať cestou z roboty.

Desmond to radšej nevysvetľoval. To miesto malo v sebe niečo solídne. Nezáviselo od fluktuácie vzdialených dodávateľov a obrovských nadnárodných spoločností. Ak pán Patel spozoroval zákazníka, ktorý niečo chcel, starostlivo sa mu venoval. Ako Desmondovi, ktorý chcel želé z červených ríbezlí.

„Má to byť džem alebo len chuťová prísada?" pýtal sa so záujmom pán Patel.

„Myslím, že na tom nezáleží." Ale Desmond spozornel. Nakoniec sa dohodli, že čokoľvek to bude, aj tak to skončí na poličke s horčicou, čatní a malými zelenými pohárikmi s pepermintovou omáčkou.

„Čoskoro budem poznať chute a temperament čisto britského predmestia tak dobre, že o tom budem môcť napísať knihu, pán Doyle."

„Myslím, že ich už poznáte, pán Patel."

„Len začínam, pán Doyle, ale všetko je to také zaujímavé. Poznáte to vaše príslovie, že človek po celý život... aj ja mám ten pocit."

„Aj ja trávim celý svoj život v práci, ale nie som tým taký nadšený ako vy," usmial sa smutne Desmond.

„Ach, to preto, že vaša robota je omnoho dôležitejšia ako moja."

Deirdre Doylová by súhlasila, pán Patel má pravdu, keď s rešpektom hľadí na človeka ako Desmond, ktorý nemá ešte ani päťdesiat, a už je vedúcim oddelenia zvláštnych úloh u Palazza. Palazzo bolo meno ako Sainsbury alebo Waitrose. Nuž, nie celkom, ale v určitých oblastiach znelo rovnako a doma v Írsku, kde nikto nevedel, čo sa pod tými názvami ukrýva, znelo Palazzo dokonca vznešenejšie.

Patelovci, samozrejme, nebývajú na Rosemary Drive, bývajú úplne inde, na mieste vhodnejšom pre Indov a Pakistancov, hovorievala Deirdre, keď sa jej na to niekto spýtal.

Desmond však vedel, že Suresh Patel so ženou, dvoma deťmi a bratom býva v malých skladových priestoroch za obchodíkom. Pani Patelová nevedela po anglicky ani „ň" a jeho tučný brat pôsobil dojmom chorého človeka. Často sedával za pultom a milo sa usmieval, ale hovoril málo a nezdalo sa, že by obchodu na rohu akokoľvek pomáhal.

Desmond z nejakého dôvodu, ktorý celkom nechápal, nikdy nespomenul, že Patelova rodina býva tu. Že ich dve deti, oblečené v bezchybnej školskej uniforme, kabátiku a s okuliarmi denne vychádzajú z maličkého bytíku za obchodom. Desmond mal pocit, že Patelovci sa hanbia, že žijú v takých pomeroch, ale niekde v podvedomí cítil, že podľa Deirdre by sa vlastne mali hanbiť oni, že majú za susedov Pakistancov, ktorí tu nielen obchodujú, ale aj bývajú.

Skoro ráno bývalo v obchode rušno, ľudia si kupovali noviny, tabuľky čokolády, pomarančové nápoje a sendviče balené vo fólii. Aby cestou do práce neumreli. Pohonné hmoty mašinérie britského priemyslu.

Desmond svojím podielom v britskom priemysle príliš nadšený nebol. Bol na ceste do práce, na vrchné riaditeľstvo reťazca supermarketov Palazzo Foods, ktorý bol deviatym najväčším v Británii. Desmond tam začal pracovať už v roku 1959, keď sa to volalo jednoducho Prince. Bolo to v tom roku, keď s Frankom Quigleym opustili Mayo a cestovali do Londýna vlakom, loďou a ešte raz vlakom, aby tu našli svoje šťastie. Dorazili akurát vtedy, keď Londýn zasiahla niekoľkomesačná vlna horúčav, a tak si mysleli, že prišli do raja.

Keď sa Desmond na svojej pravidelnej rannej ceste do práce dolu po Rosemary Drive na Wood Road a ďalej autobusom zastavil na rohu, spomínal na dni, keď bolo všetko jednoduchšie a s Frankom obsluhovali pokladne v dvoch obchodoch Prince. V jeden deň krájali slaninu, na druhý deň robili výklady. Denne sa stretávali so zákazníkmi a poznali každého, kto v obchode pracoval.

Frank však zaňuchal, že v tejto spoločnosti majú zaručený postup. Prince Foods začínali od piky, rástli, čoskoro sa začnú rozširovať, a ak správne rozohrajú svoju hru, Frank by sa mohol stať vedúcim jednej pobočky a Desmond druhej. Frank hral svoju skvele. Lenže Desmond bol pri využívaní príležitostí vždy pomalší. Vnímal síce, ako sa všetko mení, ale smutne zisťoval, že čím vyššie postupuje, čím viac ho jeho priateľ za sebou ťahá, postrkuje a prehovára, tým viac sa vzďaľuje ľuďom, ktorí uňho vždy boli na prvom mieste.

Desmond Doyle bol vtedy chudý, šľachovitý mladík s hustou hrivou svetlohnedých vlasov. Deti si ho často doberali kvôli jednej starej fotografii a hovorili, že vyzeral ako riadny mumák. Matka ich však vždy zahriakla. Vtedy takto vyzerali všetci mladí muži, hovorievala. Teraz už vyzeral ináč, vlasy si česal tak, aby mu nevykúkala začínajúca plešinka, a košele nosil o niekoľko čísel väčšie ako v to prvé leto, keď si mohol dovoliť len dve košele, z ktorých jedna sa vždy sušila na operadle stoličky – to bol celý jeho šatník.

Predpokladal, že viacerí spomínajú na staré dobré časy aj napriek tomu, že vtedy nemali prakticky ani penny. On teda určite.

Nikdy nevedel pochopiť, čo vidia ľudia na Palazzovi. Na tej obrovskej budove. Je to vraj ukážkový príklad art deco, majstrovské dielo tridsiatych rokov. Podľa Desmonda to však bola len jedna z tých nevkusných masívnych budov, aké poznal z dokumentov o Východnej Európe. Podľa neho to bola hnusná hranatá budova, zvláštne, že sa ju snažili tak zachovať a články v časopisoch ospevovali jej perfektné proporcie.

Tú budovu zohnal pre Palazzo Frank, vtedy to bolo nepoužívané riaditeľstvo akéhosi skrachovaného podniku, ktorý vyrábal motory. Nikto netušil jej potenciál, ale Frank Quigley, ktorý vždy vedel všetko, tvrdil, že musia mať skladové priestory, depo, údržbárske dielne pre dodávky a nejaké centrálne úrady. Tak prečo to všetko neskombinovať pod touto úžasnou fasádou?

Fasáda to teda bola. Nádherné schodiská a recepčné priestory na prízemí. Hore to však bolo bludisko prefabrikovaných a polorozpadnutých kancelárií a priečok. Účtovníctvo sa odvtedy zmodernizovalo, začali sa používať počítače a účtovníci sa presťahovali do modernej prístavby vzadu. A tak na treťom poschodí zostala zem nikoho, miesto s vizitkami na dverách a uponáhľanými ľuďmi, ktorí do seba vrážali so slovami „och, prepáčte". Boli tu akési nedefinovateľné sklady, v ktorých ležalo a čakalo na svoj osud nepotrebné obloženie, alebo zabudnuté, nenainštalované plastikové vitríny.

A tu, uprostred tohto skrytého chaosu, odvrátenej tváre Palazza, sa nachádzalo pracovisko Desmonda Doyla. Oddelenie zvláštnych úloh. Oficiálne to bolo nervové centrum nových nápadov, plánov, koncepcií a srdce podniku, ktoré malo za úlohu vymazať konkurenciu z mapy sveta. V skutočnosti to však bolo miesto, kde bol Desmond zamestnaný, dostával svoj mesačný plat a udržiaval si manažérsky štatút, pretože bol priateľom Franka Quigleyho z detstva. Pretože prešli spolu riadny kus cesty a skoro pred štvrťstoročím tu spolu zakotvili.

Frank Quigley, tichý, ale mocný vrchný riaditeľ, muž, ktorý vedel, ako má tancovať, a keď na to prišlo, tancoval, ako mu Taliani pískali. Muž, ktorý sa oženil so šéfovou dcérou. Len vďaka Frankovi vyšiel Desmond na tretie poschodie palazzovskej budovy a s ťažkým srdcom otvoril dvere svojej kancelárie.

Vedenie začínalo sledovať prácu oddelenia zvláštnych úloh. Začalo sa klebetiť o zaručene vysokých investíciách. Desmond Doyle pocítil v žalúdku známu hrču a hruď sa mu začínala sťahovať panikou. Čo to bude tentoraz? Obvinenie, že sekcia nie je dosť dôležitá, požiadavka na presnú kvantifikáciu realizovaných podnikových prezentácií alebo návrhy podobné detským cvičeniam?

Zdá sa, že antacidové tabletky nezaberajú, už ich jedol ako cukríky. Mal dosť konfrontácií a povinného nadšenia. Kedysi bolo preňho nadšenie a nadhľad všetkým. Už nie je. Vo veku, keď všetci ostatní ešte rozmýšľajú ako mladíci, sa Desmond Doyle cítil starý, veľmi starý. V štyridsiatich šiestich rokoch sa cítil na deväťdesiat. Keby sa ho niekto spýtal, koľko má rokov, odpovedal by, že deväťdesiat.

V jeho kancelárii, chvalabohu bez fotografií, ktoré pokrývali steny jeho domu, visel vyblednutý obraz krajinky z Connemare. Na obraze bolo síce všetko o trochu fialovejšie, modrejšie a elegantnejšie, ako si pamätal, ale Deirdre tvrdila, že to presne vystihuje duch západného Írska a mal by si ho tam zavesiť, pretože môže byť dobrou témou na rozhovor s návštevníkmi. Môže o ňom rozprávať, povedať, že odtiaľ pochádza. Tam sú jeho korene.

Úbohá Deirdre nemala ani poňatia, o čom sa v tejto kutici rozpráva. Ešteže steny jeho kancelárie neboli z toho drsného skla či plexiskla, mal v podstate šťastie, že mal vlastný stôl, telefón a dve registračky. Luxus táranín o koreňoch pochádzajúcich z týchto príliš farebných obrázkov grófstva Mayo nepoznal. Ani nikdy poznať nebude.

Už nemal pocit, že slová poskladané z kartónových písmen nalepených na dverách sú dôležité... za starých čias neboli žiadne zvláštne úlohy, bol to číry výmysel. Kedysi boli len reálne džoby, napríklad vedúci rozvoja alebo prevádzkový riaditeľ. Vedúci reklamného oddelenia. To bol biznis. Zvláštne úlohy nehovorili Desmondovi Doylovi nič, pretože vedel, že v jeho prípade neznamenajú naozaj nič. V iných štátoch to mohla byť skutočná práca, aspoň tak o tom čítal v časopisoch. V Palazzo Foods to však znamenalo len potľapkanie po pleci.

Desmond si spomenul na reklamu, ktorá hlásala: „Titul na dverách je ako Bigelow na dlážke.“ Bigelow bola značka luxusných kobercov. Táto nádherne nevinná reklama mala mladých pracovníkov viesť k tomu, aby pre svoje postavenie urobili všetko. Raz to povedal aj Deirdre, ale nepochopila. Spýtala sa, prečo by nemohol mať koberec aj on. Možno by mali zohnať nejaký zvyšok koberca a cez víkend ho položiť, vyzeralo by to dôležito, nikto by sa nad tým nepozastavoval a on by neriskoval, že bude vyzerať ako chudák. Vtedy sa rozhodol pre malý koberček, ktorý ukrýval pred zrakmi ostatných pod stolom, ale Deirdru uistil, že jeho kancelária má teraz šmrnc a glanc.

Desmond by o svoje miesto u Palazza neprišiel ani vtedy, keby vyšlo najavo, že celé oddelenie zvláštnych úloh je len zbytočné, trestuhodné márnenie času. Bolo to však oddelenie, mal tam to šteňa, čo sa pokladalo za eléva, a raz za čas využíval aj služby Marigold, vysokej austrálskej dievčiny s ústami plnými zubov a s hustou hrivou vlasov na tom, čo nazývala ZS, čiže zámorská skúsenosť, ktorá zároveň pracovala aj v pohrebnom ústave, ako recepčná u zubára a v kancelárii zábavného parku, aby získala pojem o svete skôr, než sa vráti domov a vydá sa za milionára z Perthu, čo bolo jej konečným cieľom.

Bolo to pekné, priateľské dievča, ktoré si dôverne sadalo na Desmondov stôl s otázkou, či má nejakú korešpondenciu alebo poznámky, ktoré treba prepísať. Písanie na stroji pokladala za zlatý kľúčik k dobytiu sveta. Marigold mu vravievala: „Naučte svoje deti písať na stroji, Dizzy.“ Nikdy nepochopila, ako mohla jedna z jeho dcér byť bakalárkou a pracovať v kníhkupectve a druhá akousi pracujúcou mníškou, keď ani jedna z nich nevlastnila Marigoldin zlatý kľúčik od sveta.

Keby sa zvláštne úlohy zrušili, Marigold by ho poľutovala, povedala by Dizzymu, že Quigley je buzerant a že sa ju neustále pokúša uštipnúť do zadku. Ponúkla by sa, že mu skočí po pivo, a povedala by mu, že je pre Palazza príliš dobrý a mal by sa poobzerať po niečom lepšom. To elévske šteňa by to ani nezistilo, odišlo by a začalo strkať nos do niektorej inej časti podniku. Otec toho šteňaťa bol totiž významný dodávateľ, takže by tu zostalo bez ohľadu na to, čo sa deje.

Ako Desmond. Vyhodili ho len raz. To sa však už nestane. Na to by sa Frank Quigley pozrel. Jeho práca, respektíve jej určitá forma, bola na doživotie. Ešte tu musí zostať asi štrnásť rokov. Spoločnosť stanovila vek odchodu do dôchodku na šesťdesiatku. V skutočnosti to však bolo menej ako štrnásť rokov, len trinásť a niečo. A dovtedy sa vždy nájde niečo, čo bude robiť.

Desmond Doyle by svojmu starému priateľovi Frankovi nikdy nemohol začať vysvetľovať svoju existenciu a obhajovať pred ním svoju úlohu. Určite nie, ak by totiž Franka čakalo niečo také nepríjemné, určite by ho preložil do tej najzastrčenejšej časti krajiny, alebo by sa dal vyslať na neodkladnú schôdzu. Desmond by sa mal porozprávať so samým Carlom Palazzom. S Frankovým svokrom, ale v žiadnom prípade nie krstným otcom.

Carlo bol človek, ktorý myslel na rodinu a svoje jemné kožené saká: vždy chcel robiť módu, a teraz so ziskami z Palazzo Foods si bude môcť otvoriť vlastný módny salón a splniť svoj životný sen. Carlo Palazzo, príjemne vyzerajúci Talian, ktorého prízvuk rokmi strávenými v severnom Londýne len zosilnel, si veľmi nelámal hlavu nad svojím impériom supermarketov a všetko prenechal tomu skvelému pánu Quigleymu, ktorého si pred mnohými rokmi dosť dobre vytipoval ako lačného mladého Íra, čo mu to povedie. A ktorý sa môže oženiť aj s Carlovou dcérou.

Vnúčatá nemal, a Desmond vedel, že je z toho veľmi smutný, ale on stále dúfal. Aj keď to bolo z roka na rok beznádejnejšie, pretože už boli pätnásť rokov svoji a Renata mala dobre nad tridsať.

Pokiaľ ide o vnúčatá, Carlo bol optimista. O svojich ziskoch však uvažoval prakticky, a keby sledovanie viedol on, povzdychol si Desmond, dnes by tu nevládla citová dôvera, ale len kruté fakty a ešte krutejšie otázky. Čím prispeli zvláštne úlohy do Palazzovho zisku za posledných šesť mesiacov? Prosím, Desmond, uveďte len výsledky. Áno?

Desmond si pritiahol blok a začal spisovať ten nepodarený zoznam. Nebolo to v tom, že by nemal žiadne nápady, on priam sršal nápadmi, lenže tie sa v tejto spleti oddelení a iných tlakov a potrieb akosi strácali.

Ako vtedy, keď navrhol otvoriť v priestoroch supermarketu pekáreň. Bolo to už dávno, veľmi dávno. Desmond nebol veľký dobrodruh, a preto zo začiatku odporúčal len tmavý chlieb a čajové pečivo. Jeho dôvody však boli také dobré, že sa to ujalo lepšie, ako kedy plánoval. Tvrdil, že vôňa čerstvo upečeného chleba je veľmi príťažlivá a pre zákazníka vo dverách je živou zárukou toho, že sa piekol dnes. Fakt, že ľudia vidia, ako sa pečie v hygienických podmienkach, je záruka všeobecnej hygieny celého obchodu.

Nakoniec sa to však skončilo tak, akoby to nikdy nebol nápad Desmonda Doyla alebo zvláštnych úloh, ale súčasť reklamy. Potom sa rozbehla samostatná sekcia zvaná Pekáreň a vo všetkých novinách sa objavili články a fotografie bochníčkov, pleteniek a nakysnutých chlebíkov, ktoré sa tu piekli. Palazzovský chlieb sa stal legendou.

Desmond sa nad tým veľmi nevzrušoval, myšlienka je predsa len myšlienka, a keď ju raz podáš ďalej, tak už nie je viac tvoja. V podstate nezáleží, či ťa za to pochvália, alebo nie, už to nie je v tvojich rukách. Ale, pravdaže, ak by sa ti za to *dostalo* vďaky, ak by si získal v spoločnosti reputáciu majstra nápadov, tak by všedné dni okamžite mali inú farbu. Mal by si väčšiu kanceláriu, príslušný titul na dverách a dokonca aj koberec. Pán Palazzo by ťa požiadal, aby si ho volal Carlo, a Desmonda s Deirdrou by pozýval na svoje veľké letné párty vo veľkom bielom dome s bazénom a veľkým záhradným grilom. A poprosil by Deirdru, aby si vyskúšala ten jemný, modrý kožený kabátik, ktorý práve dostal z Milána, a vyhlásil by, že jej tak pristane, že si ho musí nechať. Ako darček na pamiatku, z úcty, ktorú prechovávajú voči jej manželovi. Mužovi nápadov u Palazza.

Zoznam však vyzeral úboho. Vošla Marigold a spustila, že má poriadnu opicu, ktorá ju neprešla ani v jedálni, kam si zbehla po hlt studeného pomarančového džúsu prismradeného kvapkou vodky. V jedálni sa Marigold dozvedela, že pán Carlo je na vojnovom chodníku, že mal viac ako nepríjemnú schôdzu s účtovníkmi a vreckové mu nebude stačiť na to, aby sa hral s bundami z kožených vechťov. Takže má v úmysle všetko to tu zreorganizovať. Sprostý, krpatý, taliansky tučniak, mlela Marigold, v Austrálii je dosť chlapov, ktorí zo všetkého, na čo natrafia, vytlčú aj čerta, dokonca aj z tých patetických šatočiek a kutní, a netvária sa, že im je jasné, ako sa vedie podnik, ktorý tu, ako každý vie, vedie ten gangster Frank Quigley.

Desmonda sa dotkol partizánsky charakter Marigoldinej reakcie.

„Sadnite si a upokojte sa, lebo vás tá hlava bude bolieť ešte viac," povedal súcitne.

Marigold naňho pozrela spuchnutými červenými očami plnými porozumenia.

„Bože, Dizzy, vy ste pre tých hajzľov pridobrý," vzdychla.

„Psst, psst. Pôjdem okolo kuchynky, nemám vám do toho doniesť trochu ľadu? Bez ľadu to nie je ono."

„Nie div, že vy nikdy nebudete viesť toto odporné miesto, vy ste totiž ľudská bytosť," povedala Marigold s hlavou v dlaniach.

Marigold pracovala u Palazza len šesť mesiacov, ale už hovorila, že je načase odísť. Rozmýšľala o práci recepčnej v hoteli alebo v kaderníctve v Knightsbridge, kde sa možno stretne aj s členmi kráľovskej rodiny.

Riadne potúžená chladenou vodkou s džúsom, o ktorú sa chcela podeliť s Desmondom, lovila v mysli nejaké detaily o práci, ktorá sa vykonala v sekcii za čas, čo tu pracovala.

„Bože, musíme *niečo* urobiť, Dizzy!" hovorila a sústredene sa mračila. „Myslím, že sem nechodievate dennodenne len preto, aby ste zízali na ten írsky obraz s vyblednutým pozadím, alebo áno?"

„Nie, nemyslím, zdá sa, že tu vždy bolo čo robiť, ale, viete, to dnes nikoho nezaujíma," odvetil kajúcne Desmond. „Takže s nami vôbec nerátajú. Nuž, nie je to veľmi pôsobivé."

„Kam vás pošlú? Teda ak to tu rozpustia."

„Toto je jedna z najmenších kancelárií, takže možno ma tu nechajú a budem patriť pod niekoho iného, veď viete. Rovnaké miesto, rovnaká práca, iný šéf."

„Vy nikdy nedostanete padáka?"

„Nie, nie, Marigold, o to sa nebojte, to nie," uistil ju.

Šibalsky sa usmiala. „Takže vy viete, kde je pes zakopaný?"

„Tak nejako," odvetil.

Hovoril tak mäkko a smutne, že Marigold to napokon nechala.

„Pôjdem sa mrknúť von, čo sa dá urobiť s listami, čo som vám napísala," prehodila.

Bolo to viac-menej tak, ako si Desmond myslel. Carlo sedel v malej kancelárii a ani zďaleka nebol dojatý snahami Marigold, ktorá Desmonda volala pán Doyle, trkotala do telefónu a hovorila, že je na konferencii. Marigold si dokonca požičala aj dve porcelánové šálky s tanierikmi, aby nemusela použiť šarlátové hrnčeky s inicálkami D a ?, ktoré boli súčasťou tejto hry.

Carlo Palazzo hovoril o potrebe presunu, ďalšieho rozširovania, experimentovania, nezaostávania. Hovoril o konkurencii. Hovoril o inflácii, recesii, nepokojoch v priemysle a problémoch s parkovaním. Skrátka naniesol skoro všetky bežné smutné témy, aby podporil svoje váhavé rozhodnutie, že oddelenie *ako také* treba zlúčiť s inými oddeleniami a jeho činnosť, samozrejme dôležitú a užitočnú, možno najlepšie využiť pomocou presunu.

Desmondovi oťažela hlava, rozmýšľal, ako to večer čo najšetrnejšie vysvetlí Deirdre. Vedel, že plat mu zostane, vedel, že na jeho miesto nebude vypísaný konkurz. Stratí len titul. Začína znova od začiatku.

„A myslíte, že môžem v čomkoľvek, čo nové vedenie odsúhlasí, pokračovať v tejto miestnosti, v tejto kancelárii?" spýtal sa.

Carlo Palazzo rozhodil svoje veľké ruky. Keby to záviselo len od neho, tak samozrejme.

„A nezávisí, pán Palazzo?"

Nie, vyšlo najavo, že ide o reorganizáciu a odstránenie niekoľkých priečok, o nový prúd a viac svetla, plus nejaké zmeny v inventári.

Desmond trpezlivo čakal. Vedel, že k tomu raz dôjde a žiadna unáhlená taktika by tu nefungovala.

Očami zablúdil k obrazu s neskutočne modrou oblohou a mäkkými trávnatými svahmi. V Mayo tak nikdy nebolo. V Mayo boli veľké biele mraky, holé kamenné svahy a malé hnedé políčka. Ten obraz bol prehnane sladký.

Carlo Palazzo sa pomaly dostával k jadru veci.

Teraz to príde, pomyslel si Desmond. Pocítil známu pachuť kyseliny, ktorá mu stúpala zo žalúdka do úst. Bože, prosím ťa, nech mám aspoň nejakú kanceláriu. Niečo, čoho potrebu nikdy nebude treba vysvetľovať. Nejakú časť budovy, kde bude niekto ako Marigold, kto bude kvôli Deirdre dvíhať telefóny. Niekto, kto povie „neskladajte, prosím, prepojím", keď zavolá jeho žena a ako vždy sa spýta, či môže, prosím, hovoriť s pánom Doylom, vedúcim oddelenia zvláštnych úloh. S dôrazom na slovo „prosím".

Bože, nech len zostane nejakým „vedúcim" a nech Deirdre nemusí stráviť zvyšok života telefonovaním do podniku, kde nikto nevie, kto je, nieto ešte kde je Desmond Doyle.

„Mysleli sme, že by bolo najlepšie, keby ste kolovali," riekol Carlo Palazzo.

„Kolovať nie, pán Palazzo," vyhŕkol Desmond Doyle. „Prosím vás, len nie kolovať."

Talian sa naňho pozorne zadíval.

„Uisťujem vás, Desmond, že vaša práca bude rovnako dôležitá, ba v mnohých ohľadoch i dôležitejšia, a ako viete, v žiadnom prípade nepripadá do úvahy zmena platovej triedy, plat vám zostane, aj so zvyčajnými prilepšeniami..."

„Ale ja potrebujem nejakú základňu. Hocakú, naozaj." Desmondovi sa na čele zaperlil pot. Bože všemohúci, začína žobroniť. Prečo to nemôže vybaviť priamo cez Franka Quigleyho?

On a Frank Quigley, s ktorým sa hrával na skalnatých kopcoch, ktorí nikdy nevideli oblohu v západnom Írsku takú ako na obraze, hovorili predsa rovnakým jazykom. Prečo mu teda roky bránia v tom, aby Frankovi priamo do očí povedal, že musí mať kanceláriu, aj keby to boli len dvere, ktoré vôbec nikam nevedú? Nebolo toho veľa, čo za tie roky dal Deirdre, ale dal jej vieru, že jej manžel je vedúci pracovník veľkej a významnej maloobchodnej organizácie.

Kedysi sa s Frankom mohli rozprávať o všetkom, naozaj o všetkom. Napríklad o tom, ako Frankov otec asi za tri týždne prepil odmeny, keď celému mestu vo veľkom platil rundu za rundou. Napríklad o tom, ako veľmi chcel Desmond uniknúť z farmy, od mlčanlivých bratov a sestier, ktorí sa tvárili šťastne, že na neúrodnej zemi môžu obchádzať na kosť vychudnuté, neduživé ovce.

Títo dvaja neskúsení mladí Íri si povedali všetko aj o prvých skúsenostiach s dievčatami, ktoré získali, keď sem prišli v päťdesiatych rokoch, a od prvých dní, keď začali pracovať v Prince Stores, sa delili o všetko. Potom však Franka zmohol hlad po úspechu a zrejme vtedy ich priateľstvo umrelo.

Frank postupoval stále vyššie, šplhal a šplhal, a dnes tu všetkému šéfuje. Palazzo vykúpil celú sieť Prince Stores. Vedelo sa, že Carlo Palazzo bez konzultácie s Frankom Quigleym nikdy neurobil väčšie rozhodnutie, než akú omáčku si dá na špagety. Takže to Frank odsúdil svojho starého kamoša Desmonda na putovanie z kancelárie do kancelárie.

Nepozná vari Frank Deirdru, nevie, aké to s ňou bude mať Desmond ťažké?

V týchto dňoch sa Frank objavoval na Rosemary Drive len veľmi zriedka. Napriek tomu to však zakaždým, keď sa stretli, vyzeralo ako za starých čias. Smiali sa, potľapkávali po pleciach, a keďže Desmond nikdy, odkedy sem prišli, neurobil nič pre to, aby postúpil vyššie, Frank nikdy nenarážal na vlastné postavenie. Skutočná priepasť sa medzi nimi vytvorila až vtedy, keď sa oženil s Renatou Palazzovou.

Na tej svadbe nebol nikto na Desmondovej úrovni, všetci boli omnoho vyššie.

Deirdre na tú svadbu radšej nespomína. Celé mesiace sa na ňu tešila a verila, že sa s Renatou Palazzovou spriatelí. To však bolo také nepravdepodobné, že Desmond ju ani nebral vážne. Renata bola omnoho mladšia a pochádzala z iného sveta. Deirdre ju však vytrvalo pokladala za taliansku emigrantku vo svojom veku, za hanblivú osôbku, ktorá potrebuje jej sesterskú radu.

Desmond nikdy nezabudne, ako na svadbe Deirdre zmrzol úsmev na tvári, keď porovnala svoje jasnožlté šaty s kabátikom ušitým z podobnej, ručne tkanej látky s prírodným hodvábom a kožušinami ostatných žien. Ona, ktorá v to ráno odchádzala z domu taká rozžiarená, sa sťahovala do úzadia dokonca aj vtedy, keď na bohoslužbách taliansky operný spevák spieval pre novomanželov „Panis Angelicus". Keď dorazili do stanu, kde sa podávalo občerstvenie, a zaradili sa medzi hostí čakajúcich na prijatie, energicky si poťahovala šaty a stískala mu rameno.

Pre Deirdru to bol čierny deň a jej bolesť ho zatemnila i Desmondovi.

Nič z toho však nebola Frankova chyba. Frankovi úsmev z tváre nezmizol nikdy, dokonca ani v neskorších rokoch.

Za Frankom môžeš prísť vždy. Nemusíš o všetkom toľko rozprávať. Stačí naznačiť.

Kde, dočerta, bol Frank dnes, v tento ďalší čierny deň, keď Carlo Palazzo oznámil Desmondovi Doylovi, že nebude mať žiadnu kanceláriu, žiadne dvere, a pravdepodobne ani žiaden telefón na stole?

Má sa spýtať, či im nemá všetko uľahčiť, obliecť si jeden z tých béžových plášťov, ktoré nosia zametači v obchodoch, a pustiť sa s metlou, vedrom a handrou do práce a po záverečnej vytrieť stojany na zeleninu? Nebolo by to ľahšie, než čakať na pol tucta ďalších pádov? Potom ho však premohol hnev – nie je predsa sprostý, nie je hlupák, ktorým možno takto zametať. Cítil, že sa prestáva ovládať. Na svoj údiv však zbadal v starcovej tvári niečo ako ľútosť.

„Desmond, priateľu, prosím," povedal neisto Carlo.

„Som v poriadku," postavil sa Desmond za svoj malý stolík. Teraz by mal prejsť k oknu, kým mu z očí nezmiznú tie výrečné slzy. V jeho kancelárii sa však veľmi chodiť nedalo, musel by sa pretlačiť popri registračke a vraziť do stolíka alebo požiadať pána Palazza, aby mu uhol so stoličkou. Tu nebolo miesta na veľké gestá. Na budúci týždeň však už nebude mať miesto vôbec na žiadne gestá.

„Viem, že ste v poriadku. Len nechcem, aby ste ma zle chápali. Niekedy, dokonca aj po tých dlhých rokoch strávených v tejto krajine sa neviem celkom jasne vyjadriť... veď viete."

„Nie, vyjadrili ste sa dosť jasne, pán Palazzo, jasnejšie ako ja, a pritom je angličtina mojím materinským jazykom."

„Ale dúfam, že som vás neurazil ničím, čo som povedal. Môžem to skúsiť odznova? Veľmi si vás tu vážime, pracujete tu už dlho a vaše skúsenosti sú pre nás prepotrebné... lenže zmenili sa okolnosti a šťastie je vrtkavé... všetko sa... ako sa to povie...?"

„Mení," povedal Desmond kategoricky.

„Mení." Carlo Palazzo sa toho slova chytil a pohrával sa s ním neuvedomujúc si, že ho použil už dvakrát. Naširoko sa usmial. Ako keby to slovo malo všetko zachrániť.

Z Desmondovej tváre však vyčítal, že nezachráni.

„Povedzte mi, Desmond, čo by ste chceli zo všetkého najviac? Nie, to nie je urážlivá poznámka ani úskočná otázka... Pýtam sa, čo by ste chceli robiť, ako by sa dalo zariadiť, aby všetko fungovalo tak, ako si želáte? Teoreticky by ste tu mohli zostať, ale je to naozaj to, o čom snívate, čo chcete?"

Ten muž sa pýtal vážne, nebola to hra na mačku a myš. Carlo to naozaj chcel vedieť.

„Nemyslím, že som o tom niekedy sníval, to nie. Nie o tom, že zostanem v tejto miestnosti ako vedúci oddelenia zvláštnych úloh."

„Takže," Carlo sa úporne snažil nájsť nejaký záchytný bod. „Takže potom čo je na tom zlé, že odchádzate? Aké miesto by ste chceli?" Desmond sa oprel o roh registračky. Marigold to tu trocha vyzdobila niekoľkými požičanými kvetmi, ktoré určite zohnala v kanceláriách s kobercami. Desmond len dúfal, že žiaden nepochádza z Carlovej súkromnej zelene. V duchu sa pri tejto myšlienke usmial, šéf mu úsmev opätoval a s očakávaním zdvihol k nemu zrak zo stoličky pred stolom.

Carlo mal veľkú milú tvár. Nevyzeral záludne, bol to ten typ Taliana, ktorý vo filmoch vždy hráva milého ujka alebo skutočne láskavého deduška.

Carlo často sníval o tom, že bude deduškom, že bude mať húf vnúčikov s napoly írskymi a napoly talianskymi menami, pobehujúcich po jeho ohromnom bielom dome. Detí, ktorým bude môcť odkázať svoj podiel v sieti Palazzo. Snival aj Desmond o vnúčencoch? To nevedel. Čo za nudného patróna to musí byť, keď nevie tomuto veľkému, priamemu mužovi odpovedať na otázku, o čom sníva?

„Už je to tak dávno, čo som si dovolil snívať, že som aj zabudol, o čom to bolo," odpovedal pravdivo.

„Ja na svoj sen nikdy nezabudnem, chcel som ísť do Milána a živiť sa módou," povedal Carlo. „Chcel som dať dohromady najlepších krajčírov, vyšívačky a návrhárov a mať vlastnú značku Carlo Palazzo."

„Váš podnik predsa nesie vaše meno," namietol Desmond.

„Áno, ale to nie je to, čo som chcel, o čom som sníval, je v tom len veľmi málo z toho, čo som miloval. Otec rozhodol, že mám vstúpiť do potravinárskeho priemyslu spolu s bratmi a strýcmi, a nie sa hrať s handričkami ako nejaký buzerant, ako to volal on."

„Otcovia to nechápu," povedal Desmond jednoducho.

„A váš otec... zrejme ani on nepochopil."

„Nie, môj otec ma nikdy nechápal ani trochu, ak viete, čo tým myslím. Vždy bol príliš starý. Bol starý už vtedy, keď som ja mal desať, a nielen preto, že som si to myslel *ja*, on je starý na všetkých fotografiách. Rozumel jedine ovciam, kopcom a tichu. Nikdy mi však nebránil, hovoril, že mám právo odísť."

„Tak ako to teda myslíte, že otcovia to nechápu?"

„Ja tiež nechápem. Pre svojho syna som urobil všetko. Chcel som, aby dostal to najlepšie vzdelanie, a tiež som nepochopil, prečo odišiel."

„Kam odišiel?"

O tom sa mimo Rosemary Drive nesmelo hovoriť. Nie za múrmi Salthillu.

„Utiekol, utiekol späť k ovciam, skalám a k tichu."

„A vy ste ho nechali odísť." Nezdalo sa, že by Carla šokoval fakt, že Desmondov syn ušiel nevzdelaný.

„Bez požehnania," povzdychol si Desmond.

Carlo ešte vždy nechápal. „Takže vy ste mu chceli dať vysokoškolské vzdelanie?"

Z nejakého dôvodu sa Desmondovi pred očami mihla malá oduševnená tvár Suresha Patela s tmavými očami rozpálenými túžbou po tituloch a diplomoch.

„Nie, to nebola podmienka. Chcel som preňho len slušné miesto, teda miesto, ktoré by bolo jeho, odkiaľ by ho nikto nevyhodil."

Carlo sa poobzeral po obyčajnej kancelárii, ktorú si z posledných mesiacov pamätal ako ešte obyčajnejšiu, keby nebolo tej injekcie požičaných kvetov.

„Takéto? Je to také dôležité?"

Desmond bol v koncoch.

„Ak mám byť úprimný, pán Palazzo, neviem. Nemám vyhranené názory. Nikdy som nemal. Mám nápady, a preto predpokladám, že Frank a vy ste radi, že ma tu máte. Ale tie nápady sú moje, nie podnikové, a preto sa zakaždým, keď dôjde k presunom alebo niečomu podobnému, cítim trošku stratený. Ja to však zvládnem. Určite to zvládnem. Vždy som to zvládol."

V jeho hlase už nebolo strachu ani sebaľútosti. Bol len odovzdaný a praktický. Carlovi Palazzovi sa uľavilo, že hnev, či čo to bolo, už prehrmel.

„Určite to nebude zajtra, ale tak o dva-tri týždne, a v mnohom vám to poskytne väčšiu slobodu, viac času na rozmýšľanie o tom, čo naozaj chcete."

„Možno."

„Titul vedúceho vám pravdaže *zostane*, len to ešte nemáme celkom dopracované. Ale keď sa vráti Frank, som si istý..."

„Och, ja viem, že áno," súhlasil rýchlo Desmond.

„Takže..." Carlo znova rozhodil rukami.

Tentoraz mu boli odmenou chabý úsmev a Desmondova vystretá ruka, ktorú mu podával, akoby chcel potvrdiť niečo, na čom sa dohodli dvaja ľudia rovnakého zmýšľania.

Zrazu sa Carlo zasekol, akoby mu niečo napadlo.

„A čo vaša žena? Ako sa má?"

„Och, Deirdre, má sa fajn, ďakujem, pán Palazzo, prekvitá."

„Možno by ste mohli niekedy... prísť k nám na večeru, ako rodina, viete, Frank s Renatou a tak... Kedysi ste predsa boli dobrí priatelia... myslím skôr, než... fakt by to bolo fajn."

„Je to od vás veľmi milé, pán Palazzo," odvetil Desmond Doyle tak, akoby vedel, že k takémuto pozvaniu nikdy nedôjde.

„Bolo by to fajn, budeme sa tešiť," povedal rovnakým hlasom Carlo Palazzo.

Marigold veľkému šéfovi, pánu Palazzovi, podržala dvere. Pozrel na ňu s neurčitým, ale príjemným úsmevom.

„Ďakujem, slečna... uhm..."

„Marigold," doplnila ho pokúšajúc sa vyžehliť svoj austrálsky prízvuk. „Som veľmi rada, že môžem pracovať pre pána Doyla. Pán Doyle, mali ste niekoľko dôležitých hovorov, povedala som, že ste na konferencii."

Desmond smutne prikývol a čakal, kým Carlo odíde, pretože Marigold už naňho syčala: „Tak čo bolo?"

„Och, Marigold," vzdychol vyčerpane.

„Žiadne ‚och', Marigold, nepomohla som vari vášmu imidžu? Nepočuli ste ma? Stavme sa, že teraz má o vás omnoho vyššiu mienku. Povedal, že mám šťastie, že pre vás pracujem."

„Očakával som, že povie, že so mnou spíte," odvrkol Desmond.

„Ja by som nebola proti."

„Vy ste to najmilšie dievča na svete."

„A čo vaša žena?" spýtala sa Marigold.

„Och, nemyslím, že by bola nadšená, že so mnou spávate, to teda nie."

„Myslím, či ona nie je to najmilšie dievča na svete, respektíve či nebola, či čo?"

„Je veľmi milá, naozaj je veľmi milá," povedal objektívne.

„Takže ja nemám šancu," skúšala ho rozveseliť Marigold.

„Palazzo nie je najhorší. Lenže keď Ír povie, že niekto nie je najhorší, znamená to, že je obyčajný, neprajný chvastúň."

„Takže vás nevyrazil?" rozžiarila sa Marigold.

„Nie, elegantne ma preradil."

„Ach, doriti. Kedy? Kam?"

„Čoskoro, o týždeň, o dva, keď sa vráti Frank."

„Frank je predsa tu," zadivila sa naštvaná Marigold.

„Viem, ale budeme sa tváriť, že je preč."

„A kam vás pošlú?"

„Tam i tam, budem zrejme sedieť všade."

„To má byť vtip?" Oči mala nežné, veľkú, peknú tvár sústredenú a nervózna z tej neférovosti si hrýzla peru.

Nemohol zniesť jej súcit.

„Och, to je v poriadku, Marigold, to bude dobré. Nedá sa síce povedať, že by som sa za tým priam trhal, ale..."

Poobzerala sa po kancelárii a teatrálne rozhodila rukami.

„Ale putovať?" Zdalo sa, že je znechutená, a potrebuje trochu upokojiť.

„Je to zaujímavejšie ako sedieť tu a nič nevedieť. Budem putovať z kancelárie do kancelárie a občas sa uvidíme, budete svetlom mojich dní."

„Povedali vám prečo?"

„Presun všetkých zdrojov."

„Prehadzovanie loptičiek," opravila ho Marigold.

„Možno, ale čo je na tom?"

„Nebudete robiť *nič*, zrušia vám miesto."

„Aj to je možné, možno naozaj nebudem robiť *nič*."

„Nie, veď viete, čo tým myslím, ste predsa vedúci a ste tu už roky."

„Titul vedúceho, teda čohokoľvek, mi zostane... Čoho, to ešte neviem, uvidíme..."

„Neskôr, to ako keď sa vráti Frank."

„Pst, ticho."

„Myslela som si, že ste kamoši."

„Boli sme, teda sme. Marigold, *nezačínajte*, prosím."

Marigold ich odhalila, bola bystrá a vyslovila to impulzívne.

„Budete to dnes rozoberať so ženou, mám pravdu?"

„Asi áno."

„Nuž, takže to so mnou pokladajte za tréning."

„Nie, ďakujem, ale viem, že ste to mysleli dobre."

V očiach sa mu zaleskli slzy.

„Myslela som to sakramentsky dobre, a jedno vám poviem: ak to vaša žena nepochopí, tak je to jedna..."

„Ona to pochopí, určite to pochopí."

„Ale ak nie, tak budem behať okolo vášho domu a hučať jej do hlavy, že má úžasného chlapa, a keď ani potom nepochopí, odtrhnem jej hlavu."

„Nie, Dierdre to pochopí, budem mať dosť času, aby som si premyslel, ako jej to správne vysvetliť, a poviem, že to má perspektívu."

„Keby som bola na vašom mieste, nemrhala by som časom na tréning, ale pekne by som jej zavolala, vzala ju niekam na obed, na nejaké pekné miestečko s obrusmi, kúpila by som fľašu grogu, a rovno jej povedala, že to perspektívu nemá."

„Nakoniec si každý urobí, čo chce, Marigold," povedal pevne.

„Ale niektorí ľudia, Dizzy, neurobia vôbec nič," odvetila.

To ho dojalo.

Impulzívne ho objala. Cítil, že plače.

„Ja som taká prostoreká," vzlykala.

„Pst, tíško." Vlasy jej nádherne voňali po jablkách.

„Chcela som vás rozveseliť a pozrite, ako som dopadla."

Hlas mala už skoro normálny. Jemne ju pustil, odtiahol sa a s obdivom hľadel na krásnu Austrálčanku, ktorá mohla mať asi toľko rokov ako jeho Anna, možno o trochu viac. Bola dcérou nejakého chlapíka niekde z druhého konca sveta, ktorý nemal ani potuchy o tom, čo robí jeho dcéra, a ako vkladá do práce celé svoje srdce. Bez slova na ňu hľadel, kým sa nepresmrkala k určitej spokojnosti.

„To by bolo bohovské, keby sa ten starý tučniak vrátil a našiel nás vo vášnivom objatí, potvrdilo by to všetky jeho podozrenia."

„Žiarlil by," povedal Desmond galantne.

„Až by mu vyskočili tie jeho prasačie očičká, Dizzy," usmiala sa.

„Myslím, že sa pôjdem trochu vyvetrať," povedal Desmond.

„A ak sa ma budú pýtať, poviem, že už kolujete," uškrnula sa.

„Nehovorte nič," navrhol.

To hovorieval vždy.

Z búdky pri vchode zatelefonoval Frankovi.

„Neviem, či je tu pán Quigley, môžem vedieť, kto volá?"

Dlhé ticho. Zrejme sa radili.

„Nie, veľmi ľutujem, pán Doyle, pán Quigley je na služobnej ceste, nepovedali vám to? Myslím, že vám to mala povedať sekretárka pána Palazza..."

„Pravdaže, len som chcel vedieť, či sa ešte nevrátil," povedal mierne Desmond.

„Nie, nie." Hlas v telefóne bol pevný, akoby sa rozprával s deckom, ktoré ho celkom nechápe.

„Keď zavolá, povedzte mu... povedzte mu..."

„Áno, pán Doyle?"

„Nehovorte mu nič. Len mu povedzte, že volal Desmond Doyle a odkazuje, že mu nemáte nič hovoriť, tak ako to robil po celý život on."

„Myslím, že celkom..."

„Počuli ste dobre. Ale zopakujem vám to." Desmond to zopakoval a pri týchto slovách pocítil akési zadosťučinenie. Asi sa zbláznil.

Ešte nebol čas obeda, a keď vyšiel z veľkej brány Palazza, pocítil zvláštnu slobodu. Ako dieťa, ktoré pošlú s akousi chorobou domov.

Spomenul si, ako si s Frankom pred rokmi blicli u Bratov. Vtedy to slovo nikto nepoznal, hovorilo sa tomu uliať sa. Veľkému Bratovi nakukali, že na školskom dvore vyčuchali celý balík chemikálií, a teraz majú červené oči a dusia sa. Podarilo sa im ho presvedčiť, že musia na vzduch.

Desmond si aj po tridsiatich piatich rokoch spomína na pocit slobody, ktorý zažil, keď odtiaľ vybehli preskakujúc kopčeky, oslobodení od stiesnenej triedy.

Jediné, čo im chýbalo, bolo, že sa nemali s kým hrať. Všetci totiž otrávene sedeli v triede. Chýbala im banda, a tak sa vrátili domov, skôr než pôvodne chceli.

Dnes to bolo podobné. Desmond nemal nikoho, kto by sa s ním hral. Nemal komu kúpiť fľašku grogu, ako mu navrhla Marigold. Aj keby sa metrom odviezol na Baker Street a zašiel za Annou do kníhkupectva, asi ani ona by nemala čas. A určite by sa vyľakala, bolo to predsa také nezvyčajné. Jeho jediný syn, ktorý mal to šťastie, že zacítil slobodu a podľahol jej mámeniu, bol ďaleko-preďaleko. A jeho druhá dcéra v kláštore by určite nepochopila, že sa potrebuje vyrozprávať, že sa súrne musí nejako definovať.

Už dvadsaťšesť rokov sa potuluje v tejto krajine, a pritom v celom Londýne nepozná nikoho, komu by mohol zavolať, s kým by sa mohol stretnúť. Desmond Doyle si nikdy o sebe nemyslel, že patrí medzi medzinárodnú smotánku, ale seba a Deirdru pokladal za ľudí, ktorí majú priateľov, svoj okruh známych. *Samozrejme*, že ich mali. Čoskoro budú mať striebornú svadbu a ich problém nespočíva v tom, že nemajú koho pozvať, ale v tom, ako pozvať čo najmenej ľudí.

Čo to trepe, že nemajú priateľov, majú predsa tucty priateľov. A práve v tom bol ten problém. *Oni* majú priateľov. On a Deirdre majú priateľov a jeho problém nemá nič do činenia s presunom alebo titulom vedúceho, ale s tým, že niečo sľúbil, a potom to nesplnil.

V tú noc pred mnohými rokmi jej totiž prisahal, že urobí všetko, aby si získal meno, ktoré bude musieť rodina O'Haganovcov v Írsku brať vážne. Tvrdil, že Deirdre nikdy nebude musieť pracovať. Jej matka tiež nikdy nerobila a ani od žiadnej z Deirdriných priateliek, ktoré sa vydávali v roku 1960, sa nečakalo, že si bude hľadať prácu. Ale Írsko sa odvtedy zmenilo a začalo sa viac podobať Anglicku. Aj noštek pani O'Haganovej, ktorý tak často ohŕňala, by dnes strpel, keby šla mladá dáma ďalej študovať alebo pracovať, aby pomohla budovať rodinný kozub.

Lenže boli tu tie čierne dni spred rokov a neznesiteľné pohŕdanie O'Haganovcov. A Desmond si uvedomoval, že ten sľub nedal pod nátlakom. V tú noc, keď mali rodičom oznámiť svoju novinu, stískal Deirdrinu malú rúčku a zaprisahával ju, aby mu verila. Spomenul si na svoje slová.

„Vždy som chcel kupovať a predávať. Viem, že to nie je to, čo by chcela počuť tvoja rodina, ale mne sa páčili dokonca aj kšeftári, ktorí k nám občas zavítali, s obdivom som sledoval, ako si po zemi rozkladajú tie svoje šatky a žiarivé, ligotavé hrebene, a ja som vedel, o čom to je."

Deirdre sa naňho dôverčivo usmiala, lebo si uvedomovala, že vedel, že do domácnosti O'Haganovcov nemôže priviesť niečo také cudzie, ako je kšeftár.

„Chcem ťa," povedal jej, „chcem ťa viac než čokoľvek iné na svete, a keď muž o niečom sníva, nič ho nezastaví. Dobyjem obchod v Anglicku. A oni budú nakoniec radi, že ťa nedali nejakému doktorkovi či právnikovi. Príde deň, keď budú radi, že sa rozhodli pre princa-obchodníka."

A Deirdre sa naňho dôverčivo dívala, tak ako odvtedy už mnohokrát.

Predpokladal, že ona je ešte vždy jeho snom, tak prečo mu to nenapadlo, keď sa ho na to pýtal pán Palazzo?

Desmond zistil, že kráča po dobre udržiavanej cestičke domov. Nohy ho automaticky niesli k autobusovej zastávke. V tejto dennej hodine tu neboli žiadne davy, žiadne rady, aké by bolo príjemné cestovať takto, a nie v špičke.

Napadlo mu, že *zavolá* Deirdre, vedel, že bude doma, určite znova preberá ten pekelný zoznam hostí na striebornú svadbu. Naozaj by ocenila jeho úprimnosť a priamosť?

Svojím spôsobom ho predsa ľúbi, či nie? Tak ako on ju. A on ju miluje. Zmenila sa, samozrejme, ako každý, ale bolo by bláznovstvom očakávať, že stále zostane tou nenáročnou, blonďatou, žiaducou, mladou Deirdrou O'Haganovou, ktorá tak rýchlo zaplnila jeho myšlienky a srdce. Prečo nezostala tým snom? Istým spôsobom s tým snom mala niečo spoločné. Snívala o tom, ako on splní svoj sľub. To však za nič na svete nemohol povedať Carlovi Palazzovi, ani keby to vedel zo seba dostať, čo nevedel. Zrazu sa vynoril autobus.

Desmond zaváhal. Má ten autobus pustiť, pohľadať telefón, pozvať ženu na obed a povedať jej, čo si naozaj myslí? Možno sa o to podelia, tak ako sa delia o každý úder srdca odvtedy, keď si proti moci O'Haganovcov postavili hlavu a vzali sa.

„Tak nastupujete, alebo nie?“ spýtal sa ho nedočkavý sprievodca. Desmond stál s rukou na zábradlí. Spomenul si, ako mu Marigold povedala: „Niektorí ľudia, Dizzy, neurobia vôbec nič.“ Ale už bol skoro v autobuse.

„Nastupujem,“ odvetil. Tváril sa tak mäkko a bezbranne, že unavený mladý sprievodca, ktorý si tiež predstavoval iný a lepší život, ho viac neotravoval.

Cestou na Rosemary Drive rozmýšľal, ako to povie Deirdre, snažil sa premyslieť si vetu po vete, krok za krokom. V postavení kolujúceho vedúceho bude mať väčší rozhľad, bude poznať prácu spoločnosti z prvej ruky, a nie zašívať sa vo svojom hniezdočku. Vysvetlí jej, že Franka náhle odvolali, spomenie, že presné znenie svojej funkcie síce nepozná, ale vedúcim zostane. Palazzovo pozvanie na večeru radšej nespomenie, pretože vie, že aj tak z neho nič nebude.

K Frankovi necítil horkosť za to, že sa vyhol konfrontácii. Ani za to, že inicioval presuny. Frank mal zrejme pravdu, funkcie zvláštnych úloh boli vážne zbytočné.

Frank mu možno ponúkal šancu nájsť si lepšie miesto. Želal si, aby mal viac entuziazmu pre toto postavenie, nech už je akékoľvek.

Deirdre sa určite naľaká, keď ho uvidí nečakane prichádzať domov na obed. Bude namrzená a povie mu, že jej to mal oznámiť. Zrejme ho nebude ani počúvať, pretože spanikárči, že nemá pripravený obed.

Desmond sa teda rozhodol, že zájde do obchodu na rohu a požiada pána Patela, aby mu zase raz preukázal službu. Predávali tu pizzu, aj keď nie veľmi dobrú, zabalenú do priveľkej fólie a s nesprávnym pomerom základu a plnky. To však teraz neprekáža. Alebo si vezme konzervu polievky a nejakú chrumkavú bagetu. Nepamätal si, či pán Patel predáva kurčatá, ale tie by sa hodili.

V obchode neboli zákazníci, ale čo bolo ešte čudnejšie, nikto nesedel ani za pultom. Pri tých niekoľkých príležitostiach, keď tam nesedel sám Suresh Patel ako na tróne, stále schopný poradiť a viesť svoje malé impérium, vždy tam sedel iný zamestnanec. Jeho tichá žena, ktorá nevedela ani slovo po anglicky, ale dokázala nahodiť ceny, ktoré si prečítala z malých cenoviek. Alebo syn, ktorý vyzeral ako malá sova, alebo čiperná malá dcérka. Brat pána Patela pre rodinný podnik zrejme nemal zmysel.

Desmond prešiel stredovou uličkou a zrazu si uvedomil, že je svedkom lúpeže.

Bolo to ako v spomalenom filme. Desmond sa pri pohľade na dvoch chlapcov v kožených bundách, ktorí tĺkli tučného brata Suresha Patela, cítil, akoby sledoval opakovaný záznam akcie z futbalového zápasu.

Desmond opäť pocítil známu pachuť žlče, ale tentoraz ostrejšie. Až ho zadúšalo.

Ustúpil o dva kroky. Asi by mal vybehnúť von a spustiť poplach, mal by vybehnúť na ulicu za roh, kde je viac ľudí. A, pravdu povediac, kde by bola aj menšia šanca, že ho tí dvaja chytia, ako volá o pomoc.

Ale skôr než stihol niečo urobiť, začul hlas Suresha Patela, ako prosí tých chlapcov s tyčami.

„Prosím vás, prosím vás, on nič nevie, nevie o žiadnom sejfe. My *nemáme* sejf. Peniaze sú v nočnom depozite. Prosím, nebite môjho brata."

Desmond ďalej s hrôzou zistil, že doslova v žalúdku cíti, ako rameno pána Patela visí v nejakom čudnom uhle. Akoby ho trafili. A zlomili.

Aj keby mu Marigold nebola smutne povedala, že niektorí ľudia nikdy nič neurobia, aj tak by urobil to, čo urobil. Desmond Doyle, muž taký mierny, že ho bolo treba z kancelárie vyhodiť, aby tam nezapustil korene, taký pokorný, že mladej austrálskej kráske až vyhŕkli slzy pri pomyslení na jeho budúcnosť, zrazu vedel, čo má robiť.

Zdvihol hromadu podnosov s dnešným chlebom a hodil ich prvej koženej bunde o hlavu. Chlapec, ktorý nemohol mať viac ako jeho vlastný syn Brendan, sa s hrmotom zrútil na zem. Druhý po ňom blysol divým pohľadom. Desmond ho postrkoval, štuchal doňho podnosmi a posúval smerom k zadným miestnostiam, v ktorých žila rodina.

„Je tu vaša žena?" zakričal.

„Nie, pán Doyle," pozrel naňho zo zeme Suresh Patel ako vo filme, keď sa zjavia záchrancovia.

Brat, ktorý nevedel, čo sa deje, sa rehotal, až mu šlo srdce z hrude vyskočiť.

Desmond chlapca ďalej tlačil a štuchal a pritom pociťoval stále väčšiu silu. Za sebou začul hlasy. Zákazníci.

„Okamžite zavolajte políciu a záchranku," zvolal Desmond Doyle. „Došlo k prepadu. Ponáhľajte sa, môžete volať z ktoréhokoľvek súkromného domu."

Dvaja mladíci, šťastní, že sa nachádzajú na bezpečnej strane hrdinstva, vybehli a Desmond pritlačil skriňu na dvere miestnosti, do ktorej zahnal ohromeného chlapca v koženej bunde.

„Môže sa odtiaľ dostať?" spýtal sa.

„Nie. Na oknách sú mreže, viete, pre prípad ako toto..."

„Ste v poriadku?" kľakol si Desmond na zem.

„Áno, áno. Zabili ste ho?" kývol k chlapcovi na zemi, ktorý sa už preberal a začínal stonať.

Desmond mu vzal železnú tyč a zaujal obranný postoj, ale chlapec sa nehýbal.

„Nie, nie je mŕtvy. Ale pôjde do basy, prisámvačku, pôjde do basy," vyhrážal sa Desmond.

„Možno nepôjde, ale na tom teraz nezáleží," zviechal sa zo zeme obchodník. Vyzeral slabý a vystrašený.

„A na čom záleží?" chcel vedieť Desmond.

„Nuž, mal som si uvedomiť, kto mi ten obchod vedie – vidíte, akého mám brata, žena zas nevie po anglicky a od detí nemôžem žiadať, aby meškali zo školy, prídu o miesto a skúšky..."

Desmond začul z diaľky sirénu a vtedy sa do obchodu vrútili aj dvaja hrdinovia so slovami, že zákon je už na ceste.

„O to sa teraz nebojte," povedal jemne Desmond mužovi na zemi. „To sa zariadi."

„Ale ako, ako?"

„Máte nejakých príbuzných, ktorí majú takýto obchod?"

„Áno, ale tí nemôžu opustiť svoje miesto, Každý z nás si musí poradiť sám."

„Áno, viem, ale keď vás odvezieme do nemocnice, dajte mi ich mená. Môžem sa s nimi spojiť."

„To nemá zmysel, pán Doyle, oni nebudú mať čas... musia pracovať u seba."

Tvár mal ustaranú a veľké, tmavé oči mu navreli slzami. „Sme hotoví. Predstavujete si to príliš jednoducho," povedal.

„Nie, pán Patel. Ten obchod vám zatiaľ povediem ja. Musíte im len oznámiť, že mi dôverujete a nie je v tom žiaden trik."

„To nemôžem od vás žiadať, pán Doyle, vy predsa máte vysoké postavenie v Palazzo Foods, hovoríte to len preto, aby sa mi uľavilo."

„Nie, myslím to vážne. Dozriem na váš obchod, kým sa nevrátite z nemocnice. Dnes ho pravdaže budeme musieť zavrieť a vyvesiť oznam, ale zajtra naobed otvorím."

„Neviem, ako vám poďakovať..." Desmondovi tiež vyhŕkli slzy. Videl, že muž mu absolútne verí, že Suresh Patel považuje Desmonda Doyla za veľkého šéfa, ktorý si robí, čo chce.

Chlapi v sanitke boli veľmi ohľaduplní. Tvrdili, že s najväčšou pravdepodobnosťou má zlomené rebro aj rameno.

„To môže nejaký čas potrvať, pán Doyle," ozval sa Suresh Patel z nosidiel.

„Na tom nezáleží."

„Dovoľte, aby som vám teda povedal, kde mám sejf."

„Teraz nie, neskôr, prídem vás navštíviť do nemocnice."

„Ale vaša žena, vaša rodina, oni vám to nedovolia."

„Pochopia to."

„A potom?"

„Potom bude všetko iné. Nemyslite na to."

Policajti boli veľmi mladí, vyzerali dokonca mladší ako tí lotri. Jeden z nich bol rozhodne mladší ako Desmondov syn Brendan.

„Kto je tu šéfom?" spýtal sa mladý policajt hlasom, ktorý ešte nenadobudol razanciu, akú bude mať o niekoľko rokov.

„Ja," vyhlásil Desmond. „Som Desmond Doyle z Rosemary Drive 26 a budem sa tu o to starať, kým sa pán Patel nevráti z nemocnice."

5 Otec Hurley

Nikto okrem jeho vlastnej sestry nevolal otca Jamesa Hurleyho Jimbo, to by bolo u iného nepredstaviteľné. Bol to šesťdesiatnik so striebornými vlasmi a peknou hlavou. Vyzeral ako biskup a mnoho ľudí si myslelo, že vyzerá ako biskup viac než mnohí skutoční biskupi. Vysoký a vzpriamený, ornát by mu určite sadol, a ešte väčšmi by mu pristala kardinálska červeň. Rím však nedal na výzor a meno otca Hurleyho sa nikdy nedostalo do kuloárov, v ktorých vládla cirkevná moc.

Nikto nemohol naňho povedať jediné zlé slovo. Jeho farníci z niekoľkých obvodov Dublinského grófstva ho milovali. Podľa všetkého bol schopný rýchlo sa vysporiadať so všetkými zmenami, ktoré sa dotkli cirkvi po Vatikánskom koncile, nie však prirýchlo. Vedel šeptať upokojujúce veci, ktoré utíšili aj tých najkonzervatívnejších, a pritom nezájsť tak ďaleko, aby ho bolo možné pokladať za laika. Nebol síce po chuti všetkým farníkom, ale nikoho neprovokoval.

A v Dubline, kde sa už mládež tiež začínala stavať proti cirkvi, to bol naozaj výkon.

Nebol to typ televízneho kazateľa, nikdy nerozoberal žiaden problém na obrazovke. Nebol to muž oddávajúci zarytých ateistov, ktorí majú svadbu v kostole len pre parádu, ale nebol to ani skostnatený vikár putujúci v marci do Cheltenhamu s vreckom plným pätákov alebo povzbudzujúci psy pri hone na zajace. Otec Hurley bol scestovaný, sčítaný, uhladený pán. Hovorievali o ňom, že vyzerá ako akademik. To bolo vysoké ocenenie. A bavil sa na tom, že niekedy bolo preňho väčšou poctou, keď ho pokladali za vikára, a nie za kňaza!

James Hurley putoval potichu z farnosti do farnosti a ani nepostupoval, ani neklesal na spoločenskom rebríčku. Nezdalo sa, že mu ide o postup, že ten uhladený, hĺbavý muž by bol zameraný na kariéru, ba dokonca sa povrávalo, že nikdy žiadne povýšenie ani nehľadal. Nedá sa však povedať, že by bol povznesený nad tento svet, nie, otec Hurley ľúbil dobré vína a bol známy ako milovník bažantov a rakov.

Vždy sa zdalo, že je zmierený so svojím osudom, dokonca aj keď ho poslali do robotníckej farnosti, kde namiesto návštev salónov a súkromných sanatórií, ako to bolo dovtedy, viedol štrnásť mládežníckych klubov a jedenásť futbalových mužstiev.

Chodil do jednej z najlepších katolíckych škôl v Anglicku, ale nikdy o tom nehovoril. Pochádzal z bohatej rodiny a povrávalo sa, že vyrastal na vidieku, na veľkom majetku. Nič z toho však nepochádzalo priamo od neho, on by sa len usmial a povedal, že v Írsku sa nikto nepokúsi zatriasť ich rodinným stromom zo strachu, čo by z neho spadlo. Mal sestru, ktorá žila na vidieku s manželom, významným vidieckym právnikom, a s jediným synom. Otec Hurley o tom chlapcovi, svojom synovcovi, hovoril s veľkou láskou. Gregory bol jedinou časťou súkromného života otca Hurleyho, o ktorej bol ochotný rozprávať.

Ináč to bol veľmi dobrý a pozorný poslucháč príbehov druhých. Preto si o ňom všetci mysleli, že je výborný spoločník. Hovorili len oni.

V rôznych presbytériách, kam otca Hurleyho zavial život, visievali v starodávnych oválnych rámoch obrazy jeho matky a otca, ktorí boli už dávno mŕtvi. Visel tam aj rodinný portrét z Gregoryho prvého svätého prijímania a ďalší z Gregoryho birmovky. Ten pekný chlapec s rukou zľahka položenou na pergamenovom zvitku a s usmievavými očami vyzeral, akoby vedel viac než ktorýkoľvek iný absolvent, čo v ten deň pózoval pre meravé, oficiálne fotografie, ale pritom si z toho veľa nerobil.

Pre ľudí, ktorí rozprávali otcovi Hurleymu svoje životné príbehy, obavy či nejaké tie pikantnosti, bol Gregory ideálnou témou; mohli sa naňho spýtať a dostalo sa im vášnivej odpovede – dosť na to, aby sa zatvárili zdvorilo, a potom sa vrátili k svojim vlastným príbehom. Nezbadali, že po určitom čase už historky o Gregorym nepochádzali od otca Hurleyho a že jeho odpovede boli váhavejšie a menej informatívne ako kedysi. Bol príliš veľký diplomat, než aby dopustil, aby to zistili. To bola ďalšia vec, ktorá sa o ňom hovorila – veľmi by sa mu vraj darilo na Ministerstve zahraničných vecí alebo by z neho bol výborný konzul či dokonca veľvyslanec.

Jamesovi Hurleymu zomrela matka, keď bol ešte chlapec, a tak sa Laura stala preňho kombináciou matky, sestry i najlepšej priateľky. Laura bola od neho o päť rokov staršia a v sedemnástich sa musela starať o veľký, polorozpadnutý dom, malého brata a duchom neprítomného, utiahnutého otca, ktorý deťom zo seba nedal o nič viac ako svojej žene alebo majetku, ktorý zdedil.

Otec Hurley si to dnes už uvedomoval, ale vtedy ho tlačil akýsi detský strach, že ublíži svojmu prísnemu, chladnému otcovi. Vždy si myslel, že Laura mohla ísť na univerzitu, keby nemala malého brata. Namiesto toho však zostala doma a navštevovala sekretársky kurz v neďalekom meste.

Pracovala v miestnych potravinách, ktoré pohltila väčšia firma, potom robila v miestnej pekárni, ktorá sa zlúčila s tromi susednými pekárňami, a tam sa skončila jej kariéra sekretárky. Potom pracovala ako recepčná u lekára, ktorého vtedy, keď tam robila, vyčiarkli z lekárskeho registra za neprofesionálne správanie. Laura hovorievala svojmu bračekovi Jimbovi, že zrejme prináša svojim zamestnávateľom smolu. Braček Jimbo jej občas navrhol, aby prišla pracovať k nim do školy, možno aj tú potom zavrú.

Podporovala ho v jeho poslaní, chodievala s ním na dlhé prechádzky po vidieckych cestičkách a sedávala s ním na machom obrastených brehoch a plotoch, ktoré oddeľovali políčka, a o láske Božej sa rozprávali tak, ako sa iní rozprávajú o športe alebo o filme.

Po jeho prvej omši si Laura so slzami v očiach kľakla a brat jej po prvýkrát požehnal.

Vtedy im zomrel aj otec, ku koncu už úplne vzdialený a duchom neprítomný. James sa stal kňazom; takisto sa však mohol stať vojakom či džokejom, otcovi to bolo aj tak jedno.

James si v seminári často robil starosti o Lauru. Bývala v malom domčeku pri bráne veľkého domu, ktorý kedysi býval ich domovom. Veľký dom nebol v zmysle nehnuteľnosti až taký veľký, ale bol masívny. Laura vôbec nemala pocit poníženia, že býva v domčeku, kde kedysi bývali ľudia zadarmo len preto, že otvárali a zatvárali bránu za hurleyovskou rodinou. Laura bodro vravievala, že je omnoho ľahšie udržiavať malý dom ako veľký, a keď otec odišiel do sanatória a potom na večný odpočinok, zostala sama, takže nemalo zmysel, aby viedla Veľký dom. Nemohla ho však predať, pretože Jamesove štúdiá a otcov pobyt v súkromnom sanatóriu jej narobili toľko dlhov, že dom bol úplne zaťažený hypotékou. V banke tiež nebolo skoro nič, a tak slečna Laura Hurleyová, verná sestra a oddaná dcéra, nemala prakticky žiadne veno.

Laura však nikdy takto neuvažovala. Bola spokojná, vyvádzala svoje dve veľké kólie, po večeroch čítala pri kozube knižky a denne chodila do práce k miestnym advokátom. So smiechom vravievala, že sa jej síce nedarí ich zrušiť, ako sa jej to darilo v každom z jej bývalých zamestnaní, ale aspoň sa jej podarilo ich od základu zmeniť.

Tak ako zmenila aj status zaprisahaného starého mládenca, mladého pán Blacka. Toho pána Blacka, ktorý býval najžiadanejším ženíchom v celom grófstve. V štyridsiatke sa však zahľadel do tridsaťštyriročnej Laury Hurleyovej a jeho železné odhodlanie zostať slobodný, bez záväzkov a voľný po celý život sa začalo roztápať.

Potom prišiel list: „Najdrahší Jimbo, nebudeš tomu veriť, ale Alan Black a ja sa ideme brať. Boli by sme radi, keby si nás mohol oddať ty. Keďže nie sme priam v rozpuku mladosti, svadba bude tichá, nechceme nikomu robiť divadlo. Chceli by sme prísť do Dublinu a podľa možnosti sa zosobášiť v tvojej farnosti. Najdrahší Jimbo, nikdy som neverila, že môžem byť taká šťastná. Cítim sa tak bezpečne. Mám pocit, akoby to ani nemohlo dopadnúť ináč. Ani si to nezaslúžim, naozaj si to nezaslúžim."

Otec Hurley si vždy bude pamätať ten list od sestry, stále má pred očami slová, ktoré sa na malom krémovom listovom papieri akoby prevaľovali jedno cez druhé. Spomína si, ako sa od radosti rozplakal, že nakoniec všetko dostalo zmysel a táto žena si našla veľkorysého a dobrého chlapa, ktorý chce s ňou žiť. Nespomínal si na Alana Blacka, pamätal si len to, že to bol kedysi veľmi pekný a elegantný muž.

Otec James Hurley mal pocit, akoby mu v dvadsiatich deviatich rokoch patril svet. A istým spôsobom vzal na seba zodpovednosť za svoju staršiu sestru, keď na svadobnom obrade vložil jej ruku do ruky Alana Blacka. Len dúfal, že tento tmavooký, tmavovlasý muž so šedinami na sluchách bude k Laure dobrý a pochopí jej veľkorysosť a fakt, že vždy myslela iba na druhých.

Niekoľkokrát sa prichytil, že ich sleduje, a s nádejou, ktorá bola skôr želaním, sa v duchu modlí za dobrý vzťah svojej sestry s týmto vysokým fešákom. Laurina tvár bola otvorená a čestná, ale ani vo svadobný deň by nikto nemohol tvrdiť, že je krásavica – vlasy mala stiahnuté dozadu a previazané veľkou krémovou mašľou vo farbe kostýmu. Dosť veľkou na to, aby ju bolo možné pokladať za klobúk alebo dôstojnú pokrývku hlavy vhodnú do kostola. Na tvári mala kilo púdru a úsmev, ktorý rozohrieval srdcia malého zhromaždenia. Ale krásavica veru nebola. Mladý otec Hurley len dúfal, že pozornosť fešného advokáta nezablúdi inam.

Po rokoch sa už vlastnej nezrelosti divil – ako si len mohol myslieť, že môže mužom a ženám radiť na ich ceste k Bohu? V tomto meniacom sa svete nikdy nebolo a nebude nič silnejšie a stálejšie ako láska, ktorú Alan Black preukazoval svojej neveste. V deň, keď ho prišli navštíviť opálení a usmiati rovno zo svadobnej cesty v Španielsku, si musel uvedomiť, že jeho vlastné úsudky založené na výzore a márnivosti boli predsa len povrchné. Prečo by Alan

Black, taký skvelý a inteligentný muž, nebol schopný vnímať úžasné hodnoty, dobrotu a lásku Laury Hurleyovej? Koniec koncov, James Hurley ich vnímal vždy, prečo teda predpokladal, že si ich nevšimne pán Black, advokát?

Rokmi trávieval u nich čoraz viac a viac času. Upravili si malý domček pri bráne a pristavali k nemu niekoľko miestností. Z jednej strany domu bola nová študovňa, od zeme po strop zaprataná knihami, kde si po večeroch často zapaľovali v kozube oheň a s knihou v ruke v trojici posedávali vo veľkých kreslách. Bolo to najpokojnejšie a najšťastnejšie miesto, aké poznal.

Laura občas zodvihla zrak z kresla, do ktorého sa schúlila, a usmiala sa naňho.

„To je život, Jimbo, čo povieš?" usmiala sa.

Inokedy, keď bol u nich na návšteve, sa túlali po poliach, preskakovali ohrady, živé ploty a jarky, ktoré im kedysi patrili.

„Pomysleli sme si niekedy, že to takto dopadne, Jimbo?" hovorievala s rukou vo vlasoch svojho mladšieho brata, ktorý pre ňu nikdy nebude veľkým otcom Hurleym.

A potom mu oznámili, že podobnú dlhú, nízku miestnosť sa chystajú pristavať aj z druhej strany domu. Bude v nej herňa. Nikdy ju však nebudú volať herňou niekoho, hovorili, bude to jednoducho detská izba, bez ohľadu na to, ako sa bude ich dieťa volať. Dieťa sa volá Gregory a otec Hurley ho držal pri krste na rukách. Prekrásne dieťa s otcovými dlhými, tmavými mihalnicami. Gregory Black.

Bolo to ich jediné dieťa; Laura mu síce chcela zaobstarať bračeka alebo sestričku, ale nepodarilo sa. Zabezpečili mu teda aspoň to, aby mal okolo seba dosť iných detí, s ktorými sa môže hrať. Vyrástol z neho taký chlapec, o ktorom môže každý milujúci strýc len snívať.

Vždy keď videl prichádzať auto, vyskočil oknom svojej veľkej izby s nízkym stropom.

„To je strýko Jim," kričal, staré kólie s ním opreteky štekali a vrteli chvostami a z kuchyne vybehla Laura.

Keď sa Alan vrátil z práce, naširoko sa usmieval a bolo na ňom vidieť, aký je šťastný. Otca Hurleyho vždy radi privítali na niekoľko dní v týždni. Páčilo sa im, že tak dobre vychádza s ich synom.

Keď mal Gregory asi desať, chcel byť, pravdaže, farárom. Je to omnoho lepší život než robiť v otcovej kancelárii, hovoril im vážne.

Farár nemusí robiť nič a ľudia mu platia za kázeň, ktorú aj tak musí povedať, stačí, keď vyjde na kazateľnicu a povie im, čo majú robiť, aby sa nedostali do pekla. Gregory vycítil pozorné, aj keď trochu šokované publikum, a tak sa činil. Je to najlepší džob na svete. Na prijímaní môže komukoľvek odmietnuť rozhrešenie, ak sa mu nepáči, a ten sa potom dostane do pekla – to bude sranda!

Aj oni chodievali na návštevy do Dublinu a James Hurley neúnavne hovoril len o tom milom, inteligentnom chlapcovi. Gregory chcel všetko vedieť, s každým sa stretnúť. Očaril dokonca i mrzutých starých farárov a zlomyseľné farníčky vždy pripravené ohovárať.

„Myslím, že by bol z teba skutočne dobrý kňaz," povedal s úsmevom strýko Gregorymu v deň jeho pätnástych narodenín. „Nepríjemné na tom sú len vzťahy s verejnosťou a vychádzanie s ľuďmi, ale s tým ty veru nemáš problém."

„To dáva zmysel," zamyslel sa Gregory.

Otec Hurley sa naňho pozorne zadíval. Isteže dáva zmysel ukazovať ľuďom prívetivú tvár namiesto namrzenej, pravdaže je múdre hľadať cestu, ktorá neprivedie na tvoju hlavu hnev vyššej moci. Ale predstav si, že on to vie už v pätnástich. Deti dnes veru rýchlejšie dospievajú.

Gregory však začal študovať právo. To tiež dáva zmysel, hovoril. Musí niečo študovať a právo je práve také dobré ako hocičo iné a jeho otec, starý otec a strýko majú z toho radosť, pretože už vidia, ako podnik preberá ďalší Black.

„A ty to chceš robiť?" spýtal sa prekvapene otec Hurley. Zdalo sa mu, že Gregory je príliš múdry a príliš životaschopný na to, aby sa usadil v malom mestečku. To mu nebude stačiť, to neupokojí jeho oči, ktoré teraz nesústredene blúdili z jednej tváre na druhú, z jedného miesta na druhé.

„Ešte som to nedomyslel, strýko Jim. Moji rodičia to, samozrejme, chcú, a keďže ja ešte neviem, zdá sa mi rozumné, aby o tom, čo budem robiť, rozhodli oni."

Z jeho slov zavanul chlad. Chlapec netvrdil, že klame rodinu, hovorí len to, že keďže nič na tomto svete nie je definitívne, prečo by mal búrať mosty skôr, ako ich prejde? povedal si raz či dvakrát otec James Hurley pri večernej bohoslužbe, keď ho trápila myšlienka na Gregoryho. Asi sa však z neho stáva len hlúpy puntičkár. Je to čudné, ale z praktických plánov toho moderného mladého muža číha nebezpečenstvo.

Gregory úspešne spromoval a dal sa vyfotografovať sám, a potom s otcom, matkou a strýkom.

Jeho otec bol už bielovlasý, ale stále pekný muž. Mal šesťdesiattri rokov, o štyridsaťdva viac ako jeho syn. Alan Black vždy tvrdil, že nezáleží na tom, či je človek od svojho syna starší o osemnásť alebo o štyridsaťosem rokov, je to iná generácia. V jeho prípade to však bolo lepšie, než dúfal, chlapec nikdy nechcel motorku, nebral drogy, ani si nevodil domov hordy nežiaducich kamarátov. Bol to proste vzorný syn.

Matka Laura vyzerala na promócii dobre. Nebola ako ostatné matky rozklepaná vzrušením, že priviedla na svet syna, ktorý si bude za menom písať titul bakalára občianskeho práva a ktorého čoskoro prijmú do advokátskej komory. Laura mala na sebe slušivý tmavomodrý kostým s jasnoružovou šatkou okolo krku. Za účes zaplatila podľa jej názoru celý majetok, ale jej prešedivené vlasy pôsobili elegantne a upravene. Nevyzerala na päťdesiatšesť a bola stelesnením šťastia. Promenádovala sa po univerzite zavesená do svojho brata.

„Nemôžem uveriť toľkému šťastiu, Jimbo," vravela vážne. „Prečo Boh dáva toľko šťastia mne, keď ho nedáva každému?"

Otec Hurley, ktorý tiež určite nevyzeral na päťdesiatjeden rokov, ju prosil, aby konečne uverila, že Boh má rovnako rád všetkých, a je len na nej, ako to vníma. Laura bola vždy pre všetkých anjelom, takže je len správne a dobré, že sa jej v tomto i v tom ďalšom živote dostane šťastia.

Myslel to vážne, každučké slovíčko. Do oka mu však padla žena s unavenou tvárou a synom na vozíku. Prišli na dcérinu promóciu. Bez muža.

Zrejme aj ona je anjel, pomyslel si otec James Hurley. Je však priveľmi zložité vyznať sa v tom, prečo jej Boh nenadelil lepší život. Teraz však na to nebude myslieť.

Obed si dali v jednom z najlepších hotelov. Zdalo sa, že ľudia pri niekoľkých stoloch poznali otca Hurleyho, a on im hrdo predstavil svoju rodinu, dobre oblečenú sestru a švagra. A, samozrejme, bystrého, príťažlivého mladého muža.

Zdalo sa, že akúsi pani O'Haganovú a pani Barryovú, dve dámy, ktoré sa boli trochu prevetrať, veľmi teší, že sa zoznámili so synovcom, o ktorom toľko počuli. Otec Hurley však nechcel, aby sa rozširovali o tom, ako často a vášnivo mladíka spomína. Vyzeralo by to, akoby hovoril len o ňom.

Gregory si to však vysvetlil po svojom. Keď sa usadili okolo stola, sprisahanecky žmurkol na strýka.

„Ale sa ti dobre hovorí o mne, však? Si ty ale génius, kŕmiš ich troškou neškodných rodinných informácií a oni si myslia, že o tebe vedia všetko. Si ty ale líška, strýko Jim."

To ho síce zachránilo pred povesťou klebetného strýca, ale zjavne ho to klasifikovalo do inej polohy. Tak trochu povrchnej.

Gregory Black sa rozhodol, že zopár rokov sa bude venovať právu v Dubline, aby získal skúsenosti. Aby robil chyby na cudzích, nie na otcových klientoch, povedal. Aj jeho starý otec, teraz už skoro deväťdesiatročný penzista, aj strýko, ktorý nemal vlastné deti, to pokladali za celkom dobrý nápad. Rodičia to ochotne prijali.

„Je smiešne, aby sme ho ťahali do stojatých vôd, keď bol v Dubline tak dlho bez cudzej pomoci," povedala Laura bratovi. „Určite nás bude často navštevovať."

„To len povedal, alebo to myslí vážne?" spýtal sa otec Hurley.

„Och, určite bude chodiť domov, jediné, čo mu to ako študentovi komplikovalo, bolo zdĺhavé cestovanie vlakom a autobusom. Teraz, keď bude mať auto, to bude iné."

„Vlastné auto?"

„Áno, Alan mu to sľúbil. Ak úspešne spromuje, tak vlastné," povedala hrdo.

Gregoryho vďačnosť bola nesmierna. Od radosti ich všetkých vyobjímal. Otec zadúšajúci sa pýchou by mu to pripomenul, keby ho chcel Gregory nedajbože vymeniť za novší model. Ale dovtedy... možno...

Gregory tvrdil, že bude na ňom jazdiť dovtedy, kým ho nezničí. Otec James Hurley cítil, ako sa mu srdce napĺňa úľavou a radosťou, že tento tmavovlasý, horlivý mladý muž si uvedomuje, koľko lásky a pozornosti ho obklopuje, a že im to tak pekne vracia.

Šťastní rodičia sa vrátili na vidiek, šťastný strýko sa vrátil do presbytéria a chlapec si mohol robiť, čo chce, pričom mu malo pomáhať jeho novučičké auto.

Gregory naozaj chodieval domov často, elegantne zaparkoval pred vchodom vrátneho domčeka a pohladil uši kóliám – deťom, ba dokonca vnukom pôvodných kólií, ktoré jeho matka tak milovala. S otcom sa porozprával o práve a s matkou o spoločenskom živote v Dubline.

Podľa všetkého mal veľa priateľov – mužov i ženy, hovorila Laura nadšene bratovi –, vzájomne sa navštevovali, ba dokonca jeden druhému i vyvárali. Občas mu aj ona zabalila stejk a koláč plnený ľadvinkami a vždy mu pribalila aj chlieb s plátkami dobrej domácej šunky, slaninu a hrudu masla. Raz či dvakrát sa James Hurley zamyslel nad tým, čo si asi myslí, že predávajú v tých obchodoch okolo synovej garsónky, ale nikdy nič nepovedal. Sestra mala dobrý pocit, že sa stará o veľkého, pekného syna, ktorého priviedla na svet. Prečo by mal rušiť ten príjemný, teplý pocit? Keď má použiť synovcove slová, „nedáva to zmysel".

On sa s Gregorym doma skoro nikdy nestretol, pretože farári nemávajú voľno cez víkend – v sobotu má vždy plné ruky práce s prijímaniami a návštevami a v nedeľu s omšou, návštevami chorých a večernou bohoslužbou. Keď však občas prišiel v týždni, veľmi sa tešil, keď videl, že sa vôbec nedá hovoriť o sebeckosti ich jediného syna, pretože ich navštevuje naozaj veľmi často.

Laura nadšene rozprávala, ako k nim Gregory chodieva s tou veľkou červenou taškou na bielizeň, ktorú mu ušila, a často vbehne rovno do kuchyne a celý obsah tašky nahádže do práčky.

Hovorila to s takou hrdosťou, akoby to vyžadovalo nejakú extra námahu. Vôbec však nespomenula, že ona mu potom tie veci z práčky vyberá, vešia, žehlí a skladá košele, celé šatstvo opäť zabalí a na spiatočnej ceste mu tašku položí na zadné sedadlo auta.

Alan hovoril o tom, ako rád s ním Gregory chodieva v nedeľu na obed do golfového klubu, ako vie oceniť dobré víno a chutné jedlo, ktoré tam podávajú.

Otec Hurley sa zamyslel, prečo Gregory aspoň niekedy neposadí matku s otcom do auta, ktoré mu kúpili, a neodvezie ich do niektorého z neďalekých hotelov, aby ich aspoň raz pozval na obed aj on.

Ale pravdaže, nemá zmysel spomínať niečo také negatívne. S neistým pocitom viny si spomenul, že ani jemu za starých čias nenapadlo pozvať sestru na obed. Sľub chudoby ho teraz možno ospravedlňuje, ale vtedy na to jednoducho nemyslel. Možno sú všetci mladí muži rovnakí.

Gregory bol vynikajúci spoločník. Vedel ohromne rozprávať, a pritom nepovedať nič, čo by sa dalo brať ako kompliment alebo urážka. V Gregoryho prípade to bolo obdivuhodné, chvályhodné a príjemné.

Niekedy si Gregory vyšiel so strýkom zaplávať do Sandycove na Forty Foot, kam chodia len muži. Niekedy ho zasa on pozval na drink do presbytéria, kde dvíhal krásny krištáľový pohár značky Waterfort proti večernému svetlu a obdivoval odlesky zlatistej írskej whisky v jemných trblietavých lomoch skla.

„Úžasná vec tento asketický život," hovorieval Gregory so smiechom.

Nedalo sa naňho hnevať a len veľmi veľký žgrloš by spozoroval, že so sebou nikdy nepriniesol fľašu, aby doplnil sklad, či už asketický, alebo nie.

Na Gregoryho návštevu uprostred noci však otec Hurley pripravený nebol.

„Mám malý problém, Jim," povedal mu priamo.

Žiadny strýko, žiadne prepáč, že ťa ťahám z postele o tretej v noci.

Otcovi Hurleymu sa podarilo z jedálne vypoklonkovať staršieho farára i rovnako starého domovníka. „Je to naliehavé, ja to zvládnem," upokojil ich. Keď vošiel späť do jedálne, zbadal, že Gregory si nalieva. Chlapcove oči sa ligotali, na čele sa mu perlil pot a vyzeral, akoby už čosi vypil.

„Čo sa stalo?"

„Ten posraný cyklista sa na mňa vyrútil, bicykel nebol riadne osvetlený, ani odrazové sklíčka nemal, nič. Tí zasraní, mal by som ich udať, mali by mať vytýčené trasy ako na kontinente."

„Čo sa stalo?" zopakoval kňaz.

„Neviem," odvetil bezbranne Gregory.

„Tak je v poriadku, či je zranený?"

„Ja som nezastavil."

Otec Hurley vstal. Nohy mu však vypovedali službu. Musel si znova sadnúť.

„Je zranený, spadol? Matka Božia, Gregory, dúfam, že si ho tam nenechal na ceste?"

„Musel som, strýko Jim. Mal som vypité. Oveľa viac, než je povolené."

„Kde je, kde sa to stalo?"

Gregory mu povedal, že na tmavej ceste na predmestí Dublinu.

„Čo si tam robil?" spýtal sa kňaz. To bolo teraz síce vedľajšie, ale necítil sa na to, aby sa postavil, prešiel k telefónu a poslal na miesto nehody policajtov a sanitku.

„Myslel som si, že je bezpečnejšie sa vracať tadiaľ, menšia šanca, že ma zastavia. Vieš, aby mi nedali fúkať," prevrátil Gregory oči, akoby len zabudol vyvetrať psa alebo zavrieť bráničku na poli.

Lenže tentokrát ležal v noci na ceste cyklista.

„Gregory, povedz mi, prosím ťa, povedz mi, čo myslíš, že sa stalo?"

„Ja neviem. Ježišmária, neviem, zacítil som bicykel." Zarazil sa. Bol bledý.

„A potom..."

„Ja neviem, strýko Jim. Bojím sa."

„Aj ja," povedal James Hurley.

Zdvihol telefón.

„Nie, nie!" vykríkol synovec. „Preboha, ty ma zničíš!"

James Hurley vytočil políciu.

„Čuš, Gregory," zahriakol ho. „Nedám im tvoje meno, pošlem ich len k nehode, a potom tam pôjdem aj ja."

„To nemôžeš... nemôžeš..."

„Dobrý večer, seržant, tu je otec Hurley z presbytéria, mám pre vás správu, veľmi naliehavú, stala sa nehoda..." udal cestu a oblasť. „Asi tak pred polhodinou, tak nejako," pozrel na Gregoryho a chlapec nešťastne prikývol.

„Áno, zdá sa, že ho zrazil a ušiel."

Tie slová mali v sebe nechutnú konečnosť. Tentokrát Gregory ani nezdvihol hlavu.

„Nie, seržant, nemôžem vám viac povedať. Ľutujem, ohlásili mi to pri spovedi. To je všetko, čo môžem povedať. Pôjdem tam a zistím, čo sa tomu nešťastníkovi stalo...

Nie, dozvedel som sa to pri spovedi, neviem, aké to bolo auto, ani kto to bol."

Otec Hurley si šiel po kabát. Zachytil synovcov pohľad, v ktorom sa zračila úľava.

Gregory naňho vďačne pozeral.

„To by mi nikdy nenapadlo, ale, samozrejme, dáva to zmysel, naozaj *nemôžeš* hovoriť, keď ťa viaže spovedné tajomstvo."

„Lenže ty si sa nespovedal, takže môžem, ale nebudem."

„Nemôžeš predsa porušiť sväté..."

„Čuš..."

To už nebol ten strýko, ktorého poznal.

Zobral si malú tašku pre prípad, že by vážne zranenej obeti na okraji tmavej cesty za Dublinom musel dať posledné pomazanie.

„A čo bude so mnou?“

„Ty pôjdeš domov. Do postele.“

„A auto?“

„O auto sa postarám. Choď domov a zmizni mi z očí.“

Cyklistom bola mladá žena. Podľa študentského preukazu v peňaženke akási slečna Jane Morisseyová. Devätnásťročná. Bola mŕtva.

Strážnici hovorili, že nezáleží na tom, koľkokrát to už videli, je to vždy rovnaké, mŕtve telo na okraji cesty a nejaký bastard nezastaví, je to hrozné. Jeden strážnik si zložil klobúk a utrel čelo, druhý si zapálil cigaretu. Pohľadmi sa dorozumeli o farárovi – príjemný, uhladený päťdesiatnik. Modlí sa nad mŕtvou dievčinou a vzlyká ako dieťa.

Robí to pre Lauru, navrával si potom počas dlhých, bezsenných nocí, lebo odvtedy sa mu nedarilo upadnúť do sedem-osemhodinového hlbokého, bezsenného stavu bezvedomia. Presviedčal sám seba, že šlo o spoveď, pretože ináč by musel sestrinho jediného syna udať polícii ako šoféra, ktorý ušiel z miesta nehody. No aj v rámci sviatosti spovede by mohol naliehať na chlapca, aby sa priznal a uznal svoju vinu.

Skutočný život však nebol čiernobiely film s Mongomerym Cliftom v úlohe kňaza zmietajúceho sa v agónii nerozhodnosti. Dnes by mal kňaz trvať na tom, že ak chce kajúcnik dostať rozhrešenie, musí čeliť zodpovednosti za svoje činy, musí sa kajať.

James Hurley však myslel na Lauru.

Len takto ju mohol zachrániť. Len takto totiž mohol tomu jej slabošskému synovi povedať, že to pokladá za záležitosť medzi spovedníkom a vinníkom. Toto by neobstálo ani v občianskom, ani cirkevnom práve.

Klamal seržantovi, tvrdil, že to bol hysterický telefonát niekoho, kto sa chcel vyspovedať, a on nemá poňatia, kto bol ten šofér. Klamal aj farárovi, tvrdil, že ten nočný návštevník bol žobrák, ktorý chcel almužnu.

Klamal aj sestre, keď sa ho spýtala, prečo k nim nemôže teraz prísť. Tvrdil, že prestavuje faru. Pravda však bola taká, že sa im nemohol pozrieť do očí. Nedokázal by počúvať ďalšie nové príbehy o Gregoryho dokonalosti.

Gregoryho auto odviezol do servisu na druhom konci Dublinu, kde ho nikto nepoznal. Oklamal majiteľa garáže, povedal mu, že s farárovým autom nabúral bráničku. Majstrovi sa páčilo, že aj farár môže urobiť chybu, vyklepal mu karosériu a urobil generálku motora.

„Ten farár si teraz bude myslieť, že sa oň perfektne staráte," povedal potešený, že sa zúčastňuje nejakej hry.

„Koľko platím?"

„Ale choďte, otče, to nestojí za reč, pomodlite sa za mňa a moju starú matku, je akási chorá."

„Modlitbami za opravy neplatím," zbledol od hnevu kňaz. „V mene Božom, človeče, tak poviete mi už, koľko to stojí?"

Vyľakaný majiteľ garáže vyjachtal sumu.

Otec Hurley zaplatil a položil mužovi ruku na plece: „Prepáčte, prosím, príšerne ma mrzí, že som sa neovládal a takto som na vás kričal. Som trochu vystresovaný, ale to nie je ospravedlnenie. Viete, ako ma to mrzí?"

Chlapovi sa uľavilo. „Iste, otče, ale za to, že ste to autíčko trošku ťukli o starú bráničku, nikto nezlomí nad vami kríž, nie nad takým váženým kňazom, ako ste vy. Nič si z toho nerobte, akoby sa nič nestalo."

Otec Hurley si spomenul na bledú, zakrvavenú tvár devätnásťročnej Jane Morriseyovej, študentky sociológie. Na chvíľu sa mu zatmelo pred očami.

Vedel, že jeho život už nikdy nebude taký, ako býval. Vedel, že týmto vstúpil do iného sveta, do sveta lží.

Kľúče od auta vložil do obálky a obálku vhodil do Gregoryho schránky. Auto zaparkoval v garáži a vrátil sa do presbytéria.

O nehode sa dočítal vo večerných novinách a na Radio Eireann si vypočul, že hľadajú svedkov.

Hral dámu so starým farárom, ale myšlienkami bol na míle ďaleko.

„Si dobrý chlap, James," vravel starý kňaz. „Ty ma necháš vyhrávať ako ostatní. Si veľmi dobrý chlap."

Oči otca Hurleyho sa zaliali slzami. „Nie, nie som, Canon, som veľmi slabý, som bláznivý, márnomyseľný slaboch."

„Áale, všetci sme blázniví, slabošskí a márnomyseľní," odpovedal mu farár. „Ale napriek tomu sú niektorí z nás aj dobrí, a to ty určite si."

Tie príšerné dni boli už síce dávno preč, ale spánok stále neprichádzal. So synovcom si znova ustanovili aký-taký trápny, formálny vzťah.

Gregory mu obratom zavolal, aby sa mu poďakoval za auto.

Otec James Hurley mu však do telefónu chladne povedal: „Obávam sa, že tu nie je."

„Ale to *si* ty, strýko Jim," namietol neisto Gregory.

„Už som narozprával toľko lží, Gregory, čo teda jednu naviac?" spýtal sa unavene otec Hurley.

„*Prosím.* Prosím, strýko Jim, nehovor tak. Nepočuje ťa tam niekto? Veď vieš."

„Nemám potuchy."

„Môžem ťa prísť navštíviť?"

„Nie."

„Zajtra?"

„Nie. Drž sa odo mňa ďaleko, Gregory. Veľmi, veľmi ďaleko."

„Ale to sa nedá, nie navždy. Po prvé nechcem a po druhé, čo by na to povedala mama s otcom? Vyzeralo by to... nuž, vieš, ako by to vyzeralo."

„Myslím, že by nikdy neuhádli, čo si vyviedol. Myslím, že si v bezpečí. Veria, že si lepší. Pre nich to vždy bude len maličký paragraf v papieroch, ďalšia smutná vec, čo sa prihodila v Dubline..."

„Nie, myslím to o nás... ak sa nebudeme rozprávať."

„Zrejme sa budeme aj rozprávať. Ale teraz mi daj čas. Daj mi čas."

Gregory to nevedel prehltnúť, aspoň nie nadlho. Strýko mu síce odpustil, keď za ním prišiel do presbytéria, ale povedal, že sa ponáhľa k chorému. A keď zavolal, bolo to to isté.

Nakoniec si Gregory zvolil jediné miesto, kde vedel, že sa mu dostane plnej pozornosti muža, ktorý sa mu systematicky vyhýba.

V spovednici sa otvorilo okienko. Videl, ako si otec Hurley rukou podopiera peknú hlavu a nehľadí priamo na kajúcnika, ale s trochu sklopeným zrakom pred seba. Počúva.

„Áno, dieťa moje?“ povzbudivo začal.

„Požehnaj mi, otče, lebo som zhrešil,“ spustil Gregory rituál. Hlas bol však kňazovi príliš známy, nemohol ho nespoznať. Splašene k nemu zdvihol zrak.

„Dobrý Bože, už si sa rozhodol vysmievať aj sviatosti?“ zašepkal hrdelným hlasom.

„Nikde inde ma nepočúvaš, musel som prísť až sem, aby som ti povedal, ako veľmi ma to mrzí.“

„To nehovor mne.“

„Ale hovorím, už som to prostredníctvom iného kňaza povedal aj Bohu, rozhodol som sa každý mesiac venovať určitú čiastku platu na charitu, len aby som to odčinil, hoci viem, že sa to nedá. Prestal som piť. Bože, strýko Jim, čo mám ešte urobiť? Povedz mi, prosím. Už jej nemôžem vrátiť život, ba aj vtedy už bolo neskoro.“

„Gregory, Gregory.“ Otcovi Hurleymu sa v očiach zaleskli slzy.

„Ale aký to má význam, strýko Jim, čo z toho máš, že sa so mnou nerozprávaš a nechodíš domov, pretože nechceš o mne hovoriť? Myslím, že keby som sa v tú noc zabil aj ja, všetko by bolo iné, vtedy by ste sa s mojou mamou a otcom zavreli, mali by ste koho oplakávať. Takže nemali by sme sa vlastne tešiť, že žijem, aj keď to úbohé dievča prišlo pri tej nehode o život?“

„Zabil ju šofér, ktorý utiekol z miesta nehody.“

„Viem, pochopil som.“

„Ale trest si nepochopil.“

„Na čo by to bolo *dobré*? Ruku na srdce. Matke by to zlomilo srdce, otca by to zneuctilo, teba ponížilo a myslím, že keby to vyšlo najavo teraz, celé týždne po tej nehode, bolo by to ešte horšie. Tú noc už nikto nevráti. Keby som ju tak mohol vrátiť...“

„Veľmi dobre.“

„Čo?“

„Nič, len veľmi dobre. Budeme priatelia.“

„Ach, vedel som, že sa s tým zmieriš.“

„Dobre, máš pravdu, ja sa s tým zmierim, ale dokážeš sa ty zmieriť s Bohom?“

„Ďakujem, strýko Jim. A, strýko Jim...“

Kňaz neodpovedal.

„Prídeš ku mne niekedy na obed? Povedzme v sobotu. Žiaden alkohol, len zopár priateľov. Prosím.“

„Áno.“

„Ešte raz ďakujem."

V sobotu prišiel k nemu do bytu. Zoznámil ho s dvoma mladíkmi a dievčaťom. Bola to príjemná, bezstarostná spoločnosť. Pri obede popíjali víno a žoviálne sa bavili o tom, či v Írsku ešte vždy všetko riadi cirkev. Otec Hurley mal v takýchto rozhovoroch prax, na túto tému sa občas bavil s deťmi svojich priateľov. Bol korektný a spoľahlivo zdvorilý, díval sa na to z tohto hľadiska, z opačného hľadiska, i z úplne iného hľadiska. Vedel si správne poreptať, ale vedel aj kedy prestať, aby sa mohla prejaviť druhá strana.

Starostlivo sledoval Gregoryho. Ten si však nalieval len minerálku. Zrejme to chlapcom naozaj otriaslo a pokúša sa začať nový život. Zrejme by James Hurley mal tomu chlapcovi vážne odpustiť, aj keď nedokáže odpustiť sebe. Usmial sa na synovca, a ten mu úsmev opätoval.

Všetci pomohli odpratať zo stola riad do malej kuchynky.

„Hej, Greg, čo tu robí tá fľaša s vodkou, veď ty už nechľastáš?" spýtal sa jeden z priateľov.

„Och, to je ešte pozostatok z čias dávno minulých, vezmi si ju," povedal pokojne Gregory.

Otec Hurley uvažoval, či už nemá otrávenú aj dušu, keď podozrieva synovca, že má príliš lesklé oči na chlapca, ktorý pije len vodu; možno sa v kuchyni predsa len tajne túžil vodkou. Na kredenci bol položený pohár.

Lenže keď bude uvažovať takto, nikdy si k synovcovi nenájde cestu. Pevne sa rozhodol, že na to nebude myslieť. Odloží to k veciam, na ktoré v týchto dňoch odmieta myslieť.

Cez týždeň šiel pozrieť Lauru a Alana. Potešilo ich, keď sa dopočuli, že na sobotňajšom obede bolo aj dievča, možno je to synova priateľka.

„Nezdalo sa mi, že by niečo medzi nimi bolo." Otec Hurley sa cítil ako stará klebetnica na čajovej párty.

„Ale myslím, že sa okolo neho už nejaký čas krúti," namietla Laura šťastne. „Mohla by to byť tá pravá."

Bola to zvláštna návšteva, všetko, čo sestra so švagrom povedali, ho zjavne rozčuľovalo.

Hovorili mu, že je šťastný človek, lebo má istoty. V zákonoch boli totiž niektoré oblasti nejasné.

Neradostne sa usmial – akoby v jeho práci neboli žiadne nejasnosti.

Hovorili mu, aké mali s Gregorym šťastie, lebo syn jedného ich priateľa vstúpil do Sinn Fein, najprv ako právny poradca, potom ako aktívny bojovník, a teraz je plnoprávnym členom Dočasnej IRA.

„Aspoň má nejaké ideály, aj keď nesprávne a šialené," povedal otec Hurley.

„Jimbo, tebe šibe, to predsa nie sú žiadne ideály," vykríkla Laura.

Otec Hurley sa ako vždy len ospravedlňujúco usmial. Nemohol im predsa povedať, že podľa neho je všetko lepšie ako slabomyseľné zachraňovanie vlastnej kože, ako to robí ich syn. A on je jeho spoluvinník.

Vyzeral stiesnene a nešťastne; Alan Black však jemu vlastným, diplomatickým spôsobom zmenil tému.

„Povedz, nemáš náhodou na obzore nejakú peknú, spoločensky významnú svadbu? Veľmi sa nám páči pocit blízkosti s veľkými a mocnými tejto krajiny, ktorý nám sprostredkúvaš, Jim."

Nie, povedal otec Hurley, mladí si dnes sami hľadajú partnerov a už nie je v móde brať si deti rodinných priateľov. Nie, žiadna nóbl svadba na obzore. Ale zato strieborná svadba, prehodil veselo, a to dokonca v Anglicku.

Ako vždy, zaujímali sa o všetko, čo robí. Vysvetlil im, že tento pár oddával v roku 1960 – ani si neuvedomil, že je to už štvrťstoročie. Pozvali ho deti, syn a dcéry, tvrdili, že oslava nebude oslavou, ak nebudú mať obrad.

Laura s Alanom si pomysleli, že ten pár, nech je to už ktokoľvek, robí dobre, že chce znova akurát otca Hurleyho.

„Vlastne ich ani veľmi nepoznám," povedal akoby pre seba. „Trochu sa poznám len s Deirdrinou matkou, pani O'Haganovou, a poznám pani Barryovú, matku družičky Maureen Barryovej. Ale toho mladého pána nepoznám vôbec."

„Nikdy si ich nespomínal," ťahala z neho informácie Laura.

„Nuž, nie, myslím, že som sobášil priveľa ľudí. Niektorých som odvtedy už ani nevidel. Každé Vianoce síce dostávam od Deirdry pozdrav, ale upozorňujem, že nikdy som si nevedel presne spomenúť, kto sú Desmond a Deirdre Doylovci s rodinou..." Zhlboka si vzdychol.

„Nemáš ich rád?" spýtala sa Laura. „Nám to môžeš povedať, my ich nepoznáme a zrejme ani poznať nebudeme."

„Nie, sú veľmi fajn, mám ich rád. Myslím len, že sa mi vtedy zdalo, že sa k sebe nehodia, že nebudú dlho spolu..." usmial sa, aby odľahčil atmosféru. „Ale, ako vidíte, mýlil som sa. Už sú spolu dvadsaťpäť rokov a zdá sa, že im to klape."

„Musia sa ľúbiť," zamyslela sa Laura. „Ináč by ťa nevolali a neorganizovali to všetko. Zopakujú si aj manželský sľub?"

„Neviem, dostal som len list od dcéry."

Stíchol, ale ticha sa vo veľkej, knihami obloženej izbe Alana a Laury Blackovcov nebolo treba obávať.

Rozmýšľal o tej svadbe, konala sa v roku, keď sa narodil Gregory. Spomenul si, ako do sakristie vošla Deirdre O'Haganová a povedala, že od matky počula, že ho na šesť mesiacov preložia do Londýna. Sčasti na študijný pobyt a sčasti ako írskeho kaplána v Británii. Anglických katolíkov bolo málo a katolíckych stádočiek Írov, respektíve Írov z druhej generácie, ktorí uprednostňovali kňaza svojho vlastného kmeňa, bola celá kopa.

Deirdre O'Haganová vyzerala vyčerpaná a napätá. Chcela vedieť, či jej môže zariadiť svadbu na budúci mesiac, respektíve čím skôr. Podľa všetkého sa musela vydávať, ale nechcela hovoriť o dôvodoch, prečo sa chce vydať tak rýchlo.

Jemne sa jej spýtal, či neuvažovala o tom, že sa vezmú v Dubline, ale bola neoblomná. Snúbencova rodina pochádza zo západu.

Ale Dublin je predsa bližšie k západnému Írsku ako Londýn.

Lenže Deirdre O'Haganová, ktorú si pamätal ako pôvabnú, uchichotanú vysokoškoláčku, dcéru Kevina a Eileen O'Haganovcov, zámožnej opory farnosti, mala, zdá sa, železnú vôľu. Chce sa vydávať v Londýne, povedala, ale urobí rodine láskavosť a dá sa zosobášiť farárom, ktorého poznajú a majú radi, no keby nemohol, zariadi si to, samozrejme, ináč.

Otec Hurley sa vtedy, ako si spomína, snažil dievča vtiahnuť do rozhovoru o unáhlenosti rozhodnutia. Hovoril, že by sa nemala do manželstva tak ponáhľať, a už vôbec nie z nesprávnych dôvodov.

Znelo to zrejme úzkoprso a zvedavo, pretože si pamätá, ako mu hlasom čistým ako zvon a studeným ako ľad povedala:

„Nuž, otče, keby sme sa všetci stavali k manželstvu tak ako vy, nemali by ste koho sobášiť, a zrazu by ste zistili, že ľudstvo vymrelo."

Napriek tomuto úbohému začiatku sa však svadba vydarila. Príbuzní zo ženíchovej strany boli jednoduchí drobní farmári zo západu a prišlo ich málo. O'Haganovci boli jasne v prevahe. Kevin bol veľmi príjemný muž, tichý a zamyslený. Pred niekoľkými rokmi zomrel, ale Eileen bola ešte v plnej sile.

Družičkou im bola tá šarmantná mladá Maureen Barryová, ktorá dnes vedie elegantné obchody s odevmi. Odvtedy ju videl len raz, na zádušnej omši za jej matku. Uvažoval, či aj ona pôjde do Londýna. Veľmi na ňu myslel. Opäť si vzdychol.

„Zdá sa, že nie si vo forme, Jimbo," povedala ustarane Laura.

„Chcel by som byť tým starým, múdrym kňazom, vieš, ktorý má vo všetkom istotu, aby som o ničom nepochyboval."

„Potom by si bol už úplne neznesiteľný," povedala nežne.

Alan zdvihol zrak od knihy. „Viem, čo tým myslíš, všetko by bolo jednoduchšie, keby bol len jeden zákon, ktorý by sa uznával a dodržiaval. Všetko zahmlieva tá hrozná robota posudzovať každý prípad podľa jeho skutkovej podstaty."

James Hurley skúmavo pozrel na švagra, ale advokát tým nenaznačoval žiaden skrytý význam alebo názor na syna a problémy, ktoré spôsobil. Rozmýšľal v pojmoch oblastného súdu a spravodlivosti, ktorá bola niekedy zhovievavá, inokedy prísna, podľa toho, kto stál pred tribunálom.

„Ak sa nebudeš vedieť rozhodnúť, skončíš ako nacisti," poznamenala Laura.

„Ani to však nemusí byť vždy pravda," namietol.

„Ty nikdy nerobíš niečo, o čom v tej chvíli nie si skutočne presvedčený, že je to správne."

„A potom? Čo potom?"

Laura s Alanom si vymenili pohľady. Jima takého nepoznali.

Napokon sa ozval Alan. „Nuž, aspoň nie si taký ako tí sudcovia v minulosti, ktorí by len vešali. Ty si ešte nikoho neodsúdil na smrť." Malo to byť ubezpečenie. Ale nebolo.

„Nie. Na smrť nie."

„Nepôjdeme radšej vyviesť psov?" navrhla Laura.

Brat so sestrou, čulí a silní, vyšli do polí, po ktorých chodili od detstva.

„Ako ti pomôcť?" skúšala.

„Nie, Laura, keby som ti ukázal svoje horšie ja, pokladala by si ma za slabocha."

„Ty budeš predsa stále môj malý brat, aj keď si už veľký a dôležitý kňaz."

„Nie som ani veľký, ani dôležitý. Nikdy nebudem mať vlastnú farnosť, a ani ju nechcem. Nechcem mať zodpovednosť."

„A čo? To predsa nemusíš."

„Existuje zopár vecí, za ktoré treba niesť zodpovednosť."

Vedela, že už z neho nedostane nič, a cestou domov, keď sa už stmievalo, sa jej zazdalo, že sa mu čelo trocha vyjasnilo.

Po tomto popoludní si uvedomil, že ak má mať celá tá strašná záležitosť nejaký zmysel, musí prestať s týmito zmenami nálad. Prečo ich na jednej strane šetrí a na druhej trápi? Nesmie dopustiť, aby sa dozvedeli, že ich syn v opitosti zabil cyklistku a nezastavil, upokojoval sa. Prečo im teda má brať pokoj a nechať ich v tom, že on sa nervovo rúti a má vážne problémy?

V nasledujúcich mesiacoch sa pri posedeniach s jedinou rodinou, ktorú kedy mal či poznal, obrnil proti pochybnostiam a bojoval proti pocitu zrady. Opäť sa začal uvoľnene smiať na synovcových vtipoch a pri niektorých Gregoryho silnejších narážkach už ani brvou nemihol. Kňaz si donekonečna opakoval, že očakávať od omylného človeka, aby bol dokonalý, je ako ísť proti slovu Božiemu.

Vyžíval sa v jednoduchej radosti, ktorú Gregory Black poskytoval svojim rodičom. Uvedomil si, že za všetky tie roky farárčenia sa ešte nestretol s rodinou, kde by vládol taký pokoj a nefalšovaný súlad. Len dúfal, že na to nikdy nedoplatia.

Veľmi sa snažil, aby sa mu neskrivil úsmev, keď videl, ako si Gregory pred obedom štedro nalieva gin, pri obede víno a po obede whisky. Abstinenčný záväzok mu dlho nevydržal. Ani priateľka.

„Je príliš rozhodná, strýko Jim," smial sa, keď viezol otca Hurleyho po vidieckych cestách, na kňazovo gusto až prirýchlo. „Vieš, s ňou je všetko čierne, alebo biele. Žiaden iný odtieň nepozná."

„Svojím spôsobom je to obdivuhodné," povedal otec Hurley.

„Je to neznesiteľné, nikto si predsa nemôže byť taký istý, nemôže byť taký rozhodný."

„Myslíš, že ju ľúbiš?"

„Myslím, že áno, ale neznášam to jej čierno-biele videnie, všetko je buď čestné, alebo nečestné, si anjel, alebo diabol. Takto to v reálnom svete predsa nechodí."

Otec Hurley sa zadíval na pekný profil sestrinho syna. Chlapec už zabudol na dievča, ktoré zabil. Záhadnosť a pokrytectvo tej noci už pustil z hlavy. Viezol strýka, lebo auto otca Hurleyho bolo pokazené, a Gregory prišiel domov v strede týždňa, aby sa s rodičmi pozhováral o pôžičke. Niečo sa chystalo, začul, že je to životná šanca. Niečo, o čom sa nikdy nedozvie, ale do čoho sa oplatí investovať. Chlapče, chlapče!

Otcovi Hurleymu sa z tej dôvery obracal žalúdok. Šedá eminencia. V prípade potreby ochotný i klamať. Bola to zvláštna návšteva. Gregoryho otec akoby sa ospravedlňoval, že nezohnal peniaze, ktoré Gregory potreboval, a trochu ho zarážalo, že nevie presne načo.

Gregory sa naďalej usmieval, ale povedal, že ide k jazeru a nechá ich chvíľu osamote.

Keď odišiel, Laura povedala, že to od neho bolo veľmi citlivé, keď sa šiel upokojiť k jazeru. Vyhlásila, že by si želala, aby mu Alan tie peniaze jednoducho dal, aj tak bude po čase všetko patriť jemu, tak prečo nie už teraz?

O pol jedenástej však ešte nebol doma.

Otec Hurley tušil, že je v krčme pri jazere. Povedal, že si urobí prechádzku, je krásna noc. Bolo to odtiaľ tri míle. Synovca našiel pri bare, kde mu už odmietali naliať.

„Poďme, zaveziem ťa domov," povedal a dúfal, že tým tónom svojho totálne opitého synovca nenahnevá.

Keď prišli k autu, Gregory ho odsotil.

„Ja budem šoférovať," vyhlásil rázne.

Sadol si za volant a otec Hurley mal na výber – ísť s ním, alebo ho nechať, nech ide sám.

Otvoril dvere na druhej strane.

Cesta sa krútila a povrch nebol práve najlepší.

„Prosím ťa, choď pomaly, nevieš, čo ťa čaká za rohom, nevidíme svetlá."

„Nepros," zašomral Gregory s pohľadom upretým na cestu. „Nenávidím ľudí, čo kňučia a prosia."

„Tak ťa teda žiadam..."

Ale skôr než sa zbadali, zrazili osla, ktorý ťahal voz. Splašené zviera zaspätkovalo a vysypalo na cestu dvoch starcov a celý ich majetok.

„Ježišikriste!"

Bezmocne sa prizerali, ako osol, zmietajúci sa v bolestiach, prešiel jedného starca vozom a začal sa šmýkať po zráze dolu k jazeru.

Otec Hurley vybehol k vozu, z ktorého sa ozýval detský plač. „Budete v poriadku, už sme tu, tu sme," volal.

Za chrbtom pocítil synovcov dych.

„Ty si bol za volantom, strýko Jim, prekristapána, prosím ťa!"

Kňaz neodpovedal. Vzal menšie dieťa na ruky, vytiahol ho do bezpečia, potom vytiahol aj druhé a celou silou svojho tela sa zaprel a začal vyťahovať aj híkajúceho osla.

„Počuj, zaprisahávam ťa. Len si pomysli, to dáva zmysel. Mňa by ukameňovali, ale teba sa nikto ani len prstom nedotkne."

Ako hluchý postavil otec Hurley voz a deti na cestu, kde sedeli a civeli dvaja starci. Jeden si rukou pridŕžal hlavu a po prstoch mu stekala krv.

Gregoryho tvár bola vo svetle mesiaca biela ako krieda.

„Sú to cigáni, strýko Jim, nesmú vychádzať bez označenia alebo varovania a neosvetlení... nikto ťa nemôže obviniť... počuli ťa, že ma vezieš domov."

Otec Hurley si kľakol vedľa starčeka a prinútil ho dať dolu ruku, aby si prezrel ranu.

„To bude v poriadku, priateľu, to bude v poriadku, keď niekto príde, odvezieme vás do nemocnice, budú to len jeden-dva stehy."

„Čo chceš robiť, strýko Jim?"

„Och, Gregory."

Kňaz so slzami v očiach pozrel hore na jediného syna dvoch ľudí, ktorí dnes zistia, že život na tejto zemi nie je až taký ružový a že niektorí ľudia majú až priveľké šťastie.

6 Maureen

Jediná vec, na ktorej Maureenina matka trvala po celý život, bol správny pohreb. Maureen presne vedela, čo to znamená. Aby každý účastník dostal riadne oznámenie poštou a pozvánku na kar, teda nie každý, len tí správni ľudia. Na deň obradu v kostole i na druhý deň po pohrebe.

Maureen pedantne zariadila poslednú spomienku na matku, ktorá jej dala všetko a urobila z nej to, čím je.

Mala na sebe čierny kabát výborného strihu a požiadala kaderníka, aby ju prišiel domov učesať, nech pred ľuďmi, čo prídu do kostola, vyzerá upravená. Maureen to nepokladala za márnivosť, len do bodky plnila matkinu poslednú vôľu: aby Sophie Barryová odchádzala na odpočinok verejne oplakávaná svojou výnimočnou a oddanou dcérou Maureen, úspešnou biznismenkou, významnou Dublinčankou.

Matka by schválila aj nápoje a kanapky, ktoré sa podávali vo veľkej jedálni, aj spôsob, akým sa Maureen pohybovala medzi hosťami, bledá, ale pokojná, toho predstavila, tomu poďakovala, vždy schopná sa rozpamätať, od koho dostala veniec, od koho len pohľadnicu a od koho kondolenčný list, za ktorý bolo treba zaďakovať.

S naprostým súhlasom prikyvovala každému, kto jej povedal, že jej matka bola úžasná žena, pretože to bola čistá pravda. Prikyvovala, že chvalabohu matka dlho netrpela, s poľutovaním súhlasila, že v šesťdesiatich ôsmich rokoch je človek naozaj primladý na to, aby umrel, a tešilo ju, že toľko ľudí jej povedalo, že matka bola na svoju jedinú dcéru veľmi hrdá.

„O ničom inom ani nehovorila."

„Odkladala si všetky výstrižky z novín, kde o tebe písali."

„Hovorila, že si pre ňu viac ako dcéra, si jej priateľka."

Lichotivé slová, nežné dotyky, vďačné gestá. Presne tak by sa to matke páčilo. Nikto sa neopil ani nezačal vystrájať, no celé to konanie vzbudilo taký rozruch, že matka by ho určite označila za úspešné. Maureen sa niekoľkokrát prichytila, ako sa chystá, že to potom všetko porozpráva mame.

Hovorí sa, že je to možné. Najmä keď si boli také blízke. A len málo matiek sa zblíži s dcérami natoľko, ako sa Sophie Barryová zblížila so svojím jediným dieťaťom Maureen.

Možno to bolo preto, že Sophie bola vdova a Maureen vyrastala bez otca. Možno preto, že sa na seba tak podobali, a ľudia si mysleli, že sú si bližšie, než si v skutočnosti boli. Sophie začala šedivieť až takmer v šesťdesiatke a jej šediny farby tmavej ocele boli rovnako lesklé a nádherné ako jej pôvodne havranie vlasy. Do konca života nosila veľkosť dvanásť a hovorila, že by radšej umrela, než aby sa obliekla do tých stanových plachiet, do ktorých sa od určitého veku halí väčšina žien.

Vo svojich kruhoch nemala Sophie so svojím dobrým výzorom a prísnymi etickými normami vždy povesť dobráka. Ale dostalo sa jej toho, čo chcela, po celý život ju nesmierne obdivovali.

A Maureen sa teraz mala postarať, aby to tak aj zostalo, nech sa deje, čo sa deje. Dom sa nebude predávať s nevhodným chvatom, smútočné oznámenia budú jednoduché, v čiernom rámčeku s nejakou vkusnou modlitbou, ktorú možno ako memento poslať aj protestantským známym. Nič, čo by zaváňalo odpustkami, žiadne fotografie. Matka by povedala, že je to robota pre družičku. Maureen síce vie lepšie, čo je úlohou družičky, ale nemá v úmysle uraziť matkinu pamiatku.

Priatelia jej ponúkli pomoc pri preberaní matkiných vecí, vraj to môže byť bolestné, tvrdili, vždy je lepšie, keď vám s tým pomáha niekto nezaujatý. Všetko možno roztriediť bez veľkých emócií. Maureen sa však usmiala, zaďakovala a uistila ich, že by to rada urobila sama. Nieželby sa nejako zvlášť hrnula do toho, aby tie veci potriedila sama, ale matka by nikdy nedovolila, aby sa v jej súkromných papieroch hrabal niekto cudzí.

Ponúkol sa aj otec Hurley, s ktorým sa poznali už roky. Tvrdil, že človek sa pri tom často cíti osamelý, a on by bol rád, keby jej mohol robiť aspoň spoločnosť. Myslel to dobre a matka ho vždy mala rada, tvrdila, že robí česť tejto cirkvi, je to veľmi uhladený, kultivovaný kňaz, ktorý uznáva každého, bez ohľadu na to, kto to je – veľmi vysoké ocenenie od matky. Ale ani tak by si neželala, aby sa hrabal v jej súkromných papieroch. Pekná pohnutá modlitba, to áno, na to sa hodí, ale nech sa nemieša do ničoho osobného. To môže jedine Maureen.

Walter by jej, samozrejme, tiež pomohol. To však vôbec neprichádzalo do úvahy, Waltera si počas celého toho procesu držala pekne od tela. Maureen nemala v úmysle sa zaňho ani vydávať, ani sa naňho spoliehať. Prečo by teda mal na pohrebe vystupovať ako muž, ktorý je jej oporou? Tie staré klebetnice, matkine priateľky, ženské, čo nemajú iné na robote ako špekulovať o deťoch tých druhých, by mohli nadobudnúť falošnú predstavu. Štyridsaťšesťročná a slobodná Maureen je určite celé roky predmetom ich ohovárania a podozrenia, pomyslela si škodoradostne.

Milý, zdvorilý Walter, ktorého pokladali za vhodnú partiu, pretože bol tiež slobodný, pochádzal z dobrej rodiny a dobre si viedol v advokátskej kancelárii. Maureen vedela, že keby chcela, mohla by sa za Waltera vydať. Neľúbil ju a ona k nemu tiež ani zďaleka necítila nič také ako lásku. Ale Walter bol ten druh muža, ktorý v tomto štádiu života lásku ani nečakal. Zrejme prežil v mladších rokoch nevhodnú mezalianciu, možno i skutočnú lásku, ale mu to nevyšlo.

Walter mal svoj chlapský záväzok v právnickej knižnici a viedol rušný spoločenský život. Ľudia vždy chceli mimoriadneho muža.

Matke sa Walter páčil, ale bola príliš inteligentná na to, aby ju k nemu postrkovala. Okrem toho, matka by bola tá posledná, ktorá by použila argument o zabezpečení sa proti osamelosti na staré kolená. Ona predsa celý život prežila bez muža. A bol to veľmi bohatý život.

Keď jej raz Maureen objasnila, že o Walterovi ako o životnom partnerovi vôbec neuvažuje, matka to už nespomenula. Viac nepadlo už ani slovo o tom, ako zatiahnuť Waltera na bridžový večierok, do divadla alebo na párty pri príležitosti dostihov o pohár Agu Chána.

Walter bol milý, zdvorilý a po niekoľkých pohárikoch dobrého červeného vedel byť aj dojemný. Občas sa rozrečnil o osamelých cestách a veľkých obetiach na oltár kariéry. Vtedy sa však Maureen naňho láskyplne usmiala a spýtala sa, čo dočerta oni dvaja na ten oltár obetovali. Obaja mali krásne byty, dobré autá, davy priateľov a voľnosť, mohli chodiť, kade sa im zachcelo. V Maureeninom prípade to bol Londýn a New York, kde nakupovala šaty, vo Walterovom to bola rybačka v západnom Írsku.

Neboli milenci, hoci Dublin tento stav stále viac a viac akceptoval. Ten návrh raz padol, ale obe strany ho so šarmom a eleganciou zamietli, a nadniesol sa ešte raz pre prípad, že prvé odmietnutie bolo len formálne. Oni však zostali slobodní – dvaja atraktívni ľudia, ktorí si občas rezignovane vymenili ponad stôl pohľady, keď ich domáca pani zase raz začala dávať dokopy, akoby to bol ten najlepší nápad večera.

Bolo iróniou, že zo všetkých mužov, ktorí kedy vstúpili do Maureeninho života, jediný, ktorého by matka pokladala za vhodnú partiu, bol ten, ktorý prišiel príliš neskoro, ktorý sa objavil až vtedy, keď už Maureen vedela, že nechce svoj život meniť. Keby sa s Walterom, mladým nadšeným advokátom, zoznámila v dvadsiatke, keď sa snažila zakladať obchody, zrejme by sa preňho rozhodla. Veľmi veľa jej priateliek sa rozhodlo pre mužov, ktorých v skutočnosti ani neľúbili. Ani na jednej zo svadieb, na ktorých sa Maureen už ako dospelá zúčastnila, vôbec nešlo o veľkú lásku, ale o alianciu, únik, kompromis či dohodu. O skutočnú lásku šlo zrejme jedine v prípade Deirdry O'Haganovej, ktorá sa všetkým vzoprela a v to dlhé leto, keď boli spolu v Londýne, sa vydala za svoju prvú lásku. Maureen si však nikdy nebola istá. Napriek tomu, že bola Deirdrinou družičkou a noc pred svadbou spali v jednej izbe, nebola si istá, či Deirdre naozaj umiera láskou k Desmondovi Doylovi a ide si vyplakať oči, len aby mohla byť s ním. Tak ako si ona išla vyplakať oči kvôli Frankovi Quigleymu.

Jej priateľstvo s Deirdrou bolo zvláštne, ich matky si želali, aby boli priateľkami tak strašne, až to v štrnástich vzdali a súhlasili, že budú spolu chodiť na tenisové párty a neskôr po sobotách aj na večerné tancovačky a spoločenské večierky v rugbyovom klube.

Keď začali študovať na vysokej škole, boli už v istom zmysle ozajstnými priateľkami. Obe dobre vedeli, že ich spásou je tá druhá. Ak Maureen povedala, že ide niekam s Deirdrou, matka bola spokojná. A tak isto to fungovalo aj v domácnosti O'Haganovcov, Deirdre sa vždy mohla vyhovoriť na Maureen, dcéru Sophie Barryovej.

Preto mohli v to leto ísť spolu aj do Londýna. V to leto, keď mali sedieť doma a učiť sa na štátnice. V to leto, keď sa na lodi do Holyheadu zoznámili s Desmondom Doylom a Frankom Quigleym.

Maureen uvažovala, čo by asi povedal Frank Quigley, keby sa dozvedel, že jej matka umrela. Nevedela, ako teraz hovorí, či sa mu zmenil prízvuk, alebo či hovorí tak ako väčšina Írov, ktorí žijú dvadsaťpäť rokov v Londýne a používajú dva rôzne prízvuky a zradné slovíčka oboch kultúr, samozrejme, na nesprávnom mieste.

Čítala o ňom; kto by nečítal o Frankovi Quigleym? Prepracoval sa medzi Írov, ktorým sa v Británii darí. Občas ho videla na fotkách s tou mladou Taliankou s melancholickým výzorom, ktorú si vzal, aby postúpil v hierarchii Palazzovcov.

Frank je dnes už možno taký uhladený, že by jej poslal len elegantný prejav sústrasti na pohľadnici so zlatým okrajom. Možno je však natoľko realistický a tvrdý ako diamant, že by jej povedal, že jej matka mala umrieť už pred štvrťstoročím.

Jediné, čo Maureen vedela, bolo, že Frank Quigley na jej matku ani na ňu nikdy nezabudne.

Z jej strany to nebola arogancia, keď si myslela, že jej prvá láska bude na ňu spomínať rovnako intenzívne ako ona naňho, ak ho vôbec vpustila do svojich myšlienok. Vedela, že je to pravda. Bolo to však vedľajšie; Desmond a Deirdre jej to síce hovorili, ale ťažko povedať, či sa ešte priatelia.

Desmond ešte vždy pracoval u Palazza, ale napriek občasným úžasným správam pani O'Haganovej o manažérskych úspechoch jej zaťa mala Maureen pocit, že Desmond zostal z nejakého dôvodu trčať pomerne nízko na spoločenskom rebríčku a že ani patrónstvo a priateľstvo jeho starého priateľa Franka ho nemôže vytiahnuť vyššie.

Triedenie matkiných vecí nemohla odkladať naveky. Maureen sa rozhodla, že to urobí v najbližšiu nedeľu po pohrebe. Nebude jej to trvať dlho, ak sa do toho dá a nedopustí, aby sa vzrušovala pri všetkom, čo chytí do ruky.

Vyplakala sa už nad matkinými okuliarmi v puzdre, ktoré jej dali v nemocnici. Ten príznak matkinho slabnúceho zraku, ktorý jej odovzdali v nepotrebnom puzdierku, pôsobil smutnejšie než čokoľvek iné. Maureen, zvyčajne taká rozhodná, nevedela, čo má s nimi robiť. Ešte stále ich mala zazipsované v bočnom vrecku kabelky. Matka by určite nebola taká mäkká. Bola by chladná a praktická ako vždy.

Pohádali sa len raz, dávno, ale nebolo to ani kvôli Frankovi Quigleymu, ani kvôli žiadnemu inému mužovi. Podľa matky nevyzeralo odevníctvo ako solídny biznis a neznelo dosť úctyhodne.

Maureen vybuchla hnevom – čo na tom, dočerta, záleží, ako niečo vyzerá alebo znie? Dôležité je, ako sa to robí a o čom to je. Matka sa na ňu len chladne usmievala a ju to dovádzalo do zúrivosti. Maureen sa vzbúrila. Najprv šla na sever, kde získala solídne základy v obchodovaní s odevmi v malom od dvoch sestier, ktoré viedli elegantné obchody s odevmi a boli celé unesené a polichotené, že tá tmavovlasá, pekná, mladá absolventka univerzity z Dublinu sa prišla k nim naučiť všetko, čo ju môžu naučiť. Potom šla do Londýna.

Tam si uvedomila, že si s Deirdrou nikdy neboli skutočne blízke, pretože keď bola v Londýne, vídavali sa len zriedka. Deirdre bola vtedy zaujatá dvoma drobnými deťmi a Maureen veľtrhmi a výstavami, kde sa učila, na čo musí dávať dozor. Maureen nepovedala Deirdre nič o chlade, ktorý vládol medzi ňou a jej matkou zo strachu, že by sa to mohlo doniesť priamo do rodiny O'Haganovcov, a zrejme aj Deirdre mala svoje tajomstvá, starosti a problémy, o ktorých nechcela hovoriť s Maureen.

Ten chlad však netrval večne. Nikdy nenadobudol rozmery skutočného nepriateľstva, a vždy tu boli pohľadnice, krátke listy a stručné telefonáty. Aby mohla matka rozprávať Eileen O'Haganovej, ako dobre si Maureen počína tu, tam i kdekoľvek inde. Aby sa zachovalo dekórum. Dekórum bolo pre matku veľmi dôležité. Maureen sa rozhodla, že si to bude vždy vážiť, dokonca aj po jej smrti.

Maureen Barryová bývala v jednom z prvých dublinských panelákov. Desať minút peši a dve minúty autom od veľkého domu, v ktorom sa narodila a kde matka prežila celý svoj život. Bol to matkin dom a otec sa len priženil. Býval tam len počas ich krátkeho manželstva. Umrel v zahraničí, keď mala Maureen šesť – teraz to už bude štyridsať rokov.

Čoskoro bude mať výročie smrti, o tri týždne; bude to zvláštne, že na omšu, ktorá sa za spásu jeho duše konala každoročne v deň výročia jeho smrti, pôjde sama. Odkedy si rozum pamätá, vždy tam chodievala s matkou. Vždy o ôsmej ráno. Matka tvrdila, že sa nepatrí zaťahovať druhých do osobných modlitieb a spomienok. Ale matka potom vždy všetkým povedala, že boli na omši.

Ďalšia vec, ktorú si tieto dve vo svojom vzťahu vysoko cenili, boli ich životné ideály. Mnohé iné matky by sa na svoju dcéru nalepili, zdržiavali by ju doma čo možno najdlhšie a ignorovali by, respektíve by sa vôbec nestarali o to, že normálny mladý človek chce zo svojho hniezda vyletieť. Mnohé menej poslušné dcéry by sa odsťahovali do iného mesta. Do Londýna, alebo možno aj do Paríža. Maureen bola vo svete módy úspešná. Vlastniť dva obchody so svojím menom bolo v štyridsiatke naozaj úspechom. A ešte aké elegantné! Zvládala ich s ľahkosťou, v každom z nich mala dobrú manažérku, ktorej dala slobodu v rozhodovaní o bežných záležitostiach. Takto mohla Maureen slobodne nakupovať, vyberať alebo obedovať s elegantnými dámami, ktorých vkus sledovala, ba dokonca i formovala. Štyrikrát do roka chodila do Londýna a každú jar do New Yorku. Mala postavenie, o akom sa matke v tých zlých časoch, keď sa jedna druhej neboli schopné podívať do očí, ani nesnívalo. Netrvalo to dlho a v každom vzťahu sa predsa občas stáva, že na istý čas ochladne, vravela si Maureen. Nechcela na to však myslieť dnes, tak skoro po matkinej smrti.

Skutočne bolo veľmi rozumné, že žili oddelene, ale blízko. Vídavali sa skoro každý deň. Za celé tie roky, odkedy sa Maureen odsťahovala do svojho bytu, sa nestalo, aby k nej matka prišla neohlásene. Matke sa ani nesnívalo, aby neohlásene prepadla mladú ženu, ktorá môže mať návštevu a chce mať súkromie.

Úplne ináč však chodievala domov Maureen. Pre ňu neplatili žiadne obmedzenia. Maureen bola vždy vítaná, ale matka zariadila, aby sa Maureen dozvedela, že najvhodnejší čas zájsť si domov na pohárik sherry je pri konci bridžovej partie, keď môžu všetci poobdivovať jej elegantnú dcéru a ona im dokáže, ako sa dcéra o matku zaujíma a aká je jej oddaná.

V nedeľu sa teda vybrala do domu, v ktorom už nikdy nebude cez farebné mozaikové okienko vchodových dverí pozorovať matku, ako sa ľahkým krokom ponáhľa po chodbe otvoriť. Keď vchádzala do prázdneho domu, mala zvláštny pocit, pretože dnes nebudú okolo nej stáť ako opora jej milí priatelia a príbuzní. Matkina najlepšia priateľka, pani O'Haganová, Deirdrina matka, bola veľmi neodbytná, prosila Maureen, aby ich prišla pozrieť, zašla k nim na večeru a ponúkla jej, aby sa v o'haganovskom dome cítila ako doma.

Bolo to síce milé, ale nie to pravé. Maureen už nie je malá, preboha, veď už má svoje roky. Nezdalo sa jej vhodné, aby ju pani O'Haganová pozývala domov ako pred tridsiatimi rokmi, keď sa s matkou rozhodli, že Deirdre a Maureen by sa mali spriateliť.

Matka vždy veľmi dala na to, čo si Eileen O'Haganová myslí o tom či onom. Eileen s Kevinom boli jej najlepší priatelia. Vždy pozývali matku do divadla a na dostihy. Ale pokiaľ si Maureen pamätá, nikdy sa jej nepokúšali nájsť druhého partnera. Alebo možno áno. Možno o tom len nevedela.

Ako tak Maureen šla smerom k svojmu starému domu slnečnými ulicami, uvažovala, aké by to bolo, keby sa jej matka znova vydala. Čo by asi robil jej nevlastný otec – povzbudzoval by ju, alebo by bol proti tomu, že si chcela vybudovať kariéru v tom, čo ona volala módny priemysel a jej matka len prácou lepšej predavačky v obchode s handrami?

Koketovala matka niekedy s mužmi? Koniec koncov, ani Maureen sa v štyridsiatich šiestich rokoch necítila ešte stará na to, aby s niekým spávala, tak prečo by si mala myslieť, že jej matka nikoho nemala? Bolo to však niečo, čo im do života nikdy nezasiahlo.

Často sa rozprávali o Maureeniných známostiach a že ani jeden z jej známych nesplňa ich požiadavky. Nikdy však nehovorili o žiadnom mužovi pre matku.

Vošla do domu a trochu ju striaslo, pretože v rannej izbe, ako ju nazývala matka, nehorel oheň. Maureen zapla elektrický kozub a poobzerala sa okolo.

Pred dvoma týždňami v nedeľu tu našla matku bledú a znepokojenú. Znova mala bolesti, zrejme z nechutenstva, ale... Maureen konala rýchlo, opatrne posadila matku do auta a pokojne ju odviezla do nemocnice. Nemalo zmysel otravovať lekára a odtŕhať ho od nedeľných raňajok, povedala matke, pôjdeme na pohotovosť do nemocnice. Tam je stála služba a tam sa o ňu postarajú.

Matka, ktorá bola čím ďalej tým viac znepokojená, s ňou súhlasila, a vtedy Maureen s úzkosťou spozorovala, že matka hovorí akosi pomaly a nezrozumiteľne, slová sa jej zlievajú.

Okamžite ich vzali a o hodinu sa Maureen, ktorá čakala na chodbe pred intenzívkou, dozvedela, že matka má ťažkú porážku. Možno sa z toho už nedostane.

Matka sa síce zotavila, ale reč sa jej nevrátila; jej lesklé a horúčkovité oči očividne prosili, aby sa už toto utrpenie skončilo.

Jeden stisk ruky znamenal áno, dva nie. Maureen s ňou hovorila osamote.

„Bojíš sa, mama?"

Nie.

„Ale veríš, že sa z toho dostaneš, či nie?"

Nie.

„Chcem, aby si tomu verila, musíš. Nie, prepáč, na to, pravdaže, nemôžeš odpovedať. Ale chceš, aby ti bolo lepšie?"

Nie.

„Ale ja áno, mama, aj všetci tvoji priatelia, *my* chceme, aby ti bolo lepšie. Bože, ako sa mám spýtať na niečo, na čo mi môžeš odpovedať? Vieš, že ťa ľúbim? Veľmi, veľmi?"

Áno, a pohľad jej znežnel.

„A vieš, že si tá najlepšia mama na svete?"

Áno.

Potom už bola unavená a onedlho nato upadla do bezvedomia.

Priatelia, ktorí stáli v tejto izbe, v matkinej rannej izbe osvetlenej ranným slnkom, mali pravdu, keď prikyvovali a hovorili, že Sophie Barryová by ako invalid bola odkázaná na druhých. Bolo lepšie, že sa tej bolesti a pokory zbavila tak rýchlo.

Naozaj sú to len dva týždne od toho nedeľného rána? V mnohých ohľadoch mala pocit, akoby to bolo aspoň desať rokov.

Maureen rozbalila plastikové vrecia. Vedela, že väčšinu matkiných vecí môže pokojne vyhodiť, pretože nikto by nezhrabol a neobdivoval staré pamiatky na gavalierske bály spred rokov, alebo programy z dávno zabudnutých koncertov s nečitateľne naškriabanými podpismi účinkujúcich.

Nemala vnúčatá, ktoré by nad tým híkali. A Maureen sa vo svojom rušnom živote na ne ani nepozrie, veľa vecí bude treba vyhodiť.

Sadla si k malému starožitnému písaciemu stolíku. Mala by si ho vziať k sebe do haly. Bola to taká nepraktická vecička z dôb, keď si dámy krasopisne písali len denníčky alebo pozvánky. S dnešným svetom nemá nič spoločného. Pani O'Haganová bola prekvapená, že Maureen chce zostať vo svojom byte. Bola presvedčená o tom, že Sophie by si želala, aby ten dom zostal v rodine. Maureen však bola neoblomná. Bola príliš zaneprázdnená na to, aby sa zaoberala upratovaním domu, ktorý má toľko zaprášených kútov a puklín ako tento. Jej vlastný priestor bol robený na mieru so šatníkmi po celej dĺžke steny, štúdovňou s veľkými registračkami ako minikanceláriou, veľkou izbou, kde prijímala návštevy, kuchyňou s dobrým výhľadom na jedálenský stôl, aby sa mohla pri príprave jedla zhovárať s hosťami.

Nie, bolo by spiatočnícke sa presťahovať do tohto domu. Aj matka to vedela.

Najprv si prešla financie. Prekvapilo ju, aká bola jej matka v posledných rokoch nešikovná a dezorganizovaná. Bolo to smutné zistenie – matka si písala poznámky –, tu upomienka, tam žiadosť. Maureen by jej predsa ľahko vypracovala jednoduchý systém, taký, aký mala sama, a trvalo by to len päť minút – trvalý príkaz do banky, na základe ktorého by sa každý mesiac platila elektrina, plyn, poistenie... Ušetrila by si všetky tie posledné vôle a chaotické listy. Matka pôsobila omnoho organizovanejšie, než v skutočnosti bola.

Potom objavila nekonečnú korešpondenciu s maklérom. Tak ako celá jej generácia, aj matka verila, že bohatstvo sa meria cennými papiermi a akciami. Našla však len listy od makléra; matka nemala kópie svojich listov. Bol to úbohý príbeh zmätku a sklamania.

Keď Maureen prešla sériu odpovedí na zjavne nevrlé žiadosti o informácie a vysvetlenia, prečo sa akcie, o ktorých predsa každý vie, že boli výborné, zrazu rozplynuli, cítila sa unavená a smutná. Energicky napísala maklérovi, že matka zomrela, a požiadala ho, aby jej poslal podrobnosti o súčasnom stave portfólia. Želala si, aby do toho lepšie videla, ale matka mala istú hrdosť a hranice, ktoré sa nedali prekročiť.

Maureen si všetky listy, ktoré napísala, uložila do štíhlej diplomatky, aby ich doma neskôr skopírovala. Pán White, matkin advokát, jej už raz blahoželal k perfektnosti, želal by si, aby bolo viac mladých žien tak organizačne schopných ako ona, ale, samozrejme, keby nemala finančnícky mozog a zmysel pre administratívu, nikdy by nevybudovala taký podnik. Ukázala mu matkinu poslednú vôľu, jednoduchý dokument, ktorým všetko zanecháva svojej milovanej dcére Mary Catherine (Maureen) Barryovej z vďačnosti za všetky tie roky obetavej lásky a starostlivosti. Závet bol urobený v roku 1962. Ihneď potom, ako sa zmierili. Keď matka akceptovala, že Maureen sa nikdy nevzdá svojich životných plánov. Odo dňa, keď Sophie Barryová spísala svoju vďačnosť za jej obetavú lásku a starostlivosť, jej venovala ešte dvadsaťtri rokov. Zrejme by nikdy neverila, že po viac ako dvoch desaťročiach zostane Maureen slobodná a bude jej blízkou priateľkou.

Trvalo to dlhšie, ako predpokladala, a mala pri tom zvláštny pocit straty, úplne odlišný od trúchlenia na pohrebe. Akoby stratila ilúziu o matke ako o skoro dokonalej žene. Tento zmätok napchatý do zásuviek rozkošného písacieho stola svedčil o nevrlej starene, zmätenej a podráždenej. To nebola tá pokojná, krásna Sophie Barryová, ktorá ešte pred dvoma týždňami sedela ako kráľovná vo svojej trónnej sieni, teda vo svojej rannej izbe s vkusným zariadením. Maureen sa nepáčilo, že objavila túto matkinu stránku.

Urobila si kávu, aby si dodala energie, a rezolútne sa načiahla za ďalšou veľkou, hrubou obálkou. Pamätala si, ako jej matka hovorievala: „Maureen, dieťa moje, ak má robota za niečo stáť, treba ju robiť poriadne." Toto aplikovala na všetko, počnúc tým, že si dvakrát denne čistila tvár špeciálnym krémom a potom ju oplachovala ružovou vodou, a končiac tým, že si objednala ďalších šesť lekcií tenisu, aby na letných párty vyzerala lepšie. Nuž, keby ju matka videla teraz, pomyslela si Maureen, určite by povedala, že jej oddaná dcéra to robí poriadne.

Vôbec však nebola pripravená na papiere, ktoré našla v obálke označenej ako „advokát". Očakávala, že v nej nájde len niekoľko lepšie strážených záležitostí okolo akcií alebo dôchodkov, lenže listy pochádzali od úplne iného advokáta s dátumom spred štyridsiatich rokov. Bola to séria právnych dokumentov a všetky boli podpísané v roku 1945. A podľa nich Maureenin otec Bernard James Barry neumrel po vojne na vírus v Severnej Rodézii. Manžel Sophie Barryovej pred štyridsiatimi rokmi dezertoval. Opustil ženu a dieťa a žil s inou ženou v Bulawayo, vo vtedajšej Južnej Rodézii.

Maureen zistila, že podľa všetkého je jej otec ešte naživе, má okolo sedemdesiat rokov a býva v Bulawayo v Zimbabwe. Možno má aj nevlastných súrodencov, mužov a ženy, nie omnoho mladších ako ona. Žena opisovaná ako „manželka podľa zvykového práva" sa volala Flora Jonesová a pochádzala z Birminghamu v Anglicku. Maureen zrazu napadlo, že matka by možno povedala, že Flora je meno pre družičku.

V nedeľu doobeda nemávala vo zvyku naliať si niečoho ostrého. Maureen Barryová, vždy disciplinovaná, si uvedomovala, aké je nebezpečné popíjať osamote. Mala priveľa priateliek, ktoré do toho upadli, pretože na konci dlhého, ťažkého dňa si nemali s kým oddýchnuť. Naučila ju to matka, ako vlastne všetko. Matka tvrdila, že ak sa vdovy nedokážu dostatočne kontrolovať, zvyčajne skĺznu k chľastu. Vdovy – čo tým matka myslela, keď ju štyridsať rokov klamala? Ako si mohli byť blízke, keď vlastnej dcére nepovedala o najväčšej udalosti jej života? Ktorá žena by večne udržiavala mýtus o mužovi, ktorý mal byť pochovaný v zahraničí?

S ďalším zachvením, ktoré jej prešlo telom ako tlaková vlna po zemetrasení, si Maureen uvedomila, že jej matka, rozumná žena, chodila každý rok v máji na omšu za spásu duše Bernarda Jamesa Barryho, muža, ktorý bol ešte naživе, ak nie je naživе aj teraz, keď sa ona prehrabáva v týchto spisoch.

V kredenci našla fľašu írskej whisky. Maureen si pričuchla, pripomenulo jej to, ako ju kedysi dávno boleli zuby a matka jej na zmiernenie bolesti priložila na ďasno vatový tampónik napustený whisky. Tak veľmi ju matka milovala.

Maureen si riadne naliala dobrej írskej whisky, vypila ju a zaliali ju slzy.

To bola dávka na osamelý život, ktorý vedie, uvedomila si, nemá sa s kým porozprávať. Nemá priateľku, ktorej by mohla zavolať, ani domov, kam by mohla vtrhnúť a podeliť sa o tú zdrvujúcu novinu s rodinou. Intimity jej boli také vzdialené ako matke. Nemala muža, ktorý by jej bol natoľko blízky, aby sa mu zdôverila. Jej kolegyne nevedeli o jej súkromnom živote nič. Matkine priateľky... och, áno... tie by to zaujímalo. Moja, moja, počúvala by u O'Haganovcov, keby vyšla s tou novinou.

Flora. Flora Jonesová. To meno bolo ako vystrihnuté z hudobnej komédie. A teraz predstavujeme slečnu Floru Jonesovú, Carmen Mirandu nášho mesta. Našla tu rozvodové listiny a kópie listov od matkinho právnika, ktoré donekonečna opakovali nielen to, že rozvod je v Írsku zakázaný a jeho klientka je pravoverná rímska katolíčka, ale aj to, že problém je niekde inde, zjavne v peniazoch. Maureen neveriacky listovala v dokumentoch... starostlivo usporiadaných – to bola mladšia, silnejšia matka, ktorá sa pred štyridsiatimi rokmi ovládala lepšie, zranená a urazená, ale rozhodnutá, že z chlapa, ktorý ju zradil, vytlčie aj posledné penny. Musí jej zaplatiť. Sumu, ktorá by sa aj v dnešných peniazoch pokladala za zdrvujúcu. Advokát Bernarda Jamesa Barryho v Bulawayo napísal advokátovi pani Sophie Barryovej v Dubline, že jeho klient si želá previesť väčšinu svojich akcií v prospech svojej manželky a staršej dcéry. Jeho klient, pán Barry, mu oznámil, že ako už pani Barryová iste vie, má so slečnou Florou Jonesovou druhú dcéru, dcéru, ktorej narodenie chce čo najskôr legalizovať.

Matkina odpoveď na to bola úplne mimoriadna, napísaná presne tým štýlom, akým matka hovorila. Keď Maureen čítala tie slová, akoby počula matkin hlas. Doslova počula matkin hlas, pomalý, odmeraný, artikulovaný, mladší, ako si ho pamätala.

„... keďže chápeš, že nikdy nemôžem pristúpiť na rozvod, pretože je to proti pravidlám cirkvi, ku ktorej obaja patríme, nemôžem akceptovať Teba a Tvoje konanie v cudzom štáte. Tento list Ti píšem bez vedomia advokáta, ale myslím, že ho aj tak pochopíš. Prijala som Tvoje vyrovnanie s Maureen a so mnou a nepoženiem Ťa pred nijaký súd ani pod žiadnu jurisdikciu. Úplne sa ma však zbavíš len a len vtedy, keď sa už nikdy nevrátiš do Írska. Vyhlásim Ťa za mŕtveho. Dnes máme 15. apríla. Ak mi vrátiš tento list so sľubom, že sa už nikdy viac nevrátiš do Írska, budem tvrdiť, že si 15. mája umrel v cudzine na vírus.

Ak ten sľub niekedy porušíš, alebo ak sa pokúsiš dostať sa nejakým spôsobom do styku s Maureen, aj keď už bude právne dospelá, uisťujem Ťa, že to do konca svojho života budeš ľutovať..."

Takto sa rozprávala matka s obchodníkom, ktorý sa jej nejakým spôsobom dotkol, alebo s remeselníkom, s ktorého prácou nebola spokojná.

Ten muž v Bulawayo, muž, ktorého Maureen štyridsať rokov pokladala za mŕtveho, jej podmienky prijal. Vrátil jej list, ako mu prikázala. Malou spinkou s perleťovou hlavičkou bola k nemu pripichnutá pohľadnica. Sépiovohnedý obrázok hôr a savany.

Na pohľadnici bolo napísané: „Zomrel som na vírus 15. mája 1945."

Maureen klesla hlava na matkin písací stôl a rozplakala sa, srdce jej trhalo na kúsky.

Neuvedomila si, ako čas letí. Keď pozrela na hodiny, ani nevidela dobre ručičky. Bolo štvrť na tri alebo možno o päť minút štvrť na štyri. Bolo svetlo, takže bol deň.

Do domu prišla okolo desiatej, poludnie ešte vnímala, takže v tomto polotranze je už zrejme viac ako dve hodiny.

Pocítila, ako jej v žilách opäť začína prúdiť krv. Ak by niekto nazrel oknom rannej izby, uvidel by vysokú, tmavovlasú ženu, ktorá vyzerá omnoho mladšie než na štyridsaťšesť, s rukami okolo pása svojich elegantných, tmavomodro-ružových vlnených šiat.

V skutočnosti si Maureen opačnou rukou stískala lakte a fyzicky sa pokúšala udržať si po tom šoku telo pokope.

Strašne sa hnevala na matku, pretože toho muža doslova vykázala z jej života a vyhrážala sa mu pre prípad, že sa spojí so svojou vlastnou krvou. Priam horela hnevom, pretože ak jej matka toto tajomstvo úspešne držala v sebe tak dlho, prečo, preboha, nezničila dôkazy?

Keby Maureen nenašla tie papiere, nikdy by sa to nedozvedela. Vo svete, ktorý si vybudovala, by sa cítila omnoho šťastnejšie, bezpečnejšie a istejšie.

Prečo len bola jej matka taká nedôsledná a krutá? Musela tušiť, že Maureen tieto dôkazy raz nájde.

Matka, samozrejme, vedela, že Maureen ju nezradí. Maureen by to do konca života zatĺkala.

Ako čert. Ako posraný čert.

Zrazu jej napadlo, že si s celou tou fraškou môže robiť, čo chce. Ona nebola zapletená do melodramatických sľubov o záhadnej smrti. Ona predsa nesľúbila, že sa s ním nespojí, a teda sa nemusí báť ani žiadneho strašného trestu.

Prisámbohu ho nájde, alebo Floru, a možno i nevlastnú sestru.

Prosím, prosím, Bože, nech sú nažive. Keby tak mohla vyhľadať otca podľa týchto chabých dokumentov. Posledný z nich pochádzal z roku 1950 a potvrdzoval konečný prevod akcií.

Bože, prosím, nech je ešte nažive. Sedemdesiatka predsa nie je až taký vysoký vek.

Pustila sa do práce s akousi kontrolovanou šialenou energiou, ktorú nepoznala od tej noci, keď organizovala svoju prvú veľkú prehliadku spojenú s predajom, keď boli hore skoro celú noc a vo vzorkovni značkovali šaty, znova ich katalogizovali a odhadovali príjmy za nasledujúci deň.

Tentoraz, pri preberaní matkinej pozostalosti, rozmýšľala v iných kategóriách. Objavila dve škatule, do ktorých uložila prvé fotografie a pamiatky na seba ako dieťa.

Ak by toho muža našla, ak by ten muž mal nejaké srdce, určite by rád videl, ako vyzerala na prvom prijímaní, v hokejovom drese alebo na prvom plese.

Položky, ktoré by sa mali dôkladne roztrhať a zničiť, plnila teraz do škatúľ s označením „pamiatky".

Triedila, usporadúvala a upratovala až do úmoru. Potom pozbierala vrecia, v ktorých bolo ozajstné smetie, poskladala šaty a ostatné veci, ktoré chcela venovať charite Vincent de Paul, a objednala si taxík, aby si škatule s pamiatkami odviezla domov.

Už nebolo zásuvky, ktorú by nebola vypratala a vyčistila. Väčšina obyčajného kuchynského zariadenia pôjde k pani O'Neillovej, ktorá matke roky upratovala. Jimmy Hayes, ktorý sa staral o záhradu, môže dostať kosačku a záhradkárske náradie, ktoré bude chcieť. Maureen mu napísala list, v ktorom ho žiadala, aby si vzal aj všetky kvety, ktoré má rád, a aby ich rýchlo odpratal. Teraz už bola rozhodnutá, že dom musí ísť do dražby, podľa možnosti hneď.

Položila ruku na malý písací stolík. Na ten, ktorý si chcela odniesť do haly svojho vlastného bytu. Potľapkala ho a vyhlásila: „Nie." Už ho nechce. Nechce odtiaľ nič.

Taxikár jej pomohol so škatuľami. Keďže bol zvedavý, povedala mu, že odpratávala matkine veci. Veľmi ho to dojalo.

„Nie je to teraz smutné, že nemáte nikoho, kto by vám s tým pomohol?" povedal.

Toto často počúvala v rôznych formách, napríklad, to je čudné, že pekné dievča ako ona sa nikdy nevydalo a neusadilo.

„Och, otec by to urobil, ale je preč, ďaleko," utrúsila.

Spomenula otca. Nezaujímal ju taxikárov prekvapený pohľad, ani to, že je zvláštne, aby bol otec ďaleko, keď matka zomrela.

Mala pocit, že keď ho spomenie, znova sa jej vráti.

Po kúpeli, v ktorom strávila celú večnosť, sa cítila lepšie, ale pochytil ju príšerný hlad. Zavolala Walterovi.

„Viem, že som veľmi sebecká a doslova ťa zneužívam, takže mi môžeš pokojne povedať nie, ale nepoznáš nejakú príjemnú reštauráciu, ktorá by bola otvorená aj v nedeľu večer? Rada by som večerala vonku."

Walter jej povedal, že to je ten najlepší nápad na svete, že on sa práve trápi s príšerne nudným posudkom, ktorý buď nemá žiadne riešenie, alebo ich ponúka tisíce, a jedno problematickejšie ako druhé. Rád by od toho ušiel.

Sedeli spolu pri sviečkach a objednali si dobré jedlo a víno.

„Vyzeráš, akoby si mala teplotu," začal znepokojene Walter.

„Priveľa vecí ma trápi."

„Viem, dnes musíš byť veľmi vyčerpaná," povedal.

Oči jej tancovali po stole. Ešte nikdy nevyzerala tak dobre, pomyslel si.

„Viem, že teraz na to nie je práve najvhodnejší čas, na to vlastne nikdy nebude vhodný čas, ale mohla by si porozmýšľať o..."

„Áno?"

„Nuž, či by sme nešli spolu na dovolenku, niekam, kam by sme obaja chceli, raz si povedala, že by si chcela ísť do Rakúska."

„V Rakúsku nie je rybačka, Walter," usmiala sa naňho.

„Zrejme tam nie sú ani veľtrhy módy, ale napriek tomu, tak na dva týždne, čo myslíš?"

„Nie, Walter, zbláznili by sme sa jeden z druhého."

„Nemusíme byť predsa stále spolu."

„A musíme spolu bývať?" usmiala sa naňho zoširoka.

„Niečo ti behá po rozume," povedal dotknuto a ustarane.

„Áno, behá, ale teraz ti to nemôžem povedať. Ale dnešok si, prosím ťa, zapamätaj, aj to, že ti chcem niečo povedať. Čoskoro."

„Kedy?"

„Neviem. Čoskoro."

„Je v tom nejaký muž? Viem, že to znie veľmi staromódne, ale ty na to teraz vyzeráš."

„Nie, žiaden muž. Aspoň nie v tom zmysle. Poviem ti to, nikdy som ti predsa neklamala, a keď ti to poviem, pochopíš."

„Už sa neviem dočkať," vyhlásil.

„Viem, ani ja nie, chcela by som, aby sa pracovalo aj v nedeľu, prečo v nedeľu nikto nepracuje?"

„My pracujeme v nedeľu," posťažoval sa Walter.

„Áno, ale nie úrady, nikde na svete, Boh ich skáral."

Vedel, že nemá význam sa ďalej vypytovať, aj tak mu nič nepovie. Naklonil sa a vzal ju za ruku.

„Myslím, že ťa ľúbim, keď ťa teraz nechám odísť s tým tvojím tajomstvom."

„Och, choď dočerta, Walter, samozrejme, že ma neľúbiš, ani trochu, ale si výborný kamarát a som si istá, hoci nemám v úmysle to zisťovať, že si určite riadne číslo aj v posteli."

Práve vtedy k nim prišiel čašník, práve včas, aby začul Maureenin extravagantný kompliment a Walterovi zabránil, aby jej ho vrátil.

Trochu si pospala, ale nie dlho. O šiestej už bola hore, osprchovaná a oblečená. Časový posun je asi tri hodiny. Najprv zavolá na medzinárodné informácie a dá im staré číslo. Dúfala, že sa to nebude dlho ťahať. Bola už taká netrpezlivá, že bola schopná sa spýtať aj Waltera, či neexistuje nejaký medzinárodný zoznam advokátov z celého sveta, ktorý by si preštudovala, ale nie, musela by uvádzať podrobnosti, nielen narážky; povie mu to neskôr. Zaslúži si to. Ešte sa nerozhodla, čo povie ľuďom, keď nájde svojho otca; ak ho vôbec nájde.

Nebolo to také ťažké, ako sa obávala. Bolo to síce asi dvadsaťkrát drahšie ako normálny telefonát, ale to ju teraz netrápilo.

Firma v Bulawayo už neexistovala, ochotní operátori jej vymenovali ďalších advokátov, až napokon zistila, že pôvodná spoločnosť sa presunula do Južnej Afriky. Hovorila s ľuďmi z miest, na ktoré by si nikdy nespomenula, hoci tie názvy poznala... Bloemfontein, Ladysmith, Kimberley, Queenstown.

V Pretórii natrafila na jedno z mien, ktoré boli uvedené v listinách. Maureen Barryová bola odmeraná.

Vysvetlila, že matka jej zomrela a že jej posledným želaním bolo, aby sa Maureen spojila so svojím otcom: koho by sa mala spýtať?

Neexistuje spis, ktorý by sa držal otvorený štyridsať rokov, povedal jej ten muž.

„Ale dúfam, že ste ho nevyhodili. Právnici zvyčajne nič nevyhadzujú."

„Nemôžete sa spýtať tam u vás?"

„Pýtala som sa, nevedia nič, povedali mi, že firma sa zmenila, a je pravda, že všetky dokumenty odovzdali mojej matke, ktorá ich o to požiadala. Mám to vraj skúsiť u vás."

Mal príjemný hlas, napriek svojmu prízvuku a spôsobu, ako hovoril *véžne* namiesto vážne, a pokúšal sa vymyslieť, ako tomu čo najskôr urobiť *konec* namiesto koniec.

„Úplne chápem, že je to práca pre profesionála, myslím to vyšetrovanie v mojom mene, a som pripravená za váš čas a odbornosť zaplatiť skutočne profesionálnu cenu," povedala Maureen. „Želáte si, aby som s vami rokovala prostredníctvom svojho advokáta, aby sme tomu dali formálnejší základ?"

„Nie, myslím, že ste človek schopný konať sám za seba."

Počula, ako sa na druhom konci sveta ten chlap zasmial, chlap, s ktorým sa nikdy nestretne, v štáte, kam nikdy, vďaka jeho politike, nepôjde (ani nikto z jej známych). Matka sa raz dala počuť, že jej je veľmi ľúto tých bielych, ktorí sa museli vzdať svojich privilégií a krásnych domovov. Nepochodila. Matka však nebola hlúpa, a tak sa touto cestou už viac nevydala.

Povedal, že jej čoskoro zavolá.

„Myslím, že ani netušíte, ako veľmi dúfam, že to naozaj bude čoskoro."

„Tuším," povedal tým svojím zvláštnym, hltavým akcentom. „Keby som ja prišiel o jedného rodiča a mal nádej nájsť toho druhého, aj mne by bolo tak naponáhlo."

Ani si neuvedomila, a bola tu streda. Ten chlap z Pretórie jej zavolal v stredu o ôsmej ráno a dal jej adresu advokátskej firmy v Londýne.

„Je mŕtvy, alebo žije?" spýtala sa a s rukou na hrdle čakala na odpoveď.

„To mi nepovedali, vážne mi to nepovedali," vravel ľútostivo.

„A oni to budú vedieť?" žobronila.

„Oni budú schopní doručiť správu každému."

„Naznačili to?"

„Áno. Naznačili."

„Čo?"

„Že je naživе. Že budete hovoriť s vedúcim, ktorý to má na starosti."

„Neviem, ako vám mám poďakovať," bola v rozpakoch.

„Ešte ani neviete, či mi máte za čo poďakovať."

„To vám poviem. Zavolám."

„Radšej napíšte, na telefón ste už minuli akurát dosť. Alebo ma príďte pozrieť."

„Nemyslím, že prídem, načo by to bolo dobré? Aká ste vy vlastne veková kategória?"

„Nehovorte tak. Mám šesťdesiattri rokov, som vdovec a v Pretórii mám nádherný dom."

„Boh vám žehnaj," povedala.

„Dúfam, že žije, a prajem vám všetko dobré," povedal jej ten zvláštny chlap z Južnej Afriky.

Hodinu a pol čakala, kým dostala k telefónu muža z londýnskej advokátskej kancelárie.

„Neviem, prečo s tým idete práve za mnou," povedal trochu podráždeným tónom.

„Ani ja neviem," priznala sa Maureen. „Ale pôvodná dohoda znela, že kým matka žije, otec sa so mnou nesmie spojiť. Viem, že to znie ako z Andersenovej rozprávky, ale je to tak. Môžete mi venovať dve minúty, len dve minúty? Ja vám to vysvetlím rýchlo, v obchodných rozhovoroch mám prax."

Anglický advokát pochopil. Povedal, že zostanú v spojení.

Maureen začala rýchlosti právnickej mašinérie veriť omnoho väčšmi ako kedy predtým. Walter jej rozprával o meškaniach a odkladoch a ona zas na vlastnej koži poznala nekonečné diskusie so zákazníkmi o zmluvách. Ale naraz, uprostred najdôležitejšej udalosti jej života, narazila na dve právnické firmy, ktoré zrejme pochopili jej náhlenie. Vycítili jej netrpezlivosť a reagovali na ňu. Vo štvrtok večer si skontrolovala odkazovač, ale nebolo na ňom nič okrem milého pozvania matkinej priateľky pani O'Haganovej, aby k nim kedykoľvek zašla na pohárik sherry, ako kedysi so svojou úbohou matkou. A ešte tam bol odkaz od Waltera, ktorý chcel ísť na víkend do západného Írska, kde ho čaká hromada nádherných prechádzok a dobrého jedla, hovoril, a rybačka. A keby si to Maureen rozmyslela, rybačka by ani nemusela byť.

Zasmiala sa. Bol to fajn kamarát.

Začula aj dve šťuknutia, keď niekto zavesil a nenechal odkaz. Bola nepokojná a hnevala sa sama na seba. Ako môže čakať, že tí ľudia budú konať tak šikovne? A keby aj *bol* otec nažive a v Anglicku, ako to teraz vyzeralo... zrejme sa nebude chcieť s ňou spojiť, alebo on áno a Flora alebo jeho dcéra nie. Zrazu si uvedomila, že má možno i ďalšie deti.

Premávala sa po byte, merala po dĺžke obývačku a objímala si ramená. Nespomína si, že by niekedy bola takáto, neschopná sa na nič sústrediť.

Zrazu zazvonil telefón. Skočila k nemu a váhavo sa ozvala.

„Je tam Maureen Barryová?"

„Áno," vydýchla.

„Maureen, tu je Bernie," ozval sa ten hlas. Nastalo ticho, akoby zúfalo čakal, čo povie.

Nebola schopná hovoriť. Nedostala zo seba ani slovo.

„Maureen, povedali mi, že sa so mnou pokúšaš spojiť, ak to nie je pravda..." Skoro zavesil.

„Ty si môj otec?" šepla.

„Dnes som už síce starý, ale áno, býval som tvojím otcom," povedal.

„Tak potom stále si." Snažila sa, aby jej hlas znel ľahšie. Dobre urobila, pretože počula, ako sa zasmial.

„Už som volal," vyhlásil. „Ale mala si tam len tú mašinu, na ktorej máš taký oficiálny hlas, že som sa ani neozval a zavesil som."

„Viem, mali by nás za to vešať," povedala. Aj teraz to padlo dobre, upokojil sa.

„Ale volal som znova, len aby som ťa počul, a pomyslel som si: to je Maureen, skutočne je to jej hlas."

„A páčil sa ti?"

„Nie tak veľmi ako teraz, keď spolu hovoríme. Naozaj spolu hovoríme?"

„Áno, naozaj."

Zavládlo ticho, ale nie ťaživé, akoby sa obaja chystali na ten zvláštny rituál – hovoriť spolu.

„Chcel by si sa so mnou stretnúť?" spýtala sa.

„Nič by som si neželal viac. Ale budeš môcť prísť do Anglicka a vyhľadať ma? Som už trochu slabý, nemôžem prísť za tebou do Írska."

„To nie je problém. Prídem tak skoro, ako len chceš."

„To však už nebude ten Bernie, ktorého si kedysi poznala."

Pochopila, že chce, aby ho volala Bernie, a nie otec. Matka sa o ňom vždy vyjadrovala ako o úbohom Bernardovi.

„Ja si ťa aj tak nepamätám, Bernie, a ty si ma poznal len veľmi krátko, takže ani pre jedného z nás to nebude šok. Mne už ťahá na päťdesiatku, som žena v stredných rokoch."

„Prestaň, prestaň."

„Nie, fakt, nie som síce šedivá, pretože som si ustanovila veľmi pravidelné styky s kaderníkom..." Mala pocit, že brble.

„A Sophie... povedala ti... predtým než..." zaváhal.

„Pred dvoma týždňami umrela... Bernie... mala porážku, bolo to rýchle a nikdy by sa z toho nezotavila, bolo to to najlepšie..."

„A čo ty...?"

„Ja sa mám fajn. Ale čo keby som ťa prišla pozrieť, kedy mám prísť? A čo Flora a tvoja rodina?"

„Flora je mŕtva. Umrela, hneď ako sme odišli z Rodézie."

„To je mi ľúto."

„Áno, bola to úžasná žena."

„A deti?" Maureen cítila, že je to výnimočná konverzácia. Znela tak normálne ako chod mlyna, a predsa hovorila s otcom, s mužom, o ktorom si štyridsať rokov myslela, že je mŕtvy.

„Mám len Catherine. Je v Štátoch."

Maureen sa napodiv potešila.

„Čo tam robí, pracuje, alebo je vydatá?"

„Nie, ani jedno, ani druhé, je tam s tým svojím rockerom, žije s ním už osem rokov. Vždy sa motá tam, kde je aj on, aby mu vytvorila nejaký ten domov, hovorí, nič iné ju neláka. Je s ním šťastná."

„Takže je šťastná," ozvala sa Maureen bezmyšlienkovite.

„Áno, je, nemyslíš? Nikomu tým neubližuje. Hovoria o nej, že je stratená existencia, ale ja si to nemyslím, myslím, že vyhrala, ak získala to, po čom vždy túžila, a nikomu tým neublížila."

„Kedy ťa môžem prísť pozrieť, Bernie?" spýtala sa.

„Och, čím skôr, tým lepšie, najlepšie hneď," povedal.

„Kde si?"

„Verila by si, že v Ascote?" spýtal sa.

„Zajtra prídem," povedala.

Skôr než odišla, prebrala si rýchlo poštu. Domov jej nechodievalo nič, čo by malo niečo do činenia s prácou, úradná pošta bola vždy adresovaná do podniku. Bolo tam niekoľko účtov, obežníkov a list, ktorý vyzeral ako pozvánka. Od Anny Doylovej, najstaršej z detí Deirdry O'Haganovej – formálna pozvánka na striebornú svadbu rodičov s poznámkou, že sa ospravedlňuje za ten absurdný predstih, ale potrebovala by vedieť, kto všetko bude môcť prísť. Prosí Maureen, aby jej dala vedieť.

Maureen na to hľadela, akoby to ani nevnímala. Čo bola strieborná svadba v porovnaní s tým, do čoho sa pustila ona? Len veľmi maličký míľnik. Teraz sa nebude zaoberať tým, či tam pôjde, alebo nie.

Bol to veľmi pohodlný domov dôchodcov, Bernard James Barry odišiel z tých kolónií naozaj štýlovo, pomyslela si Maureen. Na Heathrowe si prenajala auto a viezla sa na adresu, ktorú jej dal.

Preventívne zavolala do domova a spýtala sa, či jej príchod nebude príliš veľkou záťažou pre otca, ktorý, ako tvrdil, má ťažkú reumatickú artritídu a zotavuje sa zo slabého infarktu.

Povedali jej, že sa teší dobrému zdraviu a netrpezlivo ju očakáva.

Mal na sebe sako s akýmsi farebným znakom, starostlivo uviazanú kravatu a vyzeral ako dokonalý džentlmen, zľahka opálený, s hustou hrivou šedivých vlasov, paličkou a pomalou chôdzou, ale v každom ohľade ako muž, s ktorým by sa matka v Dubline veľmi rada bavila. Mal úsmev, ktorý človeku až trhal srdce.

„To je vplyv Egona Ronaya, Maureen," povedal, keď ho pobozkala. „Myslel som, že by sme si mohli vyjsť a niekde sa pri tej príležitosti naobedovať."

„Bernie, ty si chlap podľa môjho gusta," vyhlásila.

A skutočne to bol chlap podľa jej gusta. Neodprosoval ani sa neospravedlňoval. V živote má človek tak málo príležitostí, aby bol šťastný, že neodsudzoval ani dcéru Catherine, že využila tú svoju, ani Sophiu, že ju hľadala v postavení, jeho to jednoducho nemohlo vyviesť z miery.

O Maureen vedel všetko. Kým žil Kevin O'Hagan, nikdy s ním nestratil kontakt. Kevinovi písal do klubu a vypytoval sa, čo je nové s jeho malým dievčatkom. Ukázal Maureen zošit s výstrižkami, ktorý si viedol, boli v ňom výstrižky z novín o Maureeniných obchodoch, fotografie vystrihnuté zo spoločenských časopisov, na ktorých bola Maureen na plese či na recepcii. A mal aj fotografie Maureen s Deirdrou O'Haganovou vrátane tej v družičkovských šatách.

„Veril by si tomu, že tento rok budú mať striebornú svadbu?" trhlo Maureen pri pohľade na veľmi neelegantné svadobné šaty z roku 1960. Ako sa len mohli vtedy tak hrozne obliekať, vari sa ten jej zmysel pre obliekanie vyvinul až neskôr?

Pán O'Hagan mu pravidelne písaval, až kým sa mu jedného dňa nevrátil list z klubu s poznámkou, z ktorej sa Maureenin otec dozvedel o smrti svojho priateľa. Kevin dbal na to, aby sa v jeho dome nenašiel žiaden dôkaz o tejto korešpondencii, sčasti i preto, že Bernarda Barryho už oplakali ako mŕtveho.

Navonok sa rozprávali pokojne, ako dvaja priatelia, ktorí majú veľa spoločného.

„Mala si nejakú veľkú lásku, ktorú si nenasledovala?" spýtal sa jej, keď si upil brandy. V sedemdesiatke už má človek nárok na nejaký ten luxus, hovoril.

„Ani nie, žiadna veľká láska," povedala neisto.

„A niečo, čo mohla byť veľká láska?"

„Raz som si to aj myslela, ale mýlila som sa, to by nikdy nefungovalo. Oboch by nás to len hatilo, boli sme príliš odlišní, v mnohých ohľadoch by to bolo nemysliteľné." Keď to Maureen hovorila, vedela, že teraz hovorí ako jej matka.

Nebolo pre ňu ťažké povedať otcovi o Frankovi Quigleym, o tom, ako veľmi ho ľúbila, keď mala dvadsať a myslela, že jej roztrhne telo i dušu. Vôbec jej nepadlo zaťažko použiť tieto slová, hoci ich dovtedy ešte nikdy nevyslovila.

Povedala mu, ako robila všetko, len aby sa s Frankom v to leto vyspala, a na konci sa stiahla nie preto, že sa bála, aby neotehotnela, ale jednoducho preto, že vedela, že sa už nemôže angažovať viac, ako sa angažovala, pretože on do jej života nikdy patriť nebude.

„A na to si prišla sama, alebo ti to povedala Sophie?" spýtal sa nežne, neobviňoval ju.

„Och, sama, bola som o tom presvedčená. Myslím, že sú dva typy ľudí – my a oni. A Frank bol jednoznačne oni. Aj Desmond Doyle, ale Deirdre O'Haganovej sa akosi podarilo z toho dostať. Pamätám si, že na tej svadbe sme sa všetci tvárili, že Desmondova rodina pochádza z nejakého statku na západe, a nie z chatrče pod kopcom."

„Celkom sa z toho však nedostala," povedal Maureenin otec.

„To máš od pána O'Hagana?"

„Tak trochu. Myslím, že ja som bol jediný, s kým o tom mohol hovoriť, kto s tým nič nemal a nikdy mať nebude."

Maureen mu porozprávala, ako Frank Quigley nepozvaný prišiel do Dublinu na jej birmovku. Ako postával vzadu a výskal a vykrikoval, keď jej odovzdávali listinu.

Potom prišiel k nim domov. Bolo to hrozné.

„Sophie ho vykázala z domu?"

„Nie, veď poznáš matku, to by neurobila, ona ho len dusila tou svojou láskavosťou, bola očarujúca... ‚Och, a povedz mi, Frank, keď prídeme do Westportu, predstavíš nás svojej rodine?'... veď to poznáš."

„Poznám," zosmutnel.

„A Frank sa začal správať čoraz horšie a horšie, zdalo sa, že všetko, čo robí, robí z neho len väčšieho proletára a hrubšieho nevychovanca. Pri večeri si vytiahol hrebeň a začal sa česať, vieš, pozeral sa do toho zrkadielka na kredenci. Och, a kávu si miešal, akoby chcel lyžičkou prevŕtať šálku. Zabila by som ho a zabila by som aj seba, že ma to tak trápi."

„A čo hovorila tvoja matka?"

„Och niečo také ako ‚bude ti stačiť cukor, Frank? Alebo chceš radšej čaj?' Vieš, bola príšerne zdvorilá, ani len náznakom nedala najavo, že niečo nie je tak, ako má byť, ak si na to nedošiel sám."

„A potom?"

„Potom sa chichúňala. Povedala, že bol veľmi milý, a smiala sa."

Zavládlo ticho.

„A ja som s ňou súhlasila," vyhlásila Maureen vážne. „Nemôžem povedať, že by ho priam vyhodila, nevyhodila ho, vstup do svojho domu ona nikdy nikomu nezakázala, dokonca sa naňho aj z času na čas s úsmevom vypytovala, bolo to, akoby sme akýmsi omylom pozvali na večeru chudáka Jimmyho Hayesa, ktorý sa nám staral o záhradu. A ja som s tým súhlasila, pretože som súhlasila s ňou, rozmýšľala som tak ako ona."

„A potom si to ľutovala?"

„Sprvu ani nie, bol to taký nevychovanec, hovoril, že sme tie najsnobskejšie beštie pod slnkom, a skoro sa mu podarilo dokázať, že matka má pravdu, že vlastne ja mám pravdu. Povedal, že on mi ukáže a raz ho budú prijímať v najväčších domoch v krajine a jedného dňa moja tvrdohlavá stará mater a ja obanujeme, že sme ho do toho nášho skurveného domu neprijali. To bol jeho spôsob vyjadrovania."

„Nezraniteľný," súhlasil otec.

„Áno, áno, samozrejme. A samozrejme sa *stal* obchodníckym princom a Deirdre O'Haganová sa vydala za jeho rovnako ignorantského a nepriateľného najlepšieho priateľa... takže mal pravdu. Jeho čas prišiel."

„A je šťastný?"

„Neviem, myslím, že nie. Alebo možno áno, ako jarné vtáča. Neviem."

„Si zlatá, Maureen..." povedal zrazu otec.

„Nie, nie som, som veľmi hlúpa, už veľmi dlho som hlúpa. Nikomu by som neublížila, ak mám použiť tvoje slová, vôbec nikomu by som tým neublížila, keby som vtedy, keď som mala dvadsaťjeden, povedala matke, že som bola s Frankom, modrá krv sem, modrá krv tam."

„Možno si jej len nechcela ublížiť, vieš, ja som ju nechal, a ty si asi nechcela, aby sa jej to stalo znova."

„Ach, lenže ja som nevedela, že si ju nechal, myslela som si, že si chytil nejaký škaredý vírus a zomrel."

„Prepáč," povedal skrúšene.

„Ja som rada, ty starý diabol," povedala. „Nikdy v živote som nebola taká šťastná."

„Ale choď, ja som už starý chlap, zrelý na vozík."

„Prišiel by si bývať ku mne do Dublinu?" spýtala sa.

„Nie, nie, najdrahšia moja Maureen, neprídem."

„Nemusíš byť v domove, si zdravý ako ryba. Postarám sa o teba, nie u matky v dome, pôjdeme niekam inam. Nájdeme si niečo väčšie ako môj bytík."

„Nie, sľúbil som to tvojej matke."

„Lenže ona je už mŕtva a ty si sľub dodržal, kým bola naživе."

Oči mu posmutneli.

„Nie, v takejto veci existuje určitá česť, začali by ju prehodnocovať, veď vieš, preberať všetko, čo kedy povedala, a tým by som ju len zhodil. Vieš, čo tým myslím."

„Viem, ale ty si bol v určitom zmysle až príliš čestný, to ona ti nedala šancu, aby si sa stýkal s vlastnou dcérou, a mne ju tiež nedala, nebola k nám férová. Až donedávna som si myslela, že si mŕtvy."

„Ale na konci ti to predsa povedala," vyhlásil Bernie so šťastným výrazom v tvári.

„Čo?"

„Nuž, aspoň ti povedala, že chce, aby si ma našla. Viem to od advokátov. Keď vedela, že umiera, chcela ti dať šancu znova sa so mnou stretnúť."

Maureen si zahryzla do pery. Áno, to tvrdila na začiatku, keď začínala pátrať v Bulawayo.

Prizrela sa otcovi bližšie.

„Musím povedať, že ma to dojalo a potešilo. Myslel som si, že je úplne nezmieriteľná. Kevin O'Hagan mi povedal, že každý rok ste za mňa slúžili výročnú omšu."

„Áno," súhlasila Maureen, „čoskoro bude zas."

„Takže robila niečo, čo nemusela, dlhujem jej to, aby som sa nevracal a nerušil jej spomienky. Aj tak, dieťa, odkedy Kevin zomrel, už tam nikoho nepoznám a bol by som pre nich len kuriozitou. Nie, zostanem ja len tu, páči sa mi tu, a ty ma z času na čas navštíviš, a príde za mnou aj tvoja sestra Catherine a jej mladý a bude mi fajn."

Oči sa jej naplnili slzami. Nikdy mu nepovie, že matka ju za ním neposlala, nechá ho v tom, pomyslela si, keď sa naňho dívala, ako tam sedí pri západe slnka a myslí na to, ako mu bude fajn.

„Tak si teda budem vymýšľať množstvo výhovoriek, aby som ťa mohla navštevovať, možno si v Ascote otvorím aj obchod, tu alebo vo Windsore. Vážne."

„Pravdaže otvoríš, a pôjdeš Kevinovej dcére na striebornú svadbu. Nebola by to ďalšia dobrá výhovorka?"

„Nemala by som tam chodiť. Frank Quigley bol družbom, vieš, bude to akési stretnutie po rokoch, na ktoré prídu všetci, čo tam boli vtedy, a budú vyťahovať staré spomienky."

„A nie je to o dôvod viac, aby si tam šla?" spýtal sa Bernie Barry, opálený muž s iskrou v oku, ktorý sa na služobnej ceste pred štyridsiatimi rokmi zamiloval a mal odvahu sledovať svoju hviezdu.

7 Frank

Nikdy nevedel pochopiť, prečo má z cestovania každý také nervy. Frank bol rád, keď mohol nasadnúť do svojho auta a vydať sa na sto i viacmíľovú cestu po diaľnici za mestom. Mal pocit voľnosti a dobrodružstva. Tešil sa aj na obyčajné výstavy spoločného stravovania, ktorých už absolvoval tucty. A prečo nie? Ako často hovorieval, nie každý sa vozí v Roveri, v tohtoročnom modeli so zabudovaným stereorádiom, ktoré tento elegantný, pohodlný svet vypĺňalo hudbou. Alebo, ak mal náladu, *taliančinou pre obchodníkov.* Nikto v Palazzo Foods netušil, že keď sa pred Frankom Quigleym rozprávalo po taliansky, rozumel každé slovo. Nikdy však ani brvou nepohol, aby nezistili, že im rozumie. Ani keď hovorili o ňom. Najmä keď hovorili o ňom.

Občas si Frank myslel, že jeho svokor Carlo Palazzo niečo tuší, ale aj keď tušil, nikdy to nedal najavo. A určite by za to Franka obdivoval ešte väčšmi. Kedysi dávno sa postaral, aby sa Frank dozvedel, že ho sledujú a chystajú oženiť, a že on by nikdy neurobil prvý krok k šéfovej dcére, keby to tak nechcel Carlo Palazzo s bratom.

Frank to vedel a vôbec ho neprekvapovalo, že otec so strýcom úzkostlivo strážia pred lovcami šťasteny také bohaté dievča ako Renata. Vedel, že on je vhodná partia, lebo si palazzovskú princeznú nebral kvôli postupu vo firme. On Palazzovcov nepotreboval, Frank Quigley by sa presadil kdekoľvek v Británii. Aj keď nemal za menom žiadne písmenká, pretože nikdy nedokončil školu. On ich nepotreboval. Mal talent a schopnosť tvrdo pracovať dňom i nocou. Vedelo sa to o ňom už pred pätnástimi rokmi, keď mu dovolili vziať Renatu na obed. Vedeli, že sa tmavovlasej, ostýchavej dedičky palazzovských miliónov pred svadbou nedotkne. A vedeli aj to, že keby aj bol niekedy svojej žene trochu neverný, bolo by to anonymné, diskrétne a ďaleko od domova. Bez náznaku škandálu.

Frank si nad nepísanými pravidlami len povzdychol. Raz či dvakrát v živote sa síce skoro pozabudol, ale nebolo to nič, čo by nedokázal zvládnuť. Až teraz. Teraz bol v úplne inej situácii a snažil sa ukradnúť si pre seba každú voľnú chvíľku, aby porozmýšľal, čo bude robiť. Keby šlo o obchod, keby tak šlo o obchod... ach, to by vedel presne, čo má robiť. Ale s Joy Eastovou o obchod nešlo.

Veru nešlo, keď ju tak videl, ako sa drzo premáva po dome oblečená len v žltom tričku, pod ktorým nemá nič, hrdá a sebaistá. Bola si ním istá, lebo tam popoludnie čo popoludnie vylihoval a obdivoval jej melírované zlatohnedé vlasy, dokonalý chrup a dlhé, opálené nohy.

Joy Eastová bola dizajnérka, ktorá uviedla Palazzo do módnych časopisov a pozdvihla jeho lacný imidž na štýl tak, ako Frank Quigley pozdvihol jeho predaj a umožnil Palazzovi vystúpiť z masy takzvaných supermarketov do popredia. Tá Joy Eastová, ktorá mu v tú noc, keď sa na seba po prvýkrát pozreli neprofesionálnymi očami, povedala, že by z nich bol ideálny pár. Ani jeden z nich nemal v úmysle meniť svoj životný štýl, ani jeden z nich nebol v postavení, aby musel toho druhého nútiť prispôsobiť sa. Joy chcela mať svoju nezávislosť a slobodu, Frank chcel zostať manželom šéfovej dcéry. Kto by sa k sebe hodil lepšie ako dvaja ľudia, ktorí by mohli všetko stratiť, keď budú hlúpi, a všetko získať, keď si budú užívať diskrétne? Naznačila mu to sčasti slovami, sčasti pohľadom a sčasti spôsobom, akým sa k nemu naklonila ponad stôl v reštaurácii a pobozkala ho.

„Musela som to najprv ochutnať," zasmiala sa. „Neboj sa, sú tu len turisti."

Bolo to vzrušujúce a tak to aj zostalo. Frank poznal len málo žien ako Joy. Tie jemnejšie a skutočne dôležité body mu síce unikali, ale táto jej nezávislosť bola skutočne vzrušujúca. Joy Eastová bola hrdá na to, že je slobodná. Raz sa síce skoro vydala, povedala, ale v dvadsiatich troch rokoch tomu šťastne unikla, no poznamenala, že si len vzala pred svadbou voľno. Otec zúril, pretože napriek všetkému musel zaplatiť za svadobnú recepciu, tortu a limuzíny nehorázne peniaze. A to už nehovorí o všetkých tých rečiach a zmätkoch. Všetci by boli radšej, keby sa vydala, ušetrili by si kopu problémov. A on? Och, aj preňho to bol šťastný únik, povedala Joy, zasmiala sa a už na to viac nemyslela.

Bývala v malom domčeku na rohu ulice, ktorá v časoch, keď sa tam sťahovala, nebola vôbec zaujímavá. Teraz tu však dennodenne bolo vídať sťahovacie autá so stále lepšími susedmi. Jej záhrada, obklopená bielou ohradou obrastenou viničom, poskytovala dokonalé súkromie. Do dlhej, príjemnej obývačky sa na večierkoch pohodlne zmestilo aj šesťdesiat hostí. Joy poriadala fantastické večierky a tvrdila, že je príšerne jednoduché ľuďom lichotiť a potešiť ich, ak ich pozvete na dve hodinky k sebe domov na pohárik a chlebíčky.

U Palazza ju za to všetci milovali. Aké je to od slečny Eastovej veľkorysé, hovorilo vedenie, robí pre nich ďaleko viac, než je jej povinnosť. Ona si kupovala ich priateľstvo do budúcna. Oni ju bezhranične obdivovali. Joy Eastová vedela úplne prirodzene hostiť klientov, ľudí od tlače, zahraničných hostí i miestnych pohlavárov. Najala si obsluhu a potom si dala na zmluvu upratať dom. Joy hovorila Frankovi, že s tým nie je žiadna robota, a pritom je to veľmi užitočné. Raz do mesiaca si dá odborne upratať dom a chladničku má vždy plnú lahôdok. Pred každou väčšou návštevou odprace všetky ozdoby a cennosti. Človek nikdy nevie, čo sa hosťom nalepí na prsty, a tak je lepšie vystaviť namiesto popolníkov štyridsať modrých sklených mištičiek. Kúpila ich v nejakom sklade po libre za kus. Ďalších štyridsať mala v kartónovej škatuli v garáži. Na polici nad malým športiakom.

Frank Quigley, sympatický vrchný riaditeľ od Palazza, a Joy Eastová, konzultantka pre dizajn, ktorá mala na starosti imidž Palazza počnúc budovou v štýle art deco a končiac igelitkami, mali pomer už tri roky a obaja mohli s istotou tvrdiť, že o tom nikto nevie. Nebalamutili sa ako mnohí iní milenci, presvedčení o svojej neviditeľnosti. Oni vedeli, že nikto nemôže mať ani najmenšie podozrenie. Boli totiž veľmi opatrní a žili podľa pravidiel.

Nikdy si netelefonovali, ak na to nemali legitímny dôvod. Joy nikdy nevolala ani ku Quigleyovcom, kvôli ničomu. Odkedy začali spolu spávať, Renata sa nikdy nedostala do domu Joy Eastovej, nech by šlo o akúkoľvek spoločenskú udalosť. Frank Quigley mal pocit, že pre jeho ženu by bolo ponižujúce, aby ju prijímali v dome, kde prijímajú niekoľkokrát v týždni jeho vo veľmi odlišnom štýle. Frank by nikdy nedovolil, aby si jeho manželka prehodila kožuch na širokú posteľ, kde trávi toľko času s Joy. No aj keď si prisahal, že Renata sa o tomto ich vzťahu nikdy nedozvie, stále mal pocit, že jej niečo dlhuje, a nemôže ju zrádzať tým, že sa bude tváriť ako rovnocenný hosť v dome, ktorý mu v skutočnosti bol druhým domovom. Frank nikdy neuvažoval o zrade a bol presvedčený, že jeho najsilnejšou stránkou je schopnosť zaškatuľkovať si život. Vždy to vedel. Nikdy si nepripustil, že má násilníckeho, večne opitého otca a slabošskú, večne odpúšťajúcu matku... ani jediný raz, odkedy prišiel do Londýna. Keď však šiel navštíviť rodičov, bratov a sestry, ktorí nikdy ani len päty nevystrčili z malého mestečka v západnom Írsku, nikdy nespomínal nič zo svojho londýnskeho života. Keď prišiel domov, vždy sa mu darilo vyzerať ak už nie úplne ošumelo, tak aspoň neupravene. Nikto z nich by neuhádol, ako dobre sa mu darí vo svete obchodu i v spoločenskom živote. Keď raz vzal so sebou na jednu z tých nepravidelných návštev aj Renatu, kúpil jej neforemný tvídový kabát a poučil ju, že musí ubrať z komfortu, ktorého si užívajú doma vo Wembley. Renata pochopila a bez slova šla pomáhať ženám do kuchyne, zatiaľ čo Frank sa zhováral s bratmi a ponúkal im nejakú investíciu či kúpu... veľmi zdvorilý spôsob, ako im dať nejaké peniaze tak, aby to nezbadali. Počas tých štyroch dní, ktoré strávili na mieste, kde vyrastal, boli jeho ručne šité topánky a kožený kufrík spolu s Renatinými hodvábnymi šatkami a kazetou so šperkami zamknuté v kufri prenajatého auta.

Frank tvrdil, že život stráca hodnotu, ak sa človek zaoberá len jednou z jeho stránok a má len jedny spomienky. Treba si užiť každý okamih zvlášť a nespájať ho s ostatnými.

Preto ani náhodou nemôže manželku doviesť do domu milenky.

A keď sa, ako vždy, konalo na Vianoce u Quigleyovcov stretnutie vedenia, povedalo sa, že slečna Eastová je mimo mesta. Na neutrálnej pôde, napríklad u svokrovcov, sa stretávali úplne normálne, ale hovorili len o práci. Frank bol schopný tú druhú stránku ich spoločného života doslova negovať a nevinne sa baviť o plánoch a projektoch. Nikdy sa ho nechytal žiaden z tých pocitov zakázaného vzrušenia, ktoré, ako vedel, pociťovali pri mimomanželských aférach ostatní. Vedel, že Joy cíti to isté. Musela cítiť to isté. Koniec koncov, bola to ona, kto stanovil základné pravidlá.

Joy mala navrch, keď tvrdila, že by jeden k druhému nemali pociťovať priveľkú zodpovednosť. Uistila ho, že ona nie je žiadna trpiteľka. Žiadna úbohá Joy, ktorá by na Vianoce sedela sama so sendvičom v ruke a počúvala koledy. Nie, keď ho spoznala, mala už tridsať a desať rokov žila viac-menej sama. Vedela o stovkách miest, kde mohla tráviť Vianoce, a určite sa nebude cítiť opustená. Keď budú môcť, urobia si na seba čas tak, aby si nezničili ani kariéru, ani plány do budúcnosti. Bola voľná ako vták, mohla chodiť, kade sa jej zachcelo, a nemusela sa mu spovedať. Ak sa vynoril zájazd do Štátov, brala ho, a nech si on na ten čas nájde iný spôsob trávenia popoludní.

Bola to idyla... áno, skutočná popoludňajšia idyla, ktorá trvala už viac ako tri roky. V lete sedávali v teplej, oplotenej záhrade, popíjali chladené biele víno a čistili si hrušky a broskyne. V zime sedávali na mäkkom, huňatom koberci pri kozube a pozorovali odlesky plameňov. Ani jeden z nich nespomenul, že by mohli stráviť spolu víkend, dovolenku alebo zvyšok života. Nikdy medzi nimi nepadlo Renatino meno. Ani Davidovo, muža z reklamnej agentúry, ktorý si robil na rozkošnú Joy Eastovú zálusk a posielal jej veľké kytice kvetov. Ona si s ním občas vyšla na víkend, ale medzi Frankom a Joy vládla taká nezávislosť, že Frank sa jej nikdy nespýtal, či s ním spala, alebo či Davidova pozornosť nejakým spôsobom neohrozuje jeho postavenie. Predpokladal, že si Davida drží od tela svojou presvedčivou historkou, že sa nechce zapliesť s kolegom.

Frank počúval o kolegoch, s ktorými občas špásovala, s ktorými sa pohrala a nakoniec ich pustila k vode. Vždy a v každom prípade sa udalosti nejakým strašným spôsobom zvrtli. Nezaujatému pozorovateľovi by to síce bolo hneď jasné a povedal by, že sa to dalo čakať, lenže ten, ktorého sa to priamo týkalo, to nečakal nikdy. Frank skúmal svoj vzťah k Joy tak dôkladne ako zmluvu alebo ponuku, ktorú mu predložili v kancelárii. Ak aj mal nejaké trhliny, nezbadal ich. Až do vlaňajšieho vianočného večierka u Palazzovcov, keď sa problém vynoril. Aj ten sa mu však videl malý a bezvýznamný. Spočiatku.

Pamätá si to veľmi jasne. V supermarketoch bol problém zorganizovať vianočný večierok, nie ako v iných firmách, lebo oni doslova do poslednej minúty slúžili verejnosti. Frank však vždy pokladal určitú ceremóniu a prejav lojality za dôležité, najmä v období sviatkov.

Frank prehovoril Carla, aby sa večierok organizoval každý rok v poslednú predvianočnú nedeľu naobed s Carlom ako Santa Clausom pre decká. Prišli všetky manželky s deťmi, každé dostalo malý darček a papierový klobúčik, a pretože to bol rodinný deň, a nie zvyčajná podniková oslava, nikdy sa nestalo, aby za registračkami vracali mladé sekretárky, alebo starší, bláznivi manažéri robili striptíz.

Renata sa na to vždy tešila, veľmi dobre si rozumela s deťmi, hrala sa s nimi a zasypávala ich konfetami. Pokiaľ si Frank pamätá, svokor každý rok s láskou pozoroval dcéru a opakoval, aká škoda, že nemajú vlastné bambinos, keď si s tými bambinos tak dobre rozumie. Frank sa však každý rok len otriasol a povedal, že cesty Pána sú nevyspytateľné.

„Niežeby sme nechceli," hovorieval pravidelne a Carlo len smutne prikyvoval a radil mu, aby jedol viac stejkov, viac červeného mäsa, to vraj chlapovi ešte neuškodilo. Každý rok, trpezlivo a so sileným úsmevom. Bola to malá daň, nemyslel to ako urážku, a Frank to tak ani nebral. Frank to bral ako láskyplný, trochu netaktne vyjadrený žiaľ starého pána. Bola to jedna z mála oblastí, v ktorej sa Carlovi Palazzovi podriaďoval. Obchodne sa vždy zhovárali ako rovný s rovným.

Posledný vianočný večierok však bol iný. Výzdobu veľkého skladu, v ktorom sa konala oslava, mávala zvyčajne na starosti Joy Eastová. Nie v tom zmysle, že pripínala na steny krepový papier alebo nakladala na stoly párky a biskupské chlebíčky, ona vyberala farby a zháňala obrovské papierové ornamenty či gigantické slnečnice, ktoré sa tam tiež raz objavili. Najímala ľudí, ktorí zo strieborného papiera zhotovovali zvonce. Dozerala na to, aby bol pre Santa Clausa Carla pripravený veľký stôl so zeleným súknom a darčekmi a aby boli prítomní fotografi z miestnych a prípadne aj z ústredných novín. Frank s Joy zostavili obrovský vianočný kalendár s menami všetkých zamestnancov. Výroba kalendára ich prakticky nič nestála a každý zamestnanec Palazza si ho odniesol domov a hrdo sa v ňom kochal celý nasledujúci rok. Občas mu to pomohlo zmeniť názor, keď rozmýšľal o odchode z firmy. Je veľmi ťažké odísť odtiaľ, kde si vás vážia ako člena rodiny a vaše meno zaradia do kalendára medzi mená členov vedenia a vyššieho manažmentu.

Pred poslednými Vianocami však Joy vyhlásila, že v čase večierka tu nebude. Koná sa veľtrh baliacej techniky, na ktorý rozhodne musí ísť. Je veľmi dôležitý a ona potrebuje nové nápady.

„Ten sa predsa koná v tomto čase každý rok a nikdy si tam nechodila," protestoval Frank.

„Hovoríš mi, čo môžem a čo nemôžem?" Hlas mala tvrdý ako oceľ.

„Pravdaže nie. Lenže naša tradícia... tvoje nápady na vianočný večierok... vždy to tak bolo. Dávno predtým, ako ty a ja... vždy."

„A ty si myslíš, že to tak vždy aj bude... dávno potom, ako ty a ja?"

„Čo je to s tebou, Joy? Ak sa mi pokúšaš niečo naznačiť, povedz to rovno," snažil sa príkrosťou zakryť šok.

„Och, uisťujem ťa, že nikdy som sa ti nepokúšala niečo naznačiť.

Vážne, uisťujem ťa. Buď ti to poviem, alebo nepoviem, ale nikdy sa nepokúšam naznačiť."

Skúmavo sa na ňu zahľadel: keď opakovala slovo „uisťujem", preskočil jej hlas. To predsa nemôže byť pravda, že Joy Eastová má vypité už teraz, uprostred dňa. Hneď to aj pustil z hlavy.

„Tak dobre," povedal s falošnou žoviálnosťou, „pretože ja som taký istý. Ak chcem niečo povedať, poviem to, my dvaja sme z jedného cesta, Joy."

Usmiala sa naňho. Akosi zvláštne, pomyslel si.

Keď sa vrátila z veľtrhu baliacej techniky, stretli sa podľa dohovoru u nej doma. Joy pracovala aj doma, v svojom malom štúdiu zaliatom svetlom, a Frank mal skutočne legitímny dôvod ju navštevovať – to bola jedna z mnohých vecí, prečo to bolo také bezpečné. Ešte lepšie však bolo, že jej dom stál neďaleko kancelárií firemných účtovníkov, ktorí im robili daňových poradcov. A Frank mal ešte legitímnejší dôvod pravidelne ich navštevovať. Ak tu aj niekto zbadal jeho auto, bol veľmi dobre krytý.

Joy mu povedala, že celý veľtrh bol o ničom, samé hlúposti.

„Tak prečo si tam šla?" spýtal sa podráždene Frank.

Musel nájsť ľudí, ktorí prevzali Joinu prácu a pripravili halu na večierok, a nikto nemal jej šik.

„Pre zmenu, oddýchnuť si, vypadnúť," zvažovala každé slovo.

„Ježiši, nikdy by mi nenapadlo, že veľtrh môže byť oddychom," vyhlásil.

„Je, keď si skoro stále v hotelovej izbe."

„A čo také dôležité si robila v tej izbe?" spýtal sa chladne.

„Nikdy som netvrdila, že to bolo dôležité. Alebo áno?"

„Nie."

„Robila som samé nedôležité veci, čítala som katalógy, využívala hotelový servis, na litre popíjala dobré, studené biele vínko. Och, a mala som tam jedného príjemného Škóta, vedúceho papiernickej firmy. Ale nič dôležité som nerobila."

Frank zbledol, ale neprestal sa ovládať. „Chceš mi ublížiť?" spýtal sa.

„Ako by som mohla, veď my sme z jedného cesta, či nie? Ty máš svoj život so svojou ženou, ja mám svoj život s mojím dobrodružstvom na jednu noc. V tom nie je nič ubližujúce."

Ležali v posteli. Frank sa načiahol a z úzkej škatuľky na nočnom stolíku vytiahol cigaretu.

„Zvyčajne dávam prednosť tomu, keď mi tu nefajčíš, zanášajú sa mi záclony," povedala Joy.

„Zvyčajne tu fajčiť nemusím, ale to, čo mi tu hovoríš, zasa mne zanáša myšlienky a začínam mať strach," odvetil a zapálil si.

„Ach, to je len hra, či nie?" spýtala sa Joy dokonale priateľsky. „Dlho som nad tým rozmýšľala, keď som bola preč. To, čo medzi nami je, nie je láska ani veľká vášeň, ktorá núti ľudí robiť bláznovstvá... je to hra. Ako tenis – jeden servuje, druhý vracia..."

„Je to viac ako hra..." začal.

„Alebo šachy," zasnene pokračovala Joy. „Jeden šikovne potiahne a ten druhý mu na to ešte šikovnejšie odpovie."

„Veľmi dobre vieš, čo je medzi nami, nemusíš si vymýšľať. Milujeme sa... ale máme stanovené isté hranice, ty aj ja. A jeden druhého obdivujeme a sme spolu šťastní."

„Je to hra," opakovala.

„Ľudia hrávajú golf, squash alebo šachy s priateľmi, Joy, preboha, dúfam, že si sa nerozhodla tráviť dni s niekým, koho nemáš rada. Používaj ten príklad, keď ti to robí dobre, opakuj, že je to hra, hra, hra. Ale nič tým nedosiahneš. Nič to na veci nemení. Sme stále tí istí. Ty aj ja."

„Och, *hráš* dobre," usmiala sa obdivne. „Pokúšaš sa to zľahčovať, nepýtaš sa, či tam ten Škót naozaj bol, alebo nie. Myslím, že si veľmi nebezpečný protihráč."

Položil cigaretu, nahol sa k nej, pritiahol si ju k sebe a zašepkal jej do dlhých lesklých vlasov s pramienkami zlata v hnedej a s vôňou citrónového šampónu:

„Aj ty si... strašný protivník. Nie je to v tom, že sme najlepší priatelia a najlepší milenci a vôbec nie nepriatelia?"

Povedal to nadšenejšie, ako to cítil, ale jej telo mu neodpovedalo. Usmiala sa na pol úst, čo bolo síce vzrušujúce, ale nedalo sa z toho vyčítať, či ju to teší, alebo nie.

Joy prišla na večierok oblečená v lesklých tmavomodro-bielych šatách. Žiarivo biely golier s hlbokým výstrihom jej až priveľmi odhaľoval hruď a drahú krajkovú podprsenku. Vlasy sa jej ligotali ako zlato a meď. Vyzerala o desať rokov mladšie, nie na tridsaťtri, ale ako mladé, prekrásne dievča na love. Frank znepokojene sledoval, ako sa predierа davmi Palazzových zamestnancov. Teraz už nebolo pochýb, mala vypité. A to už vtedy, keď dorazila na večierok.

Frank pocítil v žalúdku studenú hrču. S triezvou Joy by si poradil ľahko, ale nevedel, koľko vypila. Odrazu si spomenul na otcove príšerné a nepredvídateľné záchvaty zúrivosti. Spomenul si, ako v návale zúrivosti zmietol obed do ohňa... je to už skoro štyridsať rokov, ale pamätá si to tak jasne, akoby to bolo dnes. Frank nezabudne, že otec to vtedy tak nemyslel a vážne sa chcel naobedovať, ako im potom húdol celú noc. Odvtedy má pred opilcami rešpekt, sám pije len málo a u svojich vedúcich a predavačov vždy vycíti fľašu. Má pocit, že človek sa nemôže spoliehať na niekoho natoľko nebezpečného. Joy Eastová je možno v poriadku, ale človek nikdy nevie. Sledoval jej žiarivý úsmev a hlboký výstrih, ako križuje miestnosť a pri stole si zakaždým doleje, a začínal mať pocit, že ten deň sa dobre neskončí.

Jej prvým terčom bol Carlo, ktorý sa v zákulisí snažil napchať do svojho mikulášskeho kostýmu.

„Úžasné, pán Palazzo," začala. „Úžasné, len tam choďte a dajte im do tela, povedzte, koľko im Santa pridá, ak sa budú správať ako dobré detičky a makať ako poctiví mravčekovia."

Carlo na ňu zmätene pozrel. Frank však zakročil a rýchlo ju odtiahol.

„Joy, kde sú vedierka pre deti? Prosím?" naliehal.

Pozrel jej do očí a zistil, že jej blúdia zreničky.

„Kde sú vedierka?" zopakovala. „Vedierka má na starosti tvoja žena. Svätá Renata. Santa Renata," vybuchla smiechom. „To by bola pesnička... Santa Renata..." začala spievať na melódiu piesne Santa Lucia, a keďže sa jej to páčilo, spievala čoraz hlasnejšie. Frank sa potichu vytratil. Musí ju odtiaľ dostať. A to hneď.

V tom momente sa však objavila Renata a začala vysvetľovať, že v ružovom papieri sú darčeky pre dievčatká a v modrom pre chlapcov. Raz sa totiž stalo, že jej otec daroval dievčatám príšerných netvorov a pavúkov a chlapcom súpravičky hrebeňov so zrkadielkami. To sa už nesmie stať.

„Správne, Renata, nesmie," pritakala Joy.

Renata na ňu prekvapene pozrela. Ešte nikdy nevidela Joy Eastovú v takomto stave.

„Vyzeráte... veľmi dobre... veľmi elegantne," vyjachtala Renata.

„Ďakujem, Renata, *grazie, grazie mille*," odpovedala Joy a okázalo sa uklonila.

„Ešte nikdy som vás nevidela v takých šatách, nikdy predtým ste neboli taká plná života..." pokračovala ticho a s rešpektom Renata.

Prstom si prešla po okraji svojho drahého, veľmi decentného vlneného saka. Možno stálo štyrikrát toľko ako vyzývavá róba, ktorú mala na sebe Joy, ale Renata pri nej vyzerala ako vták bez peria, tmavovlasá, bledá, v značkovom lilavoružovom kostýme s fialovým lemom z rukavičkovej kože na saku – nič, čo by človeka upútalo. Vôbec nič.

Joy si pokojne premerala Renatu.

„Poviem ti, prečo vyzerám ináč, ja mám totiž chlapa. V mojom živote je chlap. V tom je ten rozdiel."

Joy sa rozrehotala na plné hrdlo, nadšená pozornosťou Nica Palazza, Carlovho brata, Desmonda Doyla a skupiny vyšších manažérov, ktorí ju obklopili. Renata sa tiež usmiala, aj keď neisto. Nevedela presne, ako má na to reagovať, a očami blúdila po skupinke, akoby hľadala Franka, ktorý určite bude vedieť, čo má povedať.

Frank pocítil, že ľad v žalúdku sa roztopil, a teraz ho oblieva studený pot. Nemohol robiť nič. Z tohto pocitu bezmocnosti ho obchádzali mdloby.

„Povedala som ti už o tom chlapovi, Frank?" spýtala sa Joy uličnícky. „Ty ma poznáš len ako karieristku… ale vo mne je priestor aj pre lásku a vášeň."

„Som si istý, že je."

Frank hovoril, akoby tíšil besného psa. Aj keby nemal s Joy nič, od neho sa čakalo, že bude takýto. Utišujúci, neosobný, pripravený ju odviesť. Všetci predsa museli zbadať, v akom je stave, museli si to všimnúť. Ale možno si len on uvedomil, že Joy sa neovláda, lebo ju poznal intímne, tri roky jej hladkal každučkú črtu tváre a každý záhyb tela. Zdalo sa, že všetci okolo to pokladajú len za normálnu vianočnú povznesenú náladu. Keby sa mu podarilo zastaviť ju teraz, skôr než niečo povie, ešte nemusí byť všetko stratené.

Joy však zistila, že má publikum, a začala sa predvádzať. Nasadila hlások rozmaznanej slečinky, ktorý u nej nikdy predtým nepočul. Vyzerá veľmi hlúpo, pomyslel si, za triezva by bola prvá, ktorá by kritizovala každú ženskú s podozrivo šušlavým hlasom.

„V tejto spoločnosti je zakázané milovať iného ako Palazza. Nemám pravdu? Všetci musíme milovať Palazza, ostatné lásky sú zakázané."

Rozosmiali sa, dokonca aj Nico, brali to ako dobrácke žartovanie.

„Och, áno, na prvom mieste je pravdaže láska k spoločnosti, až potom všetky ostatné," zapojil sa so smiechom Desmond Doyle.

Frank mu vyslal vďačný pohľad, úbohý Desmond, starý kamoš z tých dávno minulých čias v Írsku, mu náhodou pomohol a už to nebolo také horúce. Zrejme ešte potrebuje povzbudiť.

„Ty si teda vážne nikdy nebol neverný, Desmond," povedal Frank a uvoľnil si kravatu. „Ty si jeden z najstálejších a najlojálnejších palazzovcov." Pri týchto slovách sa mu zdvihol žalúdok, zrazu si spomenul, ako Desmonda po racionalizácii prepustili a ako tvrdo musel bojovať, aby ho dostal späť. Desmond v tom však, zdá sa, žiadnu iróniu nepostrehol. Desmond sa práve chystal nejako ochotne odpovedať, keď ho znova prerušil hlas Joy Eastovej.

„Jediné povolené manželstvo je so spoločnosťou. Keď začnete pracovať pre Palazza, musíte sa mu oddať, musíte sa oddať Palazzovcom. A to je ťažké. Veľmi ťažké. Najmä pre teba, Frank. Ale ty si to zvládol na jedničku, nemám pravdu? Ty si sa skutočne *oženil* s Palazzovcami!"

Teraz si už aj Nico, ktorému to myslelo pomalšie, musel uvedomiť, že niečo nie je v poriadku. Frank musel rýchlo konať. Nesmie dať najavo, že ho to vyplašilo. Musí sa tváriť zhovievavo, ako každý iný človek, ktorému sa naraz zblázni ináč príkladná kolegyňa.

„Áno, máš pravdu, a som rád, že si mi to pripomenula, pretože svokor nás prizabije, ak nezačneme urýchlene rozdávať darčeky. Renata, môžeme dať nastúpiť deti… alebo má niekto lepší nápad? No?"

Po iné roky všetko organizovala Joy Eastová a všetko šlo ako po masle. Renate sa viditeľne uľavilo. Mala pocit, že na ňu Joy útočí, alebo sa jej vysmieva, ale keď Frank zjavne nič nepostrehol, určite sa mýlila.

„Myslím, že by sme mohli povedať tatovi, že už je čas," vyhlásila a odišla za otcom.

„Myslím, že by sme všetci mali povedať tatovi, že už je čas," zopakovala Joy len tak do vetra.

Desmond Doyle a Nico Palazzo si vymenili zmätené pohľady.

„Joy, určite si po tej vyčerpávajúcej konferencii unavená," povedal Frank Quigley nahlas, aby ho všetci počuli. „Ak chceš, môžem ťa odprevadiť domov, skôr než tu začne byť dusno."

Videl, že niekoľkým ľuďom sa uľavilo, pán Quigley si predsa len vedel poradiť v každej situácii, skutočne v každej.

Pozeral na Joy a na perách mu pohrával tvrdý, neosobný úsmev. Veľmi jasne jej naznačil, že má poslednú šancu napraviť, čo si navarila. Ďalšia nebude. Ten úsmev hovoril, že on sa veru nebojí.

Joy naňho niekoľko sekúnd civela.

„V poriadku," súhlasila, „povedzme, že som unavená z konferencie o baliacej technike, unavená a veľmi, veľmi rozcitlivená, a potrebujem, aby ma niekto odprevadil domov."

„Nech je tak," rozveselil sa Frank. „Povedzte Renate, nech mi odloží nejaký pekný chalanský darček od Santa Clausa," zvolal. „Ja sa poň vrátim."

S obdivom sledovali, ako z veľkej haly vyvádza smerom k parkovisku slečnu Eastovú, ktorá sa správala naozaj čudne.

V aute bolo ticho ako v hrobe, nepadlo ani slovo. Pri dverách mu Joy podala svoju malú kabelku a vybrala si kľúče. Na nízkom stolíku so sklom stála fľaša vodky, z ktorej chýbala asi tretina, a pomarančový džús. Halda neotvorených blahoželaní k Vianociam a malý elegantný kufrík, akoby sa kamsi chystala alebo odniekiaľ vrátila. Zlostne si uvedomil, že sa od návratu z konferencie ani nevybalila.

„Kávu?" spýtal sa. To bolo prvé slovo, ktoré medzi nimi padlo.

„Nie, ďakujem."

„Minerálku?"

„Ak to musí byť."

„Nemusí, kašlem na to, čo piješ, lenže ani psovi by som nedal piť viac, než si už vypila ty."

Hlas mal chladný ako ľad.

Joy zdvihla k nemu zrak z kresla, kam sa hneď po príchode usadila.

„Nenávidíš chľast, lebo tvoj otec bol ožran," povedala.

„Opakuješ len to, čo som ti povedal. Máš ešte niečo, alebo sa môžem vrátiť na večierok?"

„Rád by si mi vylepil, lenže nemôžeš, lebo si videl, ako ti otec mlátil matku," podpichla ho s darebáckym úsmevom.

„Výborne, Joy, to sa ti podarilo." Zaťal ruku v päsť a najradšej by do niečoho buchol, do kresla, do steny, do hocičoho, len aby sa zbavil napätia, ktoré pociťoval.

„Nepovedala som nič, čo nie je pravda. Vôbec nič."

„Nie, vážne nič, a povedala si to nádherne. Ja idem."

„Nejdeš, Frank, sadneš si a budeš počúvať."

„To sa teda mýliš. Môj otec bol ožran a ja príliš dobre poznám ožranské reči, takže sa namáhaš zbytočne. Zajtra si nebudeš nič pamätať. Skús zavolať na presný čas a tam sa vyrozprávaj, tí milujú dojáky, čo rozprávajú ľudia, ktorí vypili toľko, že by sa na tom mohla plaviť celá flotila."

„Musíš ma vypočuť, Frank, musíš to vedieť."

„Inokedy, keď budeš schopná vysloviť moje meno zrozumiteľne."

„Tá konferencia. Ja som tam nebola."

„To si už hovorila, to si mi už predsa povedala. Bola si s nejakým Škótom, no a čo. Len mi nehovor, že ti to nedá spať."

„Ja som tam vôbec nebola. Celý čas som bola v Londýne."

Hlas mala zvláštny, ale zdalo sa, že sa už trochu pozbierala.

„Čože?" Ešte stále bol na odchode.

„Bola som v sanatóriu," zasekla sa. „Na potrate."

Frank si vložil kľúče do vreca a vrátil sa do izby.

„Ľutujem," povedal. „Veľmi ľutujem."

„Nemusíš." Ani naňho nepozrela.

„Ale prečo, ako...?"

„Tabletky mi nerobili dobre. Niekoľkokrát som zmenila značku... ale aj tak..."

„Mala si mi to povedať..." Odrazu zneznel. Odpúšťal.

„Nie, ja som sa rozhodla."

„Viem, viem. Ale aj tak..."

„Tak som šla... je tam fakt krásne, je to ozajstné sanatórium, aj na iné veci, nielen na ukončenie, ako to tam volajú..." Hovorila trochu roztrasene.

Pohladkal ju po ruke a na chlad už zabudol. „A bolo to veľmi zlé, bolo to strašné?" V očiach sa mu zračil záujem.

„Nie." Tvár sa jej vyjasnila a usmiala sa naňho, aj keď trocha nakrivo. „Nie, vôbec to nebolo strašné. Pretože keď som tam došla a ubytovala sa, na chvíľu som si sadla a zamyslela sa... Prečo to vlastne robím? Prečo sa chcem zbaviť toho človiečika? Ja predsa *chcem* mať niekoho. Syna alebo dcéru. Takže som si to rozmyslela. Povedala som im, že som sa rozhodla si to nechať. Šla som na niekoľko dní do hotela a potom som sa vrátila sem."

Pozeral na ňu ako zasiahnutý bleskom.

„To nemôže byť pravda."

„Ale áno, je to pravda. Takže už chápeš, prečo som ťa nechcela nechať len tak odísť späť na večierok. Musela som ti to povedať. Nebolo by férové, keby som ti to nepovedala. To je všetko."

Ani keby sa Frank Quigley dožil vysokého veku, čo bolo podľa lekárov veľmi nepravdepodobné, na tento okamih by nikdy nezabudol. Na deň, keď sa dozvedel, že bude otcom, lenže nie otcom Renatinho dieťaťa, nie otcom, ktorému bude palazzovský klan gratulovať a ktorého bude potľapkávať po pleci. Bude otcom, vystrčeným a odtrhnutým od života, ktorý si začal budovať pred štvrťstoročím. Nikdy nezabudne, ako sa pri tom tvárila, vedela, že po prvý raz v ich veľmi vyrovnanom vzťahu má karty v ruke ona. Aj keď opitá a rozrušená, vedela, že hoci porušila všetky pravidlá, stále má navrch. Vďaka biológii, podľa ktorej rodia deti ženy, vlastne zvíťazila. A v tom to celé bolo. Franka Quigleyho, ktorého by nezdolalo nič na svete, porazil ľudský reprodukčný systém.

On to, pravdaže, opäť zahral dobre. Zavolal späť na večierok a oznámil, že Joy potrebuje trochu pozornosti. Sadol si a rozprával sa s ňou, hoci myšlienkami bol inde. Jeho slová zneli upokojujúco a povzbudivo, ale v skutočnosti myslel na to, čo bude potom.

Len na moment popustil uzdu svojej skutočnej reakcii, keď si vychutnával myšlienku, že bude otcom. Keby to Carlo vedel, určite by toľko nerečnil o tom, že má jesť viac červeného mäsa. Keby to Carlo vedel. Carlo sa to však nikdy nesmie dozvedieť. Renatu by to úplne položilo. Nie nevera, vedomie, že tá aféra sa odohrávala priamo pod jej nosom už roky, ale fakt, že táto žena bude mať dieťa, jediné, čo Renata nemôže.

Zatiaľ čo Frank hladkal Joino rozpálené čelo a uisťoval ju o svojej vernosti a veľkej radosti z tejto novinky a z toho, že sa veci vyvinuli takto, logicky a chladne uvažoval, čo bude teraz robiť, ktoré cesty má ešte otvorené.

Kým do vzlykajúcej Joy nalial šálku slabého čaju a prinútil ju zjesť tenký plátok chleba s maslom, prebral si možnosti a nevýhody, ktoré s nimi súvisia. Až našiel najmenej nebezpečnú a tam sa rozhodol začať.

Joy dieťa porodí a on ho uzná za svoje. Povie, že síce nemá v úmysle opustiť manželku, ale nezdá sa mu férové, aby jeho syn alebo dcéra vyrastali bez otcovskej lásky. Zopár sekúnd to zvažoval, ale potom to zamietol.

V liberálnejšej spoločnosti by to fungovalo. Lenže nie u Palazzovcov. Ani nápad.

Povedzme, že Joy oznámi, že čaká dieťa, ale nepovie, vôbec sa nebude baviť o tom, kto je jeho otec. Ani to nie je úplne nepredstaviteľné u emancipovanej ženy osemdesiatych rokov. Lenže opäť je tu svet Palazzovcov. Im sa to páčiť nebude, budú nad tým špekulovať, a najhoršie by na tom bolo to, keby sa Joy opäť raz chytila fľašky a všetko vytárala.

Čo keby zaprel otcovstvo? Jednoducho by tvrdil, že Joy klame. Ako mu mohlo niečo také vôbec napadnúť? Joy bola žena, s ktorou sa rozhodol tráviť veľa času, a neľúbil ju len kvôli fantastickému sexu, ale aj kvôli jej rozumu a spôsobu, akým reagovala. Frank sa pýtal sám seba, ako mu táto možnosť vôbec mohla prísť na um. Nikdy nemal v úmysle vraziť Carlovi dýku do chrbta a prevziať spoločnosť. Nerozhodol sa, že bude dvoriť Renate preto, aby získal jej peniaze a postavenie. Taký bastard zas nebol. Tak prečo sa potom zaoberá myšlienkou, že sa obráti chrbtom k žene, ktorá nosí jeho dieťa? Pozeral na ňu, ako tam sedí v kresle, nepekná, s ovisnutou sánkou. S hrôzou si uvedomil, ako veľmi sa obáva alkoholu a jeho účinkov. Vedel, že nech sa stane čokoľvek, už nikdy nebude môcť dôverovať Joy ani svojmu vzťahu k nej.

Povedzme, že ju prehovorí, aby si to dieťa predsa len dala vziať, aby bol svätý pokoj. Ešte vždy mala dva týždne k dobru. Možno sa mu napokon aj podarí ju prehovoriť.

Lenže keď nie, riskuje hysterickú reakciu. A keby zašla ešte ďalej a dieťaťu povedala, že jeho otec ju nútil na potrat, tak by to už ani nemohlo byť horšie.

A čo keby ju požiadal, aby odišla, začala nový život s perfektnými referenciami? Joy sa má odsťahovať z Londýna? Joy má začať nový život s malým bábätkom, len aby urobila Frankovi radosť? Nemysliteľné.

Rozmýšľal, že ju požiada, aby mu to dieťa dala. Čo keby si to dieťa s Renatou adoptovali? Zdedilo by palazzovské milióny a každý by bol spokojný. Frank s Renatou už obehali dosť agentúr zaoberajúcich sa adopciou a Frank bol podľa nich v štyridsiatich šiestich rokoch už na adoptívneho otca pristarý. Ako sa však ukázalo, na biologického otca pristarý ešte nie je, Príroda byrokraciu nikdy nepodporovala.

Joy sa však rozhodla, že si to dieťa nechá, pretože chce mať niekoho pri sebe. Nič iné ju nezaujíma. Aspoň teraz nie. Nemieni si to ani rozmyslieť. Možno neskôr, keď bude dlhšie tehotná. Bolo to síce dosť nepravdepodobné, ale nie nemožné.

A potom on adoptuje svoje vlastné dieťa. To by bola satisfakcia!

V návale úprimnosti by sa možno aj Renate priznal a ďalšia rodina o tom predsa nemusí vedieť...

Frank sa plesol rukou po čele, spratal čajové šálky, ale myslel si svoje, keď čičíkal Joy Eastovú mumlaním a zvukmi, ktorými nič nesľuboval, ani sa v tejto nepravdepodobnej situácii, ktorú si privodili, k ničomu nezaväzoval.

Týždne potichu ubiehali. Join výstup na vianočnom večierku skoro nikto nekomentoval a Frankovi, ako vždy, všetci blahoželali, že, ako vždy, zachránil situáciu. Joy sa so vztýčenou hlavou vrátila do práce a čelila novému roku, plánom a nápadom, ktorými opäť prekypovala. Po pití nebolo ani stopy. Ale ani po tých lenivých odpoludniach pri jej kozube.

Začiatkom roka sa stretli na obede. Frank pred niekoľkými manažérmi vyhlásil, že potrebujú prerokovať niečo nové. Čo však v týchto povianočných dňoch naozaj potrebovali, bola poriadna pizza. Zahlásil, že idú s Joy Eastovou na obed, a tam sa porozprávajú o nových nápadoch. Ženám sa vždy páčili pracovné obedy a určite ani ona nebude proti. Zamierili teda do najlepšej reštaurácie, kde boli každému na očiach.

Ona sŕkala svoj nekalorický tonik a on rajčinovú šťavu.

„Nevyužívame fondy na reprezentáciu," zasmiala sa Joy.

„Ako si mi vtedy povedala, ja som ožranov syn, a teda sa bojím piť," priznal sa.

„To že som ti povedala? Fakt si nepamätám, čo všetko som vtedy potárala. Tak preto si prestal popoludní ku mne chodiť?"

„Nie, to nie je v tom," odvetil.

„Tak teda prečo? Teraz si už vážne nemusíme dávať pozor, už by sme len stavali stajňu pre koňa, ktorý zdupkal... teraz si už môžeme užívať..." príjemne a lákavo sa naňho usmiala. Znova to bola tá stará Joy.

„Mohlo by ti to uškodiť, hovorí sa, že v tomto štádiu tehotenstva to nie je vhodné," namietol.

Potešená jeho starostlivosťou sa usmiala. „Ale zato môžeš prísť a porozprávať sa, či nie? Veľakrát som ťa čakala."

Bola to pravda, držala slovo, že sa s ním nikdy nebude kontaktovať. Nikdy.

„Musíme sa pozhovárať," začal.

„A prečo sa musíme zhovárať v reštaurácii, kde nás každý vidí?

Tie ženské tam sú od svokrovcov Nica Palazza. Odkedy sme sem vošli, nespustili z nás oči."

„My sa už do konca života budeme stýkať len na verejnosti, takže presne tam sa musíme pozhovárať aj o tom, čo budeme robiť ďalej. Keby sme šli k tebe domov, opäť by sme skĺzli do starých koľají, vrátili sa do čias, keď sme museli brať ohľad len na seba."

Hovoril pokojne. Ona však zrejme vycítila jeho obavy.

„Vážne chceš vziať nohy na plecia a mať svedkov, keď ti chcem povedať niečo nepríjemné? Je to tak?"

„Nebuď hrubá, Joy."

„Nie som hrubá, ale ty sa pokúšaš z toho vykĺznuť, či nie? V skutočnosti si na smrť vyľakaný."

„To nie je pravda a prestaň sa tak afektovane usmievať. Je to veľmi priehľadné, ten tvoj úsmev platí tak akurát na zákazníkov a obchodných partnerov. Nie je úprimný."

„A čo bolo kedy úprimné v *tvojom* úsmeve, Frank? Ty si neuvedomuješ, že oči sa ti nikdy nesmejú, nikdy. Vždy sa smeješ len ústami."

„Prečo sa musíme takto rozprávať?" spýtal sa.

„Pretože máš plné gate strachu, a to smrdí," odvetila.

„Čo si taká nabrúsená, povedal som niečo?" vystrel v údive ruku.

„Na mňa neplatia tie tvoje talianske gestá, ja nie som Palazzová. Čo si povedal? Poviem ti, čo si povedal, povedal si, že by sme si mali sadnúť a rozhodnúť sa, čo budeme robiť ďalej, na verejnom mieste. Zabudol si, Frank, že ťa poznám, zabudol si, že obaja vieme, že prvé pravidlo stretnutia s nepriateľom znie: stretnúť sa na spoločnej pôde, nie na mojom alebo na jeho teritóriu. A ty to robíš teraz. Obaja vieme, že ak hrozí hádka, pravidlo znie: stretnutie sa musí konať na verejnosti. Človek si nedovolí robiť scény."

„Je ti dobre, Joy? Vážne?"

„Ale nefunguje to vždy, vieš, že či som opitá, alebo triezva, doma, alebo vonku, ja, keď chcem, som schopná urobiť scénu všade." Bola tvrdohlavá ako osol.

„Pravdaže si schopná, ale čo to znamená? Sme predsa priatelia, ty a ja, tak akéže nepriateľstvo?"

„My nie sme priatelia, my sme šermiari, hráči a snažíme sa získať výhodu..."

„Tak teda, čo nám bráni, aby sme mali spolu dieťa?"

„Nie my budeme mať dieťa," zahlásila Joy Eastová. „Ja budem mať dieťa."

Nasadila triumfálny výraz, ako vždy, keď sa jej podarilo niekoho poraziť, vyhrať cenu alebo zdolať nejakú prekážku.

Vtedy zistil, že s ním chce vybabrať, a podľa možnosti ho tým trápiť až do smrti. Bolo to jej dieťa a jej rozhodnutie, pokiaľ jej to vyhovovalo. Nechystala sa mu nič sľubovať ani ho zasväcovať do svojho tajomstva. Plánovala to tak, aby sa nič nedozvedel. Aby si ho navždy priviazala.

Frank už takéto plány poznal, bola ako dodávateľ, ktorý kúpil produkt a nikomu nič nepovedal. Chcel, aby ste inzerovali jeho produkciu, a potom náhle zdvihol cenu, pretože ste sa mu zaviazali. Frank sa s tým občas stretával. Raz to skúsili aj naňho, ale len raz. Frank sa vtedy usmial a povedal, že v žiadnom prípade nemôže zaplatiť za produkt viac, ako bolo dohodnuté. Ten chlap sa ho spýtal, či nerobí zo seba blázna, keď vyhadzuje toľko peňazí na reklamu a potom pripustí, že tovar nemá. Nie, vôbec nie, Frank sa naňho šarmantne usmial. Jednoducho spustia ďalšiu reklamu, v ktorej sa ospravedlnia, že dodávateľ sa ukázal ako nespoľahlivý. Každý si bude vážiť Palazzo za jeho čestnosť a dodávateľ sa zruinuje. Bolo to také jednoduché. Lenže vtedy šlo o ovocie, nie o dieťa.

Vložil do hry celý svoj šarm a na konci obeda, mokrý ako spotená onuca, si gratuloval, že aspoň navonok znel ten rozhovor normálne.

Rozprávali sa o spoločnosti. Dvakrát ju rozosmial, skutočne, zaklonila hlavu a smiala sa tým svojím zvonivým, neviazaným smiechom. Tie dve ženy, o ktorých tvrdila, že sú od Nicových svokrovcov, sa na nich zvedavo dívali. Nezískali však žiadnu klebetu, bol to ten najnevinnejší obed v dejinách ľudstva. Ináč by sa predsa nekonal tu, pred zrakmi všetkých.

Porozprával jej, ako strávil Vianoce, a potom mu ona rozprávala, ako ich trávila ona. U priateľov v Sussexe. Vo veľkom rodinnom dome plnom detí, kde už bola viackrát, hovorila.

„Povedala si im to?" spýtal sa. Cítil, že nesmie dopustiť, aby rozhovor príliš odbiehal od toho, na čo obaja mysleli, lebo by ho mohla pokladať za bezcitného.

„Čo som im mala povedať?" spýtala sa.

„To o dieťati."

„O akom dieťati?"

„O tvojom. Ak chceš, tak teda o našom, ale vlastne, ako si povedala, o tvojom.“ Joy spokojne zavrnela. Skoro akoby povedala: to je už lepšie. To znie pravdepodobnejšie.

„Nie,“ vyhlásila. „Nikomu nič nepoviem, kým sa nerozhodnem, čo budem robiť.“

To bolo všetko. Ďalej sa už rozprávali ako vždy o plánoch, o programoch a o tom, že by nebolo priam vhodné, aby Nico zistil, čo sa deje. Hovorili o prezieravosti Palazzovcov, že chcú kúpiť nový pozemok v tejto oblasti, ktorá sa bude určite rozvíjať – Joy sa dokonca bála, že až príliš rýchlo. Veľké domy menili majiteľov za obrovské peniaze a ešte väčšie peniaze sa investovali do ich rekonštrukcie. Mala pocit, že tento druh ľudí by skôr nakupoval v módnom lahôdkarstve, alebo dokonca u Harroda, a Palazzo by mal mať viac rozumu a radšej by sa mal zamerať na niečo menej ambiciózne, nejaké miesto, kde možno urobiť aj veľké parkovisko. To teraz letí.

„Dokonca by sme sa mohli pokúsiť urobiť z parkoviska náš najzaujímavejší článok,“ hovorila vzrušene Joy. „Vieš dobre, že parkoviská v tom lepšom prípade pôsobia nevľúdne a v tom horšom sa až priveľmi podobajú miestam, kde môžeš prísť o život a nevieš, komu máš za to poďakovať. Mohli by sme ich vymaľovať nasvetlo a obkolesiť krytou terasou, aby sa vytvoril dojem izolácie, a mohli by sme prenajať nejaké predajné boxy a trochu to miesto oživiť...“

Hovorí, akoby tu mala zostať, všimol si Frank.

Ak Joy Eastová vôbec niečo plánovala, tak to bola zrejme len trojmesačná materská, a po pôrode by sa chcela ihneď vrátiť do práce. Frank do toho nemal čo hovoriť. Takto teda chcela hrať tú hru!

Na konci obeda bol už bledý od zlosti. Omnoho viac nazlostený a omnoho viac rozhodnutý znova nadobudnúť kontrolu než pred Vianocami. Jeho predsa nemožno len tak odsunúť na vedľajšiu koľaj.

Ak ona nemôže odhaliť svoje plány ako normálny človek, ani on nebude reagovať normálne.

Môžu sa hrať na mačku a myš.

Frank už mal rezervný plán dávno predtým, ako Joy spomenula svoje tehotenstvo pred ostatnými.

Vychádzajúc úplne z Joiných predstáv o nepotrebnosti snáh

získať vysokopostavených zákazníkov, Frank Quigley si objednal prieskum.

Mladým mužom a ženám v agentúre prieskumu trhu vysvetlil, že si potrebujú potvrdiť svoje predstavy o expanzii do menej bohatých oblastí. Prieskum treba robiť po celej krajine, ale s veľmi malou vzorkou. Bol to ten druh prieskumu, ktorý by ináč triezvo rozmýšľajúci Frank okamžite zmietol zo stola, pretože jeho výsledky nemôžu byť dostatočne presvedčivé. Tentoraz však chcel, aby sa vedenie dozvedelo od agentúry zvonka, že najlepšou cestou vpred je expanzia, a to ďaleko za hranice severného Londýna. Pokusne otvoriť prevádzky v strednom a dokonca i v severnom Anglicku. Kľúčom bude dizajn a imidž. Palazzo treba predstaviť čo najštýlovejšie. A tento imidž bol záležitosťou Joy Eastovej.

Joy získa postup a miesto v podnikovej rade. Je síce pravda, že raz do mesiaca sa s ňou stretne na zasadaní rady, ale aspoň ju nebude vídať denne.

A ona nebude denne vídať jeho svokra.

A prestane sa báť, že stretne jeho ženu.

Zbraní mal málo, a preto ju musel poraziť vynaliezavosťou.

Ona si musí myslieť, že postup, presun a zmena jej postavenia sú mu proti srsti.

Prieskum, ktorému Carlo Palazo veril tak, akoby ho objednal on sám, bol ukončený do marca, práve vtedy, keď Joy Eastová s maximálnou teatrálnosťou oznámila svoju novinu. Bolo to na týždňovom zasadaní manažmentu pod záhlavím Rôzne.

Oči sa jej podozrivo leskli. Frank už tušil, čo sa chystá.

„Nuž predpokladám, že *je* to svojím spôsobom rôzne, a hovorím vám to preto, aby ste sa to nedozvedeli z iného prameňa a potom sa nedivili, prečo som vám nič nepovedala. Od júla budem potrebovať trojmesačnú materskú dovolenku... Budem sa snažiť pokryť všetky prezentácie, ale aj tak mám pocit, že by ste mali vedieť, čo sa chystá." Sladko sa usmiala na okolosediacich a každému z pätnástich mužov v miestnosti venovala pohľad.

Carlo úplne stratil pôdu pod nohami. „Och, nebesá, dobrý Bože, nikdy som netušil, že uvažujete nad vydajom... gratulujem."

„Och nie, obávam sa, že nejde o nič také trvalé," rozosmiala sa zvonivým smiechom. „Len dieťa. Nechcem tento systém šokovať natoľko, že by som sa zároveň aj vydala."

Nicovi klesla sánka a ostatní súkali zo seba chvály a nadšenie, pričom kútikom oka sledovali, ako sa Carlo s Frankom pokúšajú odhadnúť situáciu.

Frank Quigley vyzeral príjemne prekvapený a pobavený.

„To je veľmi vzrušujúca novinka, Joy," povedal vyrovnane. „Všetci sa s tebou tešíme. Neviem, čo budeme robiť bez teba tri mesiace, ale budeš schopná sa potom vrátiť?"

Otázka bola vrelá a zdvorilá a nikto nespozoroval, ako si nad stolom vymenili tvrdé pohľady.

„Och áno, samozrejme, už si robím plány. Vieš, nejde to tak ľahko."

„Pravdaže nejde," odvetil pokojne.

V tomto štádiu sa už aj Carlo pozbieral natoľko, že bol schopný zamrmlať aspoň niekoľko zdvorilostných fráz a pozvať si Franka do kancelárie.

„Čo budeme robiť?" spýtal sa.

„Carlo, píše sa rok 1985, nežijeme v stredoveku. Ak chce, môže mať aj tridsať detí. Dúfam, že nie si šokovaný."

„Pravdaže som. Čo myslíš, kto je otcom? Niekto od nás?"

Frank mal pocit, akoby hral v nejakej dráme. „Prečo? Joy tam vonku možno vedie plnohodnotný život."

„Ale prečo, preboha, prečo?"

„Zrejme sa v tridsiatke cíti osamelá a jednoducho to *chce*."

„Nie je to od nej veľmi taktné," frflal Carlo. „Ani vhodné. Uvedom si, ako ti to pokazí plány na severe."

Frank veľmi opatrne povedal: „Kedy by sa to malo sprevádzkovať, najskôr budúci rok, nie? Štádium plánovania sa rozbehne vlastne až na jeseň, keď sa vráti do roboty..."

„Áno, ale..."

„Ale celkom ti to nevyhovuje, lenže to jej ty, samozrejme, *nepovieš*. Už sa obávaš, že sa nebude chcieť sťahovať. Teraz, keď čaká dieťa, to však môže byť práve to, čo potrebuje, nové prostredie, nový začiatok, viac priestoru a miesta tam hore, ďaleko od Londýna..."

„Áno..." súhlasil pochybovačne Carlo. „Myslím, že sa tým rozšíri jej pôsobnosť."

„Takže ak ju tam chceš dostať, musíš jej to podať tak, aby to bolo pre ňu veľmi, veľmi atraktívne. Podaj jej to tak, akoby práve to bol ten správny krok, ktorý by mala urobiť..."

„Asi by si jej to mal vysvetliť *ty*."

„Nie, Carlo." Frank sa opäť cítil ako na javisku. „Nie, pretože vieš, vlastne ani ja nechcem o ňu prísť tu, v Londýne, aj keď som v kútiku srdca presvedčený, že máš pravdu. Pre spoločnosť by bolo najlepšie, keby odišla na sever a dostala Palazzo do vyššej ligy, do národnej."

„Aj ja si to myslím," súhlasil teraz už presvedčene Carlo.

„Takže ja ju nemôžem presviedčať."

„A čo keď si pomyslí, že ju odtiaľto vyháňam?"

„To si predsa nemôže myslieť, Carlo. Veď si si dal preveriť celú dokumentáciu, prieskumy a dotazníky, nad ktorými si už dávno uvažoval, či nie?"

Carlo prikývol. Pravdaže dal.

Frank pomaly púšťal vzduch cez zuby. Ani v jednom z tých papierov sa nespomínalo meno Franka Quigleyho, v skutočnosti sa v spisoch nachádzalo niekoľko jeho mierne nesúhlasných listov s úvahami, či by predsa nebolo lepšie zadržať slečnu Eastovú v Londýne. Tentoraz sa nemôže pomýliť.

Frank nečakal dlho. Joy vtrhla do kancelárie s planúcimi očami a mávala nejakým papierom.

„To je tvoja robota?" spýtala sa.

„Nemám poňatia, o čom hovoríš," povedal milo a pokojne.

„Čerta nevieš, posielaš ma preč. Bože, Frank, s tým na mňa nechoď. Ja nemám v úmysle ti zmiznúť z očí, keď začína prihárať."

„Sadni si," povedal.

„Nehovor mi, čo mám robiť."

Prešiel okolo nej a zavolal sekretárke do vedľajšej miestnosti: „Diana, môžeme dostať veľký hrniec kávy? Slečna Eastová a ja sa ideme hádať a potrebujeme palivo."

„Nemysli si, že ma touto duchaplnosťou vyvedieš z konceptu," ohradila sa Joy.

„To nie je duchaplnosť, ale čistá, holá pravda. Takže čo sa deje? Ide o Carlov plán posadiť ťa do rady a dať ti na zodpovednosť expanziu?"

„Carlov plán, nehovor mi, že je to Carlov plán. To je tvoj plán, ako sa ma zbaviť."

Chladne na ňu pozrel. „Nebuď paranoidná."

„Aká paranoidná, o čom to rozprávaš?"

Hlas mal hlboký a tvrdý. „Tak ti poviem o čom. Ty a ja sme sa milovali, vlastne ja ťa ešte vždy milujem. Dohodli sme sa, že budeme spolu spávať a ty sa postaráš o antikoncepciu. Keď ti prestala vyhovovať, mala si mi to povedať, ďalej by som sa bol staral ja. Áno, Joy, tak by to bolo bývalo férové. A vôbec nebolo férové, že si dovolila, aby som ti náhodou urobil dieťa."

„Myslela som si, že ťa poteší, keď zistíš, že si toho schopný," odvrkla.

„Nie. Zmýlila si sa. A aby to bolo ešte menej férové, nechceš mi povedať, čo sa chystáš urobiť s dieťaťom, ktoré sme splodili. Súhlasil som, že zaň budeš zodpovedná ty, ak chceš. Povedala si, že mi dáš vedieť. Nedala si. Po celý čas si sa so mnou len hrala. Dnes neviem o nič viac ako pred Vianocami."

Mlčala.

„A teraz sem vtrhneš s krikom a nejakou vymyslenou historkou, že ťa vyháňam na vidiek, zatiaľ čo pravda je taká, že robím všetko, čo je v mojich silách, aby si zostala tu. Ver či never, ale tak sa veci majú."

Ozvalo sa klopanie na dvere a vošla Diana s kávou. Postavila ju medzi nich na stôl.

„Už je po hádke?" spýtala sa.

„Nie, práve naberá obrátky," usmial sa Frank.

„Neverím ti," vyhlásila Joy, keď Diana odišla. „Carlo by na to nikdy sám neprišiel."

Frank otvoril spis a ukázal jej list. Čierne na bielom tam stálo, že pripútať Joy Eastovú niekde ďaleko od nervového centra podniku by bolo mrhaním jej schopností. Povedal, že takých je tu viac. Môže si ich vziať, ak potrebuje dôkaz.

„Tak teda Carlo, nemôže prehltnúť nehanebnú slobodnú mater... on ma posiela preč."

„Joy, hovorím, že si paranoidná. Keby si si prezrela tieto spisy, zistila by si, že prieskum bol objednaný v januári. O niekoľko mesiacov skôr, ako si s tým vyrukovala."

„Bohovský prieskum. Čo je to vlastne za firmu? Mám dojem, že sú to nejakí fušeri," frflala.

Frank na okamih oľutoval, že to povedal tak tvrdo, nekompromisne a jasne, pretože ona rozmýšľala rovnako ako on. Aká škoda, že sa to muselo skončiť takto trpko a neúprimne.

„Nuž, nech je to, kto chce, Carlo verí každému ich slovu a ty vieš, že na tom niečo je. Veľa z toho si tvrdila už dávno aj ty sama, skôr ako sa to všetko začalo."

„Viem." Musela pripustiť, že je to pravda.

„Takže čo budeš robiť?"

„Premyslím si to, ale bez tvojich otcovských pohladení po čele," odvetila.

„Ako chceš, Joy, ale musím ti pripomenúť, že toto je *moja* kancelária a *ty* si tu na návšteve. Musím to vedieť, skôr než sa rozhodneš ma do niečoho znova zatiahnuť."

„Keď sa rozhodnem, čo budem robiť, dám ti vedieť," povedala.

„To si tvrdila aj predtým."

„Ale to sa týkalo *môjho* dieťaťa, kým toto sa týka *tvojej* spoločnosti. Máš právo to vedieť."

Odišla od nedopitej kávy a on zostal sedieť s pohľadom upretým pred seba. Napadlo mu, že vyzerala vystrašene a neisto. Možno si to však len navrával.

Bola veľmi šikovná a vedela, že ho prinúti vypotiť to bez toho, aby vedel, čo a kde povie nabudúce.

Večer doma nad tým znova rozmýšľal. Na jednom konci veľkého mramorového kozubu sedela s pohľadom upretým do ohňa Renata a on na druhom. Často spolu takto ticho a družne posedávali. Lenže v ten večer nepadlo ani slovo.

Nakoniec sa ozvala Renata.

„Nenudíš sa niekedy takto večer so mnou?" Nesťažovala sa. Pýtala sa tak, akoby sa spytovala, koľko je hodín, alebo či si nezapnú správy v televízii.

„Nie, nenudím," odpovedal po pravde Frank, „oddychujem, vážne."

„To je dobre," povedala spokojne Renata. „Si veľmi dobrý manžel a ja by som si občas želala, aby som mala v sebe viac ohňa, viac svetla a aspoň nejakú iskru."

„Och, nie, toho mám dosť v robote, tam mám ohňostroj denne. Nie, si fajn taká, aká si."

Aj sám sebe prikývol, akoby súhlasil s tým, čo práve povedal. Nemal v úmysle ju vymeniť za novší model, za lesklejšiu a žiarivejšiu značku.

Joy sa celé týždne neozývala a rozširovanie podniku sa plánovalo ďalej. Carlo hovoril, že Joy Eastová tomu určite venuje veľkú pozornosť, ale či odíde, alebo nie, to všetci len hádali.

„Neznásilňuj ju," odporúčal Frank. „Odíde, ale až keď bude na to pripravená."

Dúfal, že to pochopil správne. Jej sa totiž darilo ho znervózňovať.

Vtedy dostal ozdobnú pozvánku na oslavu striebornej svadby Desmonda a Deirdry Doylovcov. Zamračene na ňu pozrel. O desať rokov bude možno aj on s Renatou rozosielať niečo podobné. Uvažoval, či to tiež bude také.

Uvažoval aj o tom, čo má Desmond čo oslavovať svadbu, o ktorej boli všetci presvedčení, že sa konať musela, hoci neskôr sa ukázalo, že to nebolo celkom tak. Život plný ohovárania zo strany tej príšernej o'haganovskej famílie tam v Dubline. Život plný roboty, ktorá u Palazza nikam neviedla. Problematické deti. Najstaršia zjavne spáva s nejakým večne nezamestnaným hercom, chlapčisko sa odtafáril do Maya, kde líšky dávajú dobrú noc, a Helen. Mníška, veľmi čudné, mierne narušené dievča. Frank nerád spomína na Helen Doylovú, ktorá sa v jeho živote zjavila len dvakrát, ale v oboch prípadoch pritiahla a šírila okolo seba len pohromu.

Nie, Doylovci skutočne nemajú čo oslavovať, a zrejme preto tú párty aj organizujú.

S veľmi pochybným výsledkom.

Lenže nie až takým pochybným ako to, čo mu oznámila Renata, keď sa vrátil z práce.

„Joy Eastová nás pozvala na obed, len ty, ja a ona, povedala."

„Povedala aj prečo?"

„Pýtala som sa jej, ale ona mi povedala len toľko, že chce s nami hovoriť."

„K nej domov?"

„Nie, povedala, že ty vždy tvrdíš, že keď treba niečo povedať, treba to povedať na neutrálnej pôde," vravela Renata zmätene.

Frankovi sa od strachu zovrel žalúdok.

„Neviem, čo tým myslela," vysúkal napokon zo seba.

„Nuž, povedala, že objedná stôl v tej reštaurácii... a že už si u Diany overila, že máš voľno, a tak zavolala mne, či môžem."

„Áno. Fajn."

„Nechce sa ti?" spýtala sa sklamaná Renata.

„V poslednom čase je veľmi čudná, myslím, že to tehotenstvo ju trochu vyviedlo z rovnováhy, a to sťahovanie... mimochodom, ešte nepovedala ani áno ani nie. Myslíš, že sa z toho môžeme nejako vyvliecť?"

„Ak nemáme byť veľmi hrubí, tak nie. Ale ja som si myslela, že ju máš rád," povedala Renata.

„Mám, mal som, v tom to nie je. Je trochu nevyrovnaná. Nechajme to tak."

„Povedala, aby sme sa večer ozvali," stiahla sa Renata.

„Hej, ozvem sa jej. Aj tak musím zas odísť. Ozvem sa jej zvonka."

Nastúpil do auta a odviezol sa k Joinmu domu. Zvonil, búchal, ale nikto mu neotváral.

Vošiel do búdky a odtiaľ jej zavolal. Okamžite zdvihla.

„Prečo ma nechceš pustiť dnu?"

„Nechcem."

„*Povedala* si, aby som sa ozval."

„Povedala som, aby si zavolal, a to je rozdiel."

„Joy, nerob to, nerob mi scény pred Renatou, nie je to voči nej fér, ničím si to nezaslúžila, fakt ničím. Si krutá."

„Žobroníš? Dobre počujem, žobroníš?"

„Počuj si, doriti, čo chceš, ale zamysli sa, ublížila ti ona niekedy?"

„Znamená to, že prijímate moje pozvanie, alebo nie?" spýtala sa chladným hlasom Joy.

„Počuj..."

„Nie, už ťa nebudem viac počúvať. Áno, či nie?" Z tej otázky bolo cítiť hrozbu.

„Áno."

„Myslela som si to," povedala Joy a zavesila.

Bola to tá istá reštaurácia, kde naposledy obedovali v januári. Keď mala ešte Joy ploché brucho a Nicovi svokrovci ich pozorovali, ako sa smejú. Teraz bolo všetko iné.

Joy, ktorá na Frankovu ohromnú úľavu pila len minerálku, sa tvárila vďačne a starala sa, aby ich dobre usadili a obslúžili. Väčšinou hovorila ona, lebo Frank bol nabrúsený a Renata zas rezervovaná.

„Viete, ako sa to hovorí vo filmoch: určite uvažujete, prečo som vás sem dnes zavolala..." začala.

„Vraveli ste, že nám musíte niečo povedať," zdvorilo pripomenula Renata.

„Presne tak. Nakoniec, po dlhých úvahách, som prišla k niekoľkým rozhodnutiam a mali by ste o nich vedieť. Frank kvôli práci... a, Renata, vy kvôli Frankovi."

Cítil, že plavebná komora sa začína otvárať. Nech sa prepadne až na dno pekiel. Toto nebola ohrdnutá ženská, nebola to žiadna fúria. Mal s ňou radšej hovoriť na rovinu. Alebo aspoň férovejšie.

„Áno?" spýtala sa Renata so strachom. Frank si neveril, a tak radšej nepovedal nič.

„Nuž, to dieťa..." pozrela z jedného na druhého. Odmlčala sa. Zdalo sa, že to ticho trvá celé veky, ale boli to len asi tri sekundy.

Potom pokračovala: „Myslím, že mi to zmení život omnoho viac, ako som si predstavovala. Mesiac-dva som uvažovala, či robím dobre. Možno by som si to dieťa mala ešte rozmyslieť aj v tomto neskorom štádiu, dať ho nejakému páru, ktorý by mu poskytol bezpečný domov plný lásky. Zo mňa asi nebude bohvieaká matka, keď som na všetko sama."

Čakala, či niektorý z nich slušne nezaprotestuje. Ani jeden to však neurobil.

„Ale potom som si to rozmyslela. Šla som do toho s tým, že viem, čo ma čaká, takže to musím zvládnuť sama," usmiala sa.

„Áno, ale čo to má spoločné s nami... teda...?" spýtala sa Renata. V tvári sa jej zračila obava.

„S vami to má spoločné toto: keby som to dieťa niekomu dala, zrejme by som tú šancu ponúkla ako prvým vám. Vy by ste boli určite veľmi dobrí rodičia, to viem. Ale keďže ho nedám a keďže ste možno mali určité nádeje..."

„Nikdy... to mi nikdy nenapadlo," vyjachtala Renata.

„Vážne? Som presvedčená, že *tebe* to napadlo, Frank. Carlo mi povedal, že ste neuspeli pri adopcii."

„Môj otec nemá právo hovoriť o týchto veciach," zapýrila sa Renata.

„Nie, zrejme nie, ale aj tak mi to povedal. To nič, chcela som si to len vyjasniť, preto som vás sem zavolala. Chcem vám oznámiť, že odchádzam na sever, už skoro, omnoho skôr, ako kto očakával. Dom v Londýne som predala a tam som si kúpila nádherný starobylý farmársky dom, ktorý síce potrebuje opraviť, ale je výborne riešený, malý a skutočne prekrásny, perfektné miesto pre dieťa. Ak to chúďa bude mať len mňa, tak nech má aj poníka a miesto na hranie." Usmievala sa, akoby ich všetkých objímala.

Renata sa zhlboka nadýchla. „A čo otec dieťaťa?"

„Nič. Otca som stretla náhodou na jednej konferencii o baliacej technike, záležitosť na jednu noc."

Renate nekontrolovane vyletela ruka k ústam.

„Je to až také šokujúce?" spýtala sa Joy. „Chcela som dieťa a on bol práve taký dobrý ako ktokoľvek iný."

„Viem, ja som si len myslela..." odmlčala sa Renata a pozrela na Franka, ktorý tam sedel s kamennou tvárou.

„Čo ste si len mysleli, Renata?" Joy už bola ako med.

„Viem, je to hlúpe," pozrela Renata z jedného na druhého. „Myslím, že som sa obávala, že to dieťa môže byť... Frankovo. A preto ste aj uvažovali o tom, že nám ho ponúknete... prosím, neviem, čo mi je, že s vami takto hovorím... prosím," vyhŕkli jej slzy.

Franka zamrazilo, ešte *vždy* nevedel, ktorým smerom sa Joy chystá skočiť. Nebol schopný ani len pohladením upokojiť svoju ženu.

Joy hovorila pomaly a rozhodne: „Och, Renata, ako vám to mohlo napadnúť. Frank a ja? My dvaja by sme boli príliš neskutočný párik, aféra storočia. To nie! A aj tak. Frank ako otec nie je veľmi pravdepodobný, to by mal v karte, či nie?"

„Čo... čo tým myslíte?"

„Och, Carlo mi porozprával o jeho problémoch... obávam sa, že váš otec je občas veľmi indiskrétny, ale len vtedy, keď vie, že sa to nedostane ďalej... Prosím, nepovedzte mu, že som to vôbec spomenula. On však bol vždy taký smutný, že mu Frank nedal vnuka..."

Frank sa po dlhom čase prvýkrát ozval. Dúfal, že sa bude natoľko ovládať, aby sa mu netriasol hlas.

„A dieťa? Povieš mu, že šlo o záležitosť na jednu noc v hoteli?"

„Nie, nie, pravdaže nie, niečo omnoho dramatickejšie a smutnejšie. O neskutočne úžasnej osobe, ktorá je dávno mŕtva. Možno z neho urobím básnika. Niečo smutné a nádherné."

V tichosti dojedli, už nebolo o čom hovoriť. V Renatiných očiach a Frankových vráskach z napätia sa zračila bolesť. A na Joy Eastovú stále väčšmi dopadal pokoj a sviežosť tehotenstva. Neskontrolovaný účet zaplatila kreditnou kartou, a keď Renata odišla na toaletu, posadila sa oproti Frankovi a pokojne naňho pozerala ponad stôl.

„Takže si vyhrala," ozval sa.

„Nie, ty si vyhral."

„Nepovieš mi ako? Na smrť si ma vyľakala, a teraz mi odmietaš akúkoľvek účasť v živote nášho dieťaťa. Ako som ja mohol vyhrať?"

„Máš, čo si chcel. Dostal si ma preč."

„Hádam s tým nechceš znova začínať?"

„Nemusím. Prešetrila som si tú agentúru prieskumu trhu. Povedali mi, že si ich najal ty, a majú aj dátum, bolo to hneď po našom obede v reštaurácii. Ako zvyčajne, všetko sa zvrtlo tak, ako si to chcel ty. Už ti nebudem zavadzať. Pole je voľné pre ďalšiu obeť. Bola by som zvedavá, kto to bude. To sa však nikdy nedozviem. Tak ako ty sa nikdy nedozvieš, aké je to hrať sa s dvojročným dieťaťom, tvojím dvojročným dieťaťom. Pretože ty nemôžeš mať deti. Jednak je to tvoje alibi, jednak je to ospravedlnenie pre mňa, že som ťa od neho odtrhla."

„Nikdy si mi nepovedala prečo. Prečo ma tak nenávidíš?"

„To nie je nenávisť, to je rozhodnosť. A prečo? Myslím, že preto, lebo máš chladné, veľmi chladné oči, Frank. Lenže na to som došla až nedávno."

Renata sa vracala cez miestnosť. Postavili sa, bol čas odísť.

„Budeš sa vracať na schôdze... a tak?" spýtal sa Frank.

„Nie na všetky, myslím, že keď má mať tá prevádzka úspech, nemusia si všetci myslieť, že stále beháme po rozumy do Londýna. Hlavné rozhodnutia by sa mali robiť na mieste. V opačnom prípade to bude vyzerať tak, akoby tá prevádzka nebola vôbec dôležitá, akoby to bola len malá predsunutá hliadka."

Samozrejme, mala pravdu ako vždy.

Podržal jej dvere taxíka. Tvrdila, že je už priveľká na to, aby sa zmestila do svojho malého športiaka.

Na krátky okamih sa im stretli pohľady.

„Obaja sme vyhrali," povedala mäkko. „Môžeš to tak brať."

„Alebo ani jeden z nás," odvetil smutne. „Aj tak sa to dá brať."

Objal okolo pliec manželku a spolu odišli k zaparkovanému Roveru.

Po dnešku už nič medzi nimi nebude tak ako kedysi. Ten ich svet však len praskol, nerozpadol sa, ako to očakával. A v istom zmysle aj to bolo víťazstvo.

8 Deirdre

Ten článok hovorí, že každá žena môže byť skutočne krásna, ak tomu venuje dvadsať minút denne. Deirdre sa v kresle slastne skrútila do klbka a pritiahla si balíček keksov. Pravdaže sa tomu môže venovať dvadsať minút denne. Kto by nemohol? Bože, či nie sme na nohách šestnásť hodín denne? Dvadsať minút predsa nie je nič.

Opakovala si, čo čítala v *Skutočne krásnej*. Už počula, ako sa o nej v ten deň bude hovoriť. Nie je Deirdre skutočne krásna? Kto by si pomyslel, že je už dvadsaťpäť rokov vydatá? Predstavte si, a má tri deti.

Blažene si vzdychla a pustila sa do čítania. Pozrime, čo má teda robiť? Táto časová investícia bude jej malým tajomstvom. A odmena bude senzačná.

Po prvé, píše sa tam, že sa musí sama zhodnotiť a urobiť si zoznam silných a slabých stránok. Deirdre si vybrala z kabelky drobné strieborné pero s ozdobným strapcom. To je zábava, obrovská zábava. Aká škoda, že to musí robiť sama. Najstaršia dcéra Anna by jej určite povedala, že vyzerá dobre tak, ako je, a nemusí si robiť zoznam vrások a suchých fľakov na pleti. Druhá dcéra Helen by zas povedala, že je absurdné tváriť sa ako obeť a myslieť si, že zovňajšok je bohvieako dôležitý. Čo je to v porovnaní s utrpením tohto sveta? Ženy by nemali strácať čas skúmaním škvrniek na pleti a pozorovaním, či majú oči posadené hlboko, alebo blízko seba.

Syn Brendan je teraz ďaleko, býva v Írsku, v tých ďalekých kopcoch, odkiaľ pochádza jeho otec... Čo by jej asi povedal Brendan? Zistila, že si už vôbec nevie predstaviť, ako by asi reagoval Brendan. Keď odišiel z domu bez vysvetlenia, ba dokonca i bez ospravedlnenia, preplakala celé noci. Keby sa jej aspoň rovno spýtal do telefónu... Keby prerušil jej nárekу a spýtal sa: „Ak by si mala na výber, ak by si mala tú silu určovať mi život, čo by som mal podľa teba také dobré a dôležité pre nás všetkých robiť?“ nebola by mu schopná odpovedať. Pretože povedať, že si to všetko predstavovalaináč, nebola odpoveď. Kruh nemôže byť hranatý, ani čierne nemôže byť biele.

Ale podľa tohto článku o kráse boli veci, ktoré si možno predstaviť ináč, ktoré môžu vyzerať ináč. Napríklad tvar obličaja – trocha správne nanesenej červene na líčka a korektor vedia robiť divy. Deirdre si spokojne prezerala nákresy, ona sa to *naučí*. Nie je totiž nič horšie, ako keď sa niekto pokúša líčiť a nerobí to správne, potom vyzerá ako klaun Koko.

Vedela si predstaviť, ako by sa o tom za starých čias porozprávala s Maureen Barryovou. Kedysi im s Maureen bývalo dobre. Deirdrina matka a pani Barryová boli spolu pečené-varené a dievčatá mali zelenú – pokiaľ boli spolu, mohli si robiť, čo sa im zachcelo. Deirdre si spomenula na prázdniny kedysi dávno v Salthille. Z nostalgie pomenovala Salthillom aj dom na Rosemary Drive, ale ten názov na dverách vídala tak často, že už jej vlastne ani nepripomínal more, slnko a tú absolútnu slobodu mladých rokov.

Maureen bola vtedy taká zábavná, nemali pred sebou žiadne tajnosti. Žiadne, až do toho leta, keď prišli do Londýna, do toho leta, ktoré od základov zmenilo ich život.

Deirdre si spomenula na kolegyne z univerzity v Dubline. Uvažovali niekedy o tom, čo sa stalo s blonďatou Deirdre O'Haganovou? Všetky pravdaže vedeli, že sa vydala mladá, a zrejme by aj do *Irish Times* mala dať oznámenie o striebornej svadbe. Tie arogantné slečinky, ktoré študovali právo, aby z nich boli advokátky, alebo aby si aspoň chytili advokáta, by si len pošúchali nos. Boli to typy, ktoré si mysleli, že Dublin je pupok sveta, a vedeli len to, že nakupovať sa dá v Harrod's a bývať sa dá v Chelsey. Pinner? To „Pinner?" by povedali asi takým tónom ako Kiltimagh alebo niečo podobné. Áách, *severný* Londýn. Chápem. Ignorantky, ktoré nikdy nevystrčili päty z Írska. Ale to oznámenie podá. Alebo ho možno podajú deti... len krátku správičku, ktorou im zaželajú všetko najlepšie k dvadsiatemu piatemu výročiu svadby. Musí si prezrieť noviny a zistiť, ako sa to dnes robí.

Aká škoda, že si s Maureen Barryovou už nie sú také blízke. Keby tak mohla vrátiť čas, zodvihla by teraz telefón a spýtala by sa jej. Na rovinu. A porozprávali by sa aj o tvarovaní obličaja a tieňovaní sánky. Lenže teraz sa už Maureen nemôže na to spýtať. Rokmi sa veci úplne zmenili.

V okolí nemala priateľov, s ktorými by sa podelila o potešenie z vylepšovania samej seba. Skutočne nemala, jej susedky by to pokladali za frivolné a hlúpe. Veľa z nich chodí do práce, a teda buď to aj tak vedia, alebo nemajú na to čas. A Deirdre by ani len na um neprišlo, aby ich zasvätila do svojich myšlienok, aby vedeli, čo to pre ňu znamená, že je to jej jediná šanca dokázať, že to štvrťstoročie bolo na niečo dobré. Deirdre skôr plánovala, ako na ne zapôsobí, nie ako sa s nimi podelí o radosť. V skutočnosti pre ňu neboli dôležité, nie tak ako tamtie v Dubline, ale mali by si uvedomiť, že Doylovci sú ľudia významní a vážení.

Čo by asi povedal Desmond, keby ju prichytil, ako ten článok tak sústredene študuje? Povedal by niečo kvetnaté, akože ona vlastne je skutočná kráska? Alebo by povedal „to je fajn" tým svojím kuriózným, plytkým spôsobom, ktorým často hovoril, že niečo je síce fajn, ale jeho to vôbec nezaujíma? Alebo by si sadol a povedal, že ten zhon a prípravy vôbec nie sú potrebné? Desmond jej často hovorieval, aby sa nenaháňala. Neznášala to, ona sa predsa nenaháňa, len dozerá, aby bolo všetko v poriadku. Keby celé tie roky doňho nehučala, rada by vedela, kde by teraz boli.

Deirdre sa o svoje tajomstvá krásy s manželom podeliť nemôže. Kedysi dávno, v to zvláštne leto, keď sa to všetko začalo, by si bol Desmond ľahol na úzku posteľ a obdivoval ju, ako si češe dlhé svetlé kučery, povedal by jej, že nikdy netušil, že broskyne so šľahačkou znamenajú aj niečo viac ako verš piesne, kým neuvidel Deirdrinu prekrásnu tvár. Načiahol by sa za ňou a spýtal sa, či by jej mohol vmasírovať ešte trochu toho príjemne chladivého krému napríklad trochu nižšie, pod hrdlo, do krku, do ramien. Možno... možno. Už si ani nespomína, či bol Desmond niekedy taký. Podľa článku v časopise však celý ten svieži lesk možno nadobudnúť znova, všetko je len otázkou správnej starostlivosti o pleť. Deirdre bude dodržiavať každulinký krôčik, bude si krémovať hrdlo všetkými tými krúživými, masážnymi pohybmi smerom nahor a vynechávať jemné partie okolo očí. V ten deň musí vyzerať dobre, aj keby ju to malo stáť život. Chystala sa všetkým dokázať, že sa mýlili, keď ju pred dvadsiatimi piatimi rokmi ľutovali, že si berie Desmonda, pomocného pokladníka v potravinách, chlapca z chudobnej rodiny zo zapadákova v Mayo. Z rodiny, o ktorej nikto nikdy nepočul.

Bude to deň jej striebornej pomsty.

Všetci, ktorí tam mali byť, povedali áno. Boli, pravdaže, aj takí, ktorých zo zdvorilosti oslovili, ale nikto nepočítal s tým, že prídu. Napríklad Desmondov čudný brat Vincent, chlap, ktorý nikdy neopustil svoje hory a ovce, čo choval na tom opustenom mieste, kde chcel Brendan stráviť zvyšok života. Syn jej napísal, že strýko veľmi ľutuje, ale práve v tom čase nemôže odísť. Tak to bolo správne. Deirdre, potešená správnou odpoveďou, prikývla.

Aj Palazzovci, ktorým patrila obrovská spoločnosť, kde Desmond tak dlho pracoval. Carlo a Maria im v sladkom, osobne podpísanom liste oznámili, že bohužiaľ nemôžu prísť, veľmi ľutujú, ale koliduje im to s každoročnou návštevou Talianska, a želajú im veľa šťastia. Určite im pošlú dar a kvety. Je však správne, že neprídu. Sú príliš nóbl a nikto by sa pri nich necítil dobre. A Deirdrina matka, ktorá mala pocit, že môže hovoriť s kýmkoľvek, by mohla s nimi začať až priveľmi podrobne rozoberať Desmondovu kariéru v ich firme. Možno by nakoniec zistila, že Desmond nikdy nemal žiadne postavenie a jeden čas bol dokonca bez práce. To by nezapadalo do žiarivého obrazu, ktorý im Deirdre vykreslila.

Frank Quigley a jeho žena Renata Palazzová oznámili, že radi prídu. Deirdre si smutne pomyslela, že Frank, veľmi úspešný a nespravodlivo vysoko postavený už pred svadbou s dedičkou palazzovských miliónov, je stále človek, ktorého je dobré mať poruke. Zdá sa, že vždy vie, čo má povedať, a aj to povie. Spomenula si na svadbu – Frank im robil družbu a veľmi dobre zvládol každú situáciu vrátane Deirdriných rodičov, ktorí sa počas obradu a na takzvanej oslave tvárili ako kresťanskí martýri.

A príde aj otec Hurley, povedal, že je to preňho úžasná príležitosť navštíviť pár, ktorému manželstvo tak dobre vyšlo. Deirdre vedela, že na láskavého otca Hurleyho sa dá spoľahnúť – určite bude celý večer hovoriť len samé správne veci.

Samozrejme, príde celý írsky kontingent. Ten dátum už majú v mysli zafixovaný dlho. Možno nebude môcť prísť jej brat Gerard, ale Deirdre mu tak prekvapene, dotknuto a ohromene zavolala, že jeho plány sa zrazu zmenili. Rovno do telefónu mu povedala, že nemá zmysel *poriadať* striebornú svadbu, ak tam nemá byť celá rodina.

„A Desmondova rodina tam bude?" spýtal sa Gerard.

„To nie je dôležité," odvetila Deirdre.

Matka, ako inak, príde s Barbarou, urobia si predĺžený víkend ďaleko od domova, prídu vo štvrtok, pochodia obchody a nakúpia hromadu vecí. Barbarin manžel Jack to, samozrejme, skombinuje s pracovnou cestou. Vždy to tak robieval.

A keď budú všetci tu, na Rosemary Drive sa bude podvečer servírovať aperitív vonku. Potom pôjdu na omšu, kde sa kňaz vráti k požehnaniam sviatosti manželstva vo všeobecnosti, a najmä k požehnaniu manželstva Desmonda s Deirdrou. Otca Hurleyho, ako kňaza, ktorý ich oddával, vyzvú, aby povedal zopár slov...

Potom sa budú fotiť pred kostolom a tak, a nakoniec sa všetci vrátia späť na Rosemary Drive a otvoria si šampanské.

V roku 1960 síce šampanské nemali, ale to Deirdre teraz netrápilo. Ak má byť skutočne krásna, nemôžu jej predsa tvár brázdiť vrásky starostí.

Povedala si, že naozaj sa nemá prečo mračiť. Všetko bude perfektné.

Ale čo keď, keď... nie, nie, vyhladiť čelo, neprevracať oči.

Plán krásy odporúča zhodnotiť všetko dobré i zlé a urobiť presný harmonogram. Nič nebolo Deirdre milšie – milovala plány a grafy ako tieto. Plán striebornej svadby v zmysle vecí, ktoré treba zorganizovať, mala už aj tak hotový.

Desmond len smutne krútil hlavou – chlapi tomu nerozumejú. Alebo možno, napadlo Deirdre, *niektorí* možno áno – tí, ktorým sa darí. Ale nie chlapi ako Desmond, ktorý u Palazza nikdy nepostúpil vyššie, ale odišiel z firmy a dal sa dokopy s majiteľom obchodíka na rohu. Takí tomu nerozumejú.

A práve keď bola Deirdre pohrúžená do účtovania s vlastným ja a zisťovala, že má na prípravu oslavy presne stodesať dní, zazvonil telefón a na druhom konci linky sa ozvala matka.

Matka zvyčajne telefonovala každý druhý týždeň, vždy v nedeľu večer. Deirdre tento zvyk zaviedla už pred rokmi, jednu nedeľu volala matke ona, druhú matka jej. Niekedy mala pocit, že matka jej síce nemá čo povedať, ale zavolať musí. Matka nebola dobrá pisateľka listov, takže tieto rozhovory boli Deirdriným jediným spojivom s ňou. Pamätala si všetko, čo jej kedy povedala, pretože pri telefóne mala malý notes, do ktorého si zaznamenávala mená matkiných priateliek z bridžu, večierok, na ktorom bola s Barbarou a Jackom, alebo koncert, na ktorý ju vzal Gerard. Pani O'Haganová vyhlasovala, že Deirdre má mimoriadnu pamäť na maličkosti. Deirdre však považovala len za prirodzené, že človek si chce pripomenúť momentky z rodinného života. Vždy bola mierne zaskočená, že matka si ledva pamätá niektoré z jej priateliek a nikdy sa nepýta na Palazza ani na spoločenské udalosti, ktoré jej Deirdre opisovala.

Vôbec však nečakala, že matka sa ozve uprostred týždňa napoludnie.

„Stalo sa niečo?" spýtala sa ihneď Deirdre.

„Nie, Deirdre, Bože na nebi, už si ako tvoja babka." Kevinova matka začínala každý svoj pozdrav tým, že sa spýtala, či sa niečo nestalo.

„Myslela som len, že nevolávaš v takomto čase."

Matka zmäkla: „Nie, viem, viem. Som však v Londýne, a tak som si povedala, že ti skúsim zavolať, či si doma."

„Ty si v *Londýne*!" vykríkla Deirdre a chytila sa za hrdlo, Poobzerala sa po obývačke, neupratanej a zahádzanej Desmondovými papiermi, plánmi a projektmi, poznámkami, o ktorých diskutoval s Patelovcami, s rodinou, ktorej patril obchod na rohu, o ktorom tvrdil, že sa jeho životnému snu podobá omnoho viac ako Palazzo. Deirdre mala na sebe vyblednutú šatovú zásteru a všade vládol neporiadok. Naľakane vyzrela von oknom, akoby jej matka stála už na schodoch.

„Áno, práve som prišla z letiska. To metro je úžasné, nemyslíš? Len tak švihne, a už si v meste."

„Čo robíš v Londýne?" spýtala sa priškrteným hlasom Deirdre. Hádam len matka neprišla na striebornú svadbu o tri mesiace skôr, čo sa mohlo stať?

„Och, len tadeto prechádzame... vieš, ten zájazd odchádza z Londýna."

„Zájazd? Aký zájazd?"

„Deirdre, veď som ti o ňom hovorila... nie? Ale určite. Každému som to hovorila."

„Mne si žiadny zájazd nespomínala," vzbúrila sa Deirdre.

„Ale určite, alebo sme medzitým spolu nehovorili."

„Každú Božiu nedeľu spolu hovoríme, volala som ti pred štyrmi dňami."

„Deirdre, stalo sa niečo, drahá? Si taká čudná. Akoby si sa chcela hádať alebo čo."

„O žiadnom zájazde neviem, kam ideš?"

„Najprv dole do Talianska a potom loďou, loďou do Ancony a potom ďalej..."

„Kam ďalej?"

„Och, na rôzne miesta... na Korfu, do Atén, na Rodos, na Cyprus, možno aj do Turecka..."

„To je okružná plavba, mama, ty ideš na okružnú plavbu!"

„Myslím, že je to priveľmi honosný názov."

„Znie to ako perfektný výlet."

„Áno, len dúfam, že tam nebude príliš horúco, možno to nie je práve najvhodnejšie ročné obdobie na takýto výlet..."

„Tak prečo tam ideš?"

„Pretože je to v móde, a basta. Tak čo, stretneme sa?"

„Stretneme? Ty prídeš sem? Hneď?"

Matka sa rozosmiala. „Tak to ti pekne ďakujem, Deirdre, to je naozaj vrelé privítanie, no v skutočnosti som nemala v úmysle ísť až do najtemnejšieho Pinneru... Myslela som, že by si mohla prísť ty sem a mohli by sme si dať spolu obed alebo kávu, či čo."

Deirdre neznášala, keď Anna nazývala ich domov „najtemnejším Pinnerom" – bolo to urážlivé, akoby tu líšky dávali dobrú noc. A teraz to hovorí aj jej matka, ktorá prišla z Dublinu, preboha, veď tá ani nevie, kde to je a či je to fakt také zastrčené miesto.

„Kde bývaš?" spýtala sa a snažila sa zakryť podráždenie.

Matka bývala v hoteli v centre mesta, v úplnom centre, hovorila, len dve minúty chôdze od Picadilly Line a už si tam. Jednoducho úžasné. Deirdre to určite ľahko nájde.

„Viem, ako sa tam dostanem," zbledla Deirdre.

„Takže, povedzme, tu, v bare, o pol druhej, stihneš to...?"

Deirdre nechala Desmondovi na stole lístok. Teraz nikdy nevedela, či sa cez deň nestaví doma. Jeho miesto u Palazza bolo neisté. Frank Quigley povedal, že pre manažéra ako Desmond treba vytvoriť niečo dobré, samostatné, nikdy nebola reč o odstupnom, nadbytočnosti, náhrade, vrúcnych stiskoch rúk na rozlúčku... Malo to byť niečo výnimočné. Deirdre len dúfala, že sa do striebornej svadby všetko vyrieši.

Zachmúrená Deirdre vyšla hore a obliekla si svoj najlepší kostým. Vlasy mala zľahnuté a vyzerali mastné. Pôvodne si ich chcela umyť až večer a teraz by to už nestihla. Peknú kabelku mala v oprave, uvoľnil sa jej uzáver. Na zápästí mala ufúľaný obväz, pretože sa popálila o rúru. Nechcela si to prevädzovať, lebo jej povedali, že sa to môže len v nemocnici.

Zle naladená a plná neurčitých obáv sa Deirdre Doylová vybrala na stretnutie s matkou. Cítila sa nezaujímavá a nepríťažlivá. Vyzerá na to, čím je, rozhodla sa, keď zachytila svoj odraz v okne vlaku, ktorým sa viezla na Baker Street. Žena v stredných rokoch, chudinka z predmestia, vydatá za nie veľmi úspešného muža, ktorej myseľ nie je cvičená prácou a ktorá nemá dosť peňazí na to, aby sa poriadne obliekla. Žena, ktorá trpí syndrómom hniezda, z ktorého jej vyleteli vtáčatá. Zrejme trpí viac, než je únosné: jedna dcéra sa pokúša dostať do kláštora, kde jej nechcú povoliť zložiť sľub, ďalšia k nim zavíta ledva raz za dva týždne, a syn, jej milovaný syn, odišiel, ušiel za životom na druhej strane sveta.

Bola presvedčená, že sa s matkou poháda. V tóne, akým s ňou hovorila do telefónu, bolo niečo, čo sa jej nepáčilo. Matka bola netrpezlivá a obviňovala ju, akoby *ona* bola tá problematická.

Nesmierne ju to dráždilo, ale Deirdre sa rozhodla, že sa nebude rozčuľovať. Rokmi slušnosti a nezvyšovania hlasu dosiahla, že na Rosemary Drive sa nikdy nehádali.

Deirdre bola na to vždy pyšná. Bolo to niečo, čím sa mohla po všetky tie roky chváliť, ale bolo to i všetko, čím sa mohla chváliť.

Matka sedela v kúte baru obloženého veľkými dubovými panelmi, akoby tu bola pravidelným hosťom. Vyzerala veľmi dobre, mala na sebe krémovú ľanovú sukňu so sakom, spod ktorého jej vykúkala krémová blúzka, vlasy mala čerstvo upravené, zrejme tú hodinu, čo čakala na dcéru, kým sa prederie do stredu Londýna, pokojne trávila v kaderníctve. Vyzerala sviežo a uvoľnene. Čítala noviny, a pokiaľ to nebol len dobre maskovaný trik, na čítanie nepotrebovala okuliare.

Tá šesťdesiatsedemročná žena vyzerala napodiv mladšie ako jej vlastná dcéra.

Eileen O'Haganová zdvihla zrak a srdečne sa usmiala. Deirdre, ktorá šla krížom cez miestnosť k matke, mala pocit, že zabudla chodiť. Pobozkali sa a matka privolala čašníka, s ktorým sa medzitým stihla skamarádiť.

„Ja si dám len strek," povedala Deirdre.

„To si nedáš nič silnejšie na oslavu toho, že tvoja stará mater prišla do mesta?"

„Vy predsa nemôžete byť mamka tejto dámy, iba tak sestra..." zalichotil jej čašník. Lenže pre Deirdru to znelo až priveľmi skutočne.

„Strek," zavrčala.

„Ukáž, nech si ťa poobzerám..." začala matka.

„Nie, mama, vyzerám strašne, mohla si aspoň zavolať..."

„Keby som zavolala, okamžite by si začala robiť paniku a zodrala by si sa z kože..." vyhlásila matka.

„Takže pripúšťaš, že si mi to nepovedala, teda ti to nenapadlo len tak, z ničoho nič."

„To nie je od teba pekné, Deirdre... nič som ti nepovedala, lebo vždy robíš paniku."

Deirdre cítila, ako sa jej do očí tisnú slzy, a úporne sa snažila, aby jej nebolo počuť na hlase, ako veľmi ju to ranilo.

„Takže ja môžem povedať len škoda. Desmond by sa ti určite potešil a dievčatá budú ľutovať, že sa nestretli s babičkou."

„Čerta starého, Deirdre, Anna je v práci. Helen sa modlí... Desmond na mňa kašle... Načo tá panika?"

A už je to tu zas, to nenávidené slovo panika. Deirdre zaťala päste, ale zbadala, ako sa matka zahľadela na jej zbelené hánky. To už začína byť zlé a ona si prisahala, že sa nebude hádať. Musí sa toho držať.

„Dobre teda, som tu," povedala Deirdre hlasom, ktorý aj jej samej znel zvláštne priškrtene. „Mama, vyzeráš neskutočne dobre."

Matka sa rozžiarila. „Tento kostým mi zoslal sám pánboh, vieš, kúpila som ho pred tromi rokmi v obchode u Maureen. Maureen mala vždy vyberaný vkus, a keď tak uvažujem, prečo sú niektoré jej šaty také drahé, jej matka vždy vravela, že platíš za strih, ktorý nikdy nevyjde z módy..."

Matka si s úľubou prihladila sukňu.

„Myslím, že je to ten správny odev na okružnú plavbu," pokúsila sa Deirdre o nadšenie.

„Nuž, áno, myslím, že nemá zmysel kupovať si všetky tie kvetované hodvábny... odev na voľný čas, na okružnú plavbu, tak sa to dnes volá. Lepšie je vziať si niečo vhodné, niečo známe, a vzala som si ešte zopár bavlnených šiat na prechádzky mestom," trkotala živo a vzrušene.

„A čo ťa primälo dať sa na niečo také?" Deirdre si zrazu uvedomila, že hovorí ako starena, ktorá karhá svoju neposlušnú dcéru, nie ako dcéra s nadšením, ktoré by mala prejaviť samostatnému rodičovi schopnému samostatne si užívať život.

„Ako som ti už povedala, je to v móde a mám spoločnosť, ktorá má teraz tiež voľno, takže..."

„Och, fajn, takže necestuješ sama," potešila sa Deirdre. Dve staré dámy si na lodi skrátia čas rozprávaním a potom budú mať na čo spomínať. Snažila sa predstaviť si, ktorá z matkiných bridžových kamošiek ju asi sprevádza.

„Áno a myslím, že využijem túto príležitosť a zoznámim vás, nie, na obed pôjdeme len my dve, ale Tony povedal, že sa staví, aby ťa pozdravil... Ach, už je tu... to teda bolo načasované!"

Deirdre s hrôzou, z ktorej sa jej dvíhal žalúdok, zistila, že matka kýva na ružolíceho chlapa v saku, a ten červený ksicht, ktorý si od radosti mädlil ruky, mieri rovno k nim. Matka šla na okružnú plavbu s mužom.

„Teší ma," povedal Tony a drvil Deirdrinu horúcu ruku vo svojej, pričom oznamoval čašníkovi, že chce veľký G & T, Cork & Schweppes, s ľadom a citrónom.

Čašník bol zmätený. Matka afektovane vysvetlila, že írski popíjači ginu sú fanatickí partizáni, a pokiaľ ide o gin, pijú len domáce pálené.

„My sme však aj veľkí demokrati, pijeme totiž anglický tonik," zahlásil Tony s rozžiarenou tvárou. „Tak čo, Deirdre, čo si myslíte o našom výpade?"

„Práve som sa o ňom dopočula," povedala pomaly, akoby nevedela nájsť slová.

„Bude to úplne bohovský výlet," rozrečnil sa. „Nebudeme chodiť za mestami, ale mestá za nami. To je ako stvorené pre lenivého chlapa. A lenivú ženskú," potľapkal matku po ruke.

„Aj toto si sa mi bála povedať, lebo by som robila paniku?" spýtala sa Deirdre, ale radšej si mala zahryznúť do jazyka.

Skôr než sa matka zmohla na odpoveď, zasiahol Tony.

„Tak vidíš, Eileen, žiarli ako všetci ostatní. Barbara sa skoro zbláznila, keď sa dopočula, že jej matka si na cestu berie mňa, a nie ju, a Gerard povedal, že pri všetkej úcte si matka mala vziať so sebou radšej syna, a nie džigola ako ja." Pohodil hlavou dozadu a od srdca sa rozosmial. A matka s ním.

Deirdre pochopila, že pozná Barbaru a Gerarda. Prečo jej o tom ani jeden z nich nepovedal? Ako sa odvážili mlčať o niečom, ako je toto? Hádam to len nemyslel doslova, že matka ho vzala so sebou, hádam len matka neplatí aj za tohto hlučného, vulgárneho chlapa? Alebo aj to mal byť vtip?

Matka jej však zrejme čítala myšlienky. „Neboj sa, Deirdre, miláčik, to hovorí len tak. Tony nie je odkázaný na naše rodinné klenoty."

„To by ale bola šanca, keby som bol fakt *odkázaný*," zahučal. „Neboj sa, tvoja matka bude žiť večne, to skôr mňa vystrie. Len dúfam, že nie na tej plavbe, hoci pohreb na mori by bol určite nezabudnuteľný, nemám pravdu?"

Deirdre cítila, ako sa jej dvíha žalúdok. Ten chlap, ktorý je približne rovnako starý ako jej matka, je vážne súčasťou jej života. A doteraz jej to nikto nebol schopný povedať.

Opäť sa prinútila usmiať a postrehla matkin schvaľujúci pohľad. Snažila sa nájsť nejaké vhodné slová, ale v ústach jej vyschlo a zhorklo.

Tony však nebol z tých tichých. Znova jej dal naliať, objednal tanierik olív a misku chrumiek, pretože na stole treba mať všetko. Uistil ju, že bude na matku dávať pozor, opäť jej riadne stisol ruku a povedal, že kľúč nechá na recepcii. Kľúč. Ten chlap ani nepredstieral, že majú oddelené izby. Deirdre cítila, ako ju oblieva studený pot, a ledva si uvedomila, že matku pobozkal na rozlúčku na líce.

Matka objednala stôl vo vedľajšej reštaurácii. Bola malá, francúzska a drahá. Servítky boli hrubé, striebro ťažké a kvety na stole živé a v hojnom množstve.

Deirdre za celých tých dvadsaťpäť rokov, čo žije v Londýne, nikdy nejedla na takomto mieste, a pritom jej matka, jej matka, ktorá sem zavítala z malého štátika, z malého mestečka v porovnaní s Londýnom, si objednáva, akoby to robila odjakživa.

Bola rada, že matka rozhodla aj za ňu, pretože ona nielenže nerozumela jedálnemu lístku, ale nebola by si schopná ani objednať. Natoľko bola zmätená a znechutená.

„Prečo si mi nepovedala o... ehm... o Tonym?" spýtala sa zrazu.

„Nuž, ani nebolo veľmi čo, pokiaľ sme sa nerozhodli, že na tú plavbu pôjdeme spolu, a hneď ako sme sa rozhodli, som ti to predsa *povedala,*" rozhodila rukami matka, akoby to bola tá najsamozrejmejšia vec na svete.

„A Gerard, a... a Barbara... oni vedia.... oni to vedeli...?"

„Nuž, vedia, že Tony je môj priateľ, a prirodzene, vedia aj o našich dovolenkových plánoch."

„A boli... čo urobili...?"

„Gerard nás dnes ráno odviezol na letisko. Tony má pravdu, je zelený od závisti, stále opakuje, že tak mu treba. Príliš tvrdo pracuje, *mal* by si oddýchnuť a môže si to veru aj dovoliť. Možno ho to vyprovokuje."

„Ale povedal... čo si myslí...?

„Nepovedal, že si vezme dovolenku, ale poznáš Gerarda, možno už o tom uvažuje."

Naozaj jej matka nerozumela, alebo nechcela? Deirdre sa však nedá len tak ľahko odbiť.

„A čo Barbara a Jack? Čo si myslia o tom, že odchádzaš s mužom?"

„Najdrahšia Deirdre, ja neodchádzam s mužom, ak myslíš na to, ja idem s Tonym len na dovolenku a áno, pravdaže, je to muž. Čo chceš povedať tým, že čo si myslia? Oni predsa nemyslia vôbec, o tom som stopercentne presvedčená."

„Ale Jackova rodina..."

Odkedy si Deirdre pamätá, o Jackovej rodine sa vždy hovorilo s posvätnou úctou. Jeho otec bol sudcom Najvyššieho súdu, strýc veľvyslancom. Barbara splnila očakávania o'haganovskej rodiny a dobre sa vydala, nie ako Deirdre, najstaršia – tá si vzala nulu, a ešte k tomu narýchlo.

Matka však vyzerala úplne ohromená.

„Jackova rodina?" zopakovala, akoby Deirdre začala hovoriť po čínsky. „Čo ich je, preboha, do toho?"

„Veď vieš..."

„Nemyslím, že poznajú Tonyho. Nie, som si istá, že ho nepoznajú. Prečo sa pýtaš?"

Deirdre uprela na matku tvrdý pohľad. Matka bohovsky dobre vedela, prečo sa pýta. Pretože úžasná a všemocná Jackova famílía sa spomínala vždy. Spomína sa odvtedy, čo Deirdrina mladšia sestra Barbara začala chodiť so synom klanu s dobrými konexiami. Deirdre si pamätá, akú ohromnú svadbu usporiadali pre Barbaru, s občerstvením pod veľkým stanom, s duchaplnými rečami, politikmi a fotografmi. Bola tak veľmi iná ako tá jej. A zrazu vraj Jackov všemocný klan nie je dôležitý.

Pocítila, ako jej do tváre stúpa rumenec, ale spýtala sa matky na rovinu.

„A máte, ty... a Tony... nejaké ďalšie plány... myslím po návrate z cesty, myslíš, že by si sa mohla vydať, alebo niečo také?"

„Snaž sa netváriť prekvapene," odvetila matka. „Už sa stali aj čudnejšie veci, veď vieš. Ale odpoveď znie nie. Žiadne takéto plány."

„Och?"

„A okrem toho, už bolo dosť rečí okolo mňa a môjho výletu. Ty sa pochváľ, ako sa máš," usmiala sa matka.

Deirdre zaryto trvala na svojom: „To nie je ani zďaleka také zaujímavé ako tvoje plány."

„Ale choď, Desmond sa osamostatnil a vy budete mať tú striebornú slezinu..."

Tú „slezinu" mala určite od Tonyho. Matka takto nikdy nehovorila.

„Odkiaľ ho poznáš?" vyhŕkla Deirdre.

„Desmonda?" Teraz sa s ňou zahrávala matka. „Veď si ho sama priviedla domov a povedala, že sa idete brať. Ale to predsa vieš."

„Nemyslela som Desmonda a ty to dobre vieš," namietla Deirdre. „Myslela som Tonyho. Kde ste sa dali dokopy?"

„V golfovom klube."

„Tony je členom golfového klubu?" spýtala sa prekvapene a neveriacky.

„Áno, hrá na dvanástke," odvetila hrdo matka.

„Ale ako sa tam dostal?" Pred rokmi by niekoho takého výstredného ako Tony nikdy neprijali, v tom to celé bolo. Keby Desmond vedel hrať golf, čo nevedel, dokonca ani on by nebol prijateľný. Ako sa tam teda mohol dostať niekto ako Tony?

„Nemám poňatia, myslím, že tak ako my všetci," povedala neurčito matka.

„A poznajú ho tvoji priatelia, pozná ho napríklad pani Barryová?" Deirdre si naschvál vybrala matku Maureen Barryovej, najlepší spoločenský barometer toho ich Dublinu. Tony by určite nebol u nej vítaný.

„Sophie? Áno, samozrejme, úbohá Sophie sa s ním občas stretáva. Ale Sophie Barryová nehrá golf, takže z tejto stránky ho nepozná."

„Hádam mi nechceš tvrdiť, že Tony hrá bridž?"

„Nie. Príšerne opovrhuje tými obstarožnými kočkami, ako nás volá, ktoré trávia dni a noci nad kartami."

Matka sa rozjarene usmievala a zrazu sa jej život zdal omnoho zaujímavejší ako Deirdrin. Deirdre, ktorá sa úporne snažila, aby matka nezmenila tému, to skúsila ešte raz.

„A mama, prosím ťa, čo si o tom myslí Gerard? Čo na to hovorí? Nie, nielen na tú dovolenku, ale vôbec, čo hovorí na Tonyho?"

„Nemám potuchy."

„To predsa musíš vedieť."

„Nie, vážne, ako by som mohla? Viem len to, čo mi hovorí, nemám poňatia, čo hovorí druhým. Momentálne má veľmi milú priateľku, možno sa o tom rozpráva s ňou, ale neviem si to predstaviť." Zdalo sa, že matku to absolútne nezaujíma.

„Ale on predsa... určite..."

„Počuj, Deirdre. Každý máme svoj život. Gerard má zrejme viac starostí so svojou kariérou v advokátke – či sa má stať členom súdnej rady, alebo sa má prestať hrať s bábikami a radšej sa usadiť. Možno sa obáva vlastnej smrti, už má skoro štyridsať, možno priveľa uvažuje o strave, cholesterole a nenasýtených tukoch. Možno uvažuje, či má predať byt a kúpiť si dom. Prečo by sa, preboha, zaoberal svojou materou? No prečo?"

„Ale keby sa niečo stalo... keby si sa zaplietla..."

„Som si istá, že si myslí, že som dosť stará na to, aby som sa o seba postarala sama."

„Musíme sa predsa starať jeden o druhého," povedala Deirdre trošku strojene.

„Tak v tom sa teda mýliš, každý by sa mal starať v prvom rade o seba, a nie miešať sa do života druhých. To je veľký hriech."

Táto nespravodlivosť šľahla Deirdru ako úder bičom. Ako si matka vôbec *dovoľuje* vyjsť s takým mravokárnym nezmyslom, že sa neslobodno miešať do života druhých? Deirdre sa štvrť storočia snaží žiť podľa akejsi predstavy, podľa toho, čo sa od nej očakáva. Ona bola predsa dcéra, do ktorej sa vkladali veľké nádeje. Najstaršia, bystrá študentka, vyznamenaná, mala si urobiť doktorát a zamestnať sa na Ministerstve zahraničných vecí, ako sa to vtedy volalo, bola na najlepšej ceste stať sa veľvyslankyňou, alebo sa za veľvyslanca aspoň vydať. Mala robiť kariéru ako advokátka, ako jej brat. Mala sa dobre vydať, ako jej sestra Barbara.

Namiesto toho sa v jedno dlhé horúce leto zaľúbila a zatvorila do akéhosi čudesného väzenia. Keďže pre O'Haganovcov a ich nádeje tam doma nikdy nebolo nič dosť dobré, všetko muselo aspoň vyzerať, že je.

Deirdre celý život žila tak, aby potešila matku, ktorá teraz sedí oproti nej a ospravedlňuje svoj úbohý vzťah s tou atrapou tvrdením, že zlatým pravidlom života je nemiešať sa do života druhých! To predsa nemôže byť pravda!

Deirdre veľmi pomaly začala: „Viem, čo chceš povedať, ale myslím si, že nesmieš byť úplne zameraná len na seba, musíš brať do úvahy aj želania tých druhých. Vážne, vari som nestrávila celú mladosť počúvaním o vhodných a nevhodných partiách?"

„Odo mňa teda nie."

„Ale ty si predsa vždy chcela vedieť, čo robí ten a ten otec a kde býva."

„Ani nie," odvetila bezstarostne matka. „Ale je fajn vedieť, kto je kto, pre prípad, že by sme sa náhodou poznali už roky, alebo také niečo. To je všetko."

„To nie je všetko, mama, ty a pani Barryová..."

„Och, Deirdre, Sophie Barryová nemá v hlave nič, len tú nezmyselnú spoločenskú hierarchiu. To predsa musí vidieť každý, kto ju pozná..."

„Maureen nie."

„Jej chyba, ale nemyslím si, že máš pravdu. Maureen má svoj život, robí si, čo chce, napriek tomu, že úbohá Sophie ten jej obchod pokladá za absolútny brak."

„Chceš tvrdiť, že ty a oco ste boli úplne spokojní, že som si vzala Desmonda? To sa mi nepokúšaj nahovoriť. Tomu neverím."

Deirdre sa v očiach zaleskli slzy, od hnevu, bolesti i zmätenia sa rozplakala. Spadla pozlátka, rozpadla sa maska a ona zistila, že kráča po nebezpečnej pôde. Zdvorilé predstieranie bolo preč.

Dáma v bledom ľanovom kostýme a krémovej blúzke sa na ňu pozorne zahľadela. Chcela niečo povedať, ale hneď si to aj rozmyslela.

„To predsa nemôžeš poprieť!" zahlásila triumfálne Deirdre.

„Dieťa, hovoríš o časoch dávno minulých," povedala matka.

„Ale je to pravda, starala si sa, trápilo ťa, že Desmond nie je z horných desaťtisíc, nie je pre nás dosť dobrý."

„Čo myslíš tým pre nás? My sme si ho predsa nebrali, ty si sa zaňho vydala, ty si si ho brala, tých horných desaťtisíc sa predsa ani nespomenulo."

„Možno nie nahlas."

„Vôbec nie. Buď si istá, že tvoj otec a ja sme si len mysleli, že si príliš mladá, pravdaže, ani školu si ešte neskončila, báli sme sa, že nezískaš kvalifikáciu. Preto sme chceli, aby si počkala, to je všetko."

Deirdre sa zhlboka nadýchla: „Vedeli ste, že nemôžeme čakať."

„Vedela som, že aj tak by si nečakala, to je všetko. Bola si proste rozhodnutá. Nemohla som ti oponovať."

„Ty vieš prečo."

„Viem, že si ho ľúbila, alebo si si myslela, že ho ľúbiš, ale teraz, keď si s ním zostala a umieraš za tým cirkusom, ktorý chystáte na jeseň, si myslím, že si zrejme mala pravdu, asi si ho fakt ľúbila a on teba tiež."

Pre matku to bolo všetko veľmi jednoduché, keď ste prežili spolu dvadsaťpäť rokov a boli ste pripravení to zverejniť... máte sa radi. Deirdre sa zamyslela.

„A nie je to tak?" Matka čakala áno alebo nie, alebo aspoň niečo ako „veď som ti to hovorila".

„Viac-menej áno, ale len vďaka nám dvom," odvrkla Deirdre.

„Neviem presne, čo sa mi pokúšaš povedať, Deirdre. Myslím, že zo všetkých mojich detí si ty najspokojnejšia. Šla si za tým, čo si chcela, a aj si to dosiahla. Nikto ťa do ničoho nenútil, mala si svoju slobodu, študovala si, mohla si pracovať, lenže ty si nikdy nerobila. Sophie a ja sme sa zhodli na tom, že ti vždy padali pečené holuby do úst, ale teraz sa mi zdá, že mi to vlastne vyčítaš."

Matka sa o ňu zaujímala, ale nevyzvedala, starala sa, ale nebola nepríjemne vtieravá. Znalecky ochutnávala šalát a čakala na vysvetlenie.

„Prečo si mi dovolila, aby som si vzala Desmonda, keď si si myslela, že som primladá?"

„Myslela som si, že takto sa napácha najmenej škôd. To som si myslela. Tvoj otec si síce myslel, že si tehotná, ale ja som vedela, že to nie je pravda."

„Ako si to vedela?" šepla Deirdre.

„Pretože nikto, dokonca ani v roku 1960, by sa nevydával len preto. Ani ty nie. Anna sa narodila až omnoho neskôr a myslím, že úbohú Sophie to vtedy dojalo k slzám. Mám pocit, že si myslela to isté ako tvoj otec."

„Áno."

„Takže, Deirdre, čo to bol za federálny zločin, či ako sa to povie? Čo som to vlastne spáchala? Dali sme ti naše požehnanie. Alebo sme ti to nemali schváliť? Nie. Prišli sme ti aj na svadbu, to si predsa chcela. Tvrdila si, že nechceš obrovskú ukážkovú slávnosť, a chcela si sa vydávať v Anglicku. Aj to sme prijali. Aj Barbaru a Gerarda sme vypýtali zo školy.

S Desmondom môžete prísť kedykoľvek, lenže vy k nám nechodíte vôbec, ty si prišla len raz a bola si taká netýkavka, že sme nevedeli, čo ti povedať, všetko ťa poburovalo. My sme u vás boli viackrát a teraz sa chystáme aj na tú vašu striebornú svadbu, hoci musím povedať, že to nie je to, na čo sme zvyknutí. Ale napriek tomu som ja tá najhoršia na svete, samozrejme, spolu s tvojím otcom, sestrou a bratom."

Eileen O'Haganová vytrela nálev šalátu kúskom bagety a spýtavo pozrela na dcéru.

Deirdre na ňu bez slova hľadela.

Prišiel čašník, odpratal zo stola a zdĺhavo diskutoval o jablčnom zákusku a karamelovom kréme. Deirdrina matka sa s ním pustila do živej debaty a Deirdre mala čas usporiadať si myšlienky.

„Objednala som z každého po jednom, nechcem ti nič vnucovať, ale myslela som si, že to bude tak najlepšie."

„Fajn, mama."

„O čom sme to hovorili? Och, už viem, že vraj my s otcom sme nenávideli Desmonda, alebo také niečo, je tak?"

„Nie celkom."

„Nuž nielenže nie celkom, ale vôbec nie. Obaja sme si mysleli, že Desmond je fajn chlap, samozrejme, trochu pod papučou, lebo ty si vždy bola generál – to máš po mne." Eileen O'Haganová bola očividne spokojná so svojimi rýdzimi vlastnosťami.

„A čo ste si o ňom hovorili medzi štyrmi očami?" spýtala sa ticho Deirdre.

„Otec a ja? Dokopy nič. Pre teba bol Desmond dobrý, o to som sa, myslím, vtedy najviac bála, takže myslím, že z tejto stránky tu nebol žiadny problém. Myslím, že nám prekážalo len to, že neurobíš kariéru."

„Mala som tri deti rýchlo po sebe," ohradila sa Deirdre.

„Áno, ale potom. Mám pocit, že sme si len mysleli, že u tých Talianov vládne trochu hierarchia, u tých Palladiovcov..."

„Palazzovcov, mama."

„Tak dobre, myslím, že to bolo u nás jediné negatívum Desmonda, takže sa netvár ako rozzúrená levica."

Matka sa afektovane usmiala.

Deirdre na ňu pozrela, akoby ju doteraz nikdy nevidela.

„A pani Barryová, nevypytovala sa na nás?"

„Nie, zlato. Ak mám byť úprimná, toľko záujmu si zas nevzbudzovala. U nikoho. Ty predsa vieš, ako to v Dubline chodí – zíde z očí, zíde z mysle a okamžite sa o ňom prestane hovoriť, ľudí ďalej nezaujíma."

„To sa ale netýka teba, ty si, dúfam, na svoju najstaršiu dcéru nezabudla," roztriasli sa Deidre pery.

„Pravdaže som nezabudla, ty hlupáčik, lenže my sme nikdy nešírili tie hlúposti, na ktoré teraz myslíš, to, že Palladiovci Desmonda prehliadajú, alebo že Anna bola na recepcii s princeznou Di."

„To bola princezná z Kentu."

„Nevadí, vieš, na čo myslím, Deirdre, tu nejde o skóre, vieš, bod k dobru za to, bod dole za ono."

Zavládlo ticho. Dlhé ticho.

„Ja ťa nekritizujem, to predsa vieš, či nie?"

„Viem, mama."

„A aj keby sa Kevinovi a mne bol Desmond nepáčil, čo nie je náš prípad, všetko, čo si nám dovolila sa o ňom dozvedieť, sa nám páčilo... Aj keď toho veľa nebolo... čo by stálo za reč. My sme sa predsa nechystali žiť za vás."

„Aha."

„Keď som si ja brala Kevina, moji rodičia boli nadšení, vykrikovali a híkali od radosti, a ja som sa cítila hrozne."

„To ťa predsa malo tešiť."

„Nie, bola som podozrievavá. Myslela som si, že sa ma chcú zbaviť a peniaze povýšili na akýsi druh šťastia či úspechu. Od tvojho otca som sa však nedočkala ani jedného, ani druhého."

„Neverím!" Deirdre na ňu hľadela s ústami otvorenými od úžasu.

„Prečo by som ti to nemala povedať? Obe máme svoje roky a rozprávame sa o živote a o láske. Tvoj otec bol tým, čomu sa dnes hovorí šovinistické prasa, ale vtedy to bol ‚chlap' a ešte môžem byť rada, že mi nechodil za ženskými. Každý večer trčal v tých svojich kluboch neskoro do noci, to si predsa pamätáš, či nie? Stavím sa, že Desmond býva doma a svoje deti si pozná."

„Nikdy nebol členom žiadneho klubu," povedala žalostne Deirdre.

„A nie je to tak lepšie? Tak či onak, vždy som si myslela, že nebudem žiadne zo svojich detí povzbudzovať ani odrádzať, ale ich nechám, aby si vybrali sami a sami sa s tým aj vysporiadali."

„Barbarina svadba..." začala Deirdre.

„Skoro nás zruinovala. Tá Jackova famîlia, to boli teda šoumeni. Dali nám meter dlhý zoznam hostí z ich strany... a my sme sa rozhodli urobiť to tak, ako si to mladý pár želal. Hoci Barbara mi potom často hovorila, že ona by bola spokojná aj s menšou parádou, že to vôbec nestálo za to."

„To že ti Barbara povedala?"

„Hovorí mi to vždy, keď si dá pohárik sherry, a myslím, že som neporušila žiadne tajomstvo, keď som ti to teraz povedala. Rozpráva o tom aj v golfovom klube a určite to chcela povedať aj vtedy, keď sedela v obecenstve v televíznej *Late Night Show*, lenže asi jej nikto nepodal mikrofón."

Deirdre sa po prvý raz od srdca rozosmiala, čo čašníka tak potešilo, že ihneď pribehol s tanierikom bonbónov a ďalšou dávkou kávy.

„Viem, myslíš si, že by som mala byť šťastná, mám šesť vnukov – tvoje tri deti a Barbarine tri deti. Lenže tvoje ani nepoznám. Vyrastali bez nás, a keď sme k vám prišli, od strachu pred nami utekali ako laboratórne myšky. A z Barbariných som chorá, lebo keď boli v najhoršom veku, ja som bola neplatenou pestúnkou, ktorej nikto nepovie ani ďakujem, a teraz, keď sú veľkí a zaujímaví, už po mne ani nešteknú. A pochybujem, že ma v tomto smere niečím prekvapí Gerard, ale to je jeho problém. Nechcem ho vháňať niekomu do náručia len preto, aby ma viac ľudí volalo babkou."

Vyzerala živo a sviežo, nie ako žena, ktorá nechce, aby ju viac ľudí volalo babkou, ba dokonca ani ako žena, ktorá už má dospelé vnúčence.

„A keď si ty a... ehm Tony... budete na tej plavbe rozumieť, prečo nechceš, aby to bolo... nuž, niečo stálejšie?"

Deirdre vycítila, že keď ho prijali matkine priateľky doma a jej sestra s bratom, nemôže byť predsa až taký obyčajný a nevhodný, ako si sprvu myslela.

„Nie, to nám nie je súdené."

„Veď si povedala, že to nie je až taký barbarský nápad."

„Nuž, v skutočnosti je, Deirdre. Pre jeho ženu určite."

„On je ženatý? Mama, to neverím."

„Och, budeš musieť, ver mi."

„Vie niekto, že je ženatý? Uvedomuje si to niekto?" spýtala sa vyľakane Deirdre.

Matka stíchla. Hľadela na Deirdru so zvláštnym výrazom v tvári.

Bolo ťažké sa v nej vyznať. Sčasti bola smutná a sčasti akoby si ani neuvedomovala, ako sa veci majú. V tom sklamaní bolo trochu mrazivej netrpezlivosti.

Deirdrina otázka zostala visieť vo vzduchu, vôbec jej neodpovedala. Požiadala o účet a spolu sa vrátili do hotela.

Povedala, že musí ešte nakúpiť nejaké drobnosti, a dala pozdravovať Annu a Helen. Brendana nemalo zmysel pozdravovať, obe vedeli, že sa stýkajú len občas. Deirdre nemala so synom ustanovené týždenné hlásenia po telefóne v nedeľu večer ako s matkou.

Eileen O'Haganová povedala, že Desmondovi praje všetko dobré a myslí si, že urobil dobre, keď odišiel od tých Palladiovcov či Palazzovcov, či ako sa to vlastne volajú. Chlap sa má správať ako chlap. Aj žena.

Povedala, že im pošle pohľadnicu z nejakého krásneho a exotického miesta.

Keďže Deirdre stále mlčala, povedala, že odovzdá Deirdrin pozdrav Tonymu a povie, že Deirdre im želá príjemnú cestu.

Keď sa Eileen O'Haganová lúčila s dcérou, ktorá sa metrom odvezie späť do Pinneru k stolu plnému príprav na večierok, ktorý ich čaká o stodesať dní, vystrela ruku a pohladkala Deirdru po líci.

„Prepáč," povedala.

„Čo, mama? Čo ti mám prepáčiť? Pozvala si ma predsa na senzačný obed. Naozaj som rada, že sme sa stretli." A Deirdre to myslela vážne.

„Nie, prepáč, že som ti nedala viac."

„Ty si mi dala všetko, len ja som bola hlúpa, a to tvrdíš, že som najmúdrejšia z tvojich detí. To som fakt nevedela."

Matka otvorila ústa, akoby chcela prehovoriť, ale opäť ich zavrela, a keď sa Deirdre obrátila, aby jej zakývala, videla, ako sa Eileen O'Haganovej pohybujú pery. Myslela, že jej dáva len zbohom.

Bola však príliš ďaleko, aby počula, že jej matka vraví: „Prepáč, že som ti nedala pocit šťastia. Naučila som ťa len, ako šťastie predstierať, a to nie je dar. To je bremeno, ktoré musíš nosiť celý život."

Deirdre jej ešte raz zakývala, zišla dolu schodmi do metra a dúfala, že matka za ňou prestane rozprávať. Tu, na Picadilly Circus, sa schádza celý svet, a niekto, hocikto, by ich mohol vidieť. Niekto z Pinneru alebo z Dublinu. Svet bol čím ďalej tým menší a vždy sa treba správať tak, akoby vás niekto pozoroval, pretože to všetci robia. Každý každého pozoruje.

9 Strieborná svadba

Automatický čajník si nastavili na siedmu.

Desmond síce frflal, že je to príliš skoro, a kým ten cirkus vypukne, budú unavení, ale Deirdre tvrdila, že je omnoho lepšie byť pripravení skôr, než by sa potom mali naháňať. Chcela byť hotová, kým prídu s objednaným jedlom.

„Oni predsa neprídu skôr ako o tretej," namietal Desmond.

„Všetko musíme najprv odpratať."

„Bože všemohúci, Deirdre, predsa nestrávime osem hodín spratávaním kuchyne. Veď si všetko už aj tak dávno odpratala."

Nevšímala si ho a naliala mu čaj.

Celé roky, odkedy mali oddelené spálne, si pestovali tento ranný rituál elektrického čajníka uprostred stola, ktorý ich delil. Dodávalo im to energiu do nového dňa, trochu otupilo hrany napätia z ranného sklamania, ktoré, zdá sa, obaja pociťovali.

„Veľa šťastia k výročiu," povedal a načiahol sa za jej rukou.

„Aj tebe," usmiala sa. „Dáme si darčeky teraz alebo až potom?"

„Ako chceš."

„Tak teda potom." Uchlipkávala čaj a rozmýšľala, čo všetko musí dnes urobiť. Bola objednaná ku kaderníčke a pri tejto špeciálnej príležitosti aj na manikúru. Na skrini jej viseli nové šaty v celofánovom obale. Dúfala, že si vybrala dobre, lebo predavačka bola veľmi neodbytná, volala ju „madam" a hovorila s ňou tak, akoby tam ani nebola. Madam bude veľmi dobre vyzerať v bledom, madam určite nechce vyzerať staršie. Ak madam naozaj trvá na tom, že nechce žiadne vypchávky, mala by si dať na plece aspoň nejakú drobnosť.

Deirdre by si síce celkom rada dožičila vypchávky, lebo dnes sa už skoro každý nosí ako tie dámy z *Dynasty* alebo *Dallasu*, ale spomenula si, ako si pred rokmi kúpila sako s veľkými vypchávkami a Maureen Barryová ju so smiechom nazvala maršalom Bulganinom.

Vedela, že čokoľvek si dnes Maureen oblečie, bude úžasné a všetky oči sa budú upierať na ňu, nie na hostiteľku. Tá ženská v obchode jej lichotila, vraj nemôže uveriť, že madam skutočne oslavuje striebornú svadbu, lenže to bolo v obchode. Tá ženská ju proste chcela uloviť a spraviť s ňou kšeft.

Tá ženská nevidela Maureen.

Určite bude stredobodom pozornosti, tak ako pred dvadsiatimi piatimi rokmi. Vtedy, keď nevesta bola rozpálená, vystrašená a nervózna a družička vo svojich svetloružových ľanových šatách s veľkou ružovou kvetinou vo vlasoch pôsobila jemne, pokojne a elegantne. Frank Quigley z nej nemohol spustiť oči. Celý deň hľadel len na ňu.

Bude to tak aj dnes? Spomenie si ten úžasný Frank Quigley s ľútosťou na svoju vášeň pre Maureen Barryovú ako na jedinú vec v živote, ktorú nezískal? Ako pozná Franka, určite sa nebude tváriť nešťastne. Veď získal väčšiu a lepšiu korisť. Celý majetok Palazzovcov. Keby mu pred rokmi povedala „áno" Maureen, nikdy by sa k nemu nedostal.

Nesmie na to myslieť. Aspoň nie dnes, dnešok bol jej dňom, nie ako tá svadba. Tvrdo sa oň pričinila, pracovala na ňom celé hodiny, celé roky. Dnešok bude patriť Deirdre Doylovej.

Desmond sa pozrel do zrkadla v kúpeľni. Tvár, ktorá naňho hľadí, je mladšia ako kedysi, pomyslel si. Alebo sa mu to len zdá, lebo sa cíti lepšie. Už ho nebolieva žalúdok, ako keď robil u Palazza. Teraz sa teší, že vypadne z domu. Rána sú omnoho príjemnejšie.

Sureshovi Patelovi navrhol, aby začali roznášať v okolí noviny. Ľudia určite privítajú čerstvé noviny, ak ich dostanú domov ráno pred siedmou. A mal pravdu. Roznášal ich taký malý mudrc, ktorý vždy všetko úzkostlivo zúčtoval a noviny rozniesol ešte pred školou. Aj na Rosemary Drive hodil Desmondovi *Daily Mail* a on si ich ráno prečítal a potom ich nechal Deirdre.

Mrzelo ho, že Deirdre nechcela, aby na oslavu prišiel aj Suresh Patel so ženou.

„To je len pre tých, ktorí boli na svadbe," dôvodila.

„John a Jean Westovci tam tiež neboli," bránil sa.

„Neblázni, Desmond, to sú naši najbližší susedia."

„A Suresh je môj partner, či nie?"

„Len veľmi krátko a aj tak tu nikoho nepozná."

„Polovica z pozvaných predsa nikoho nepozná."

„Maj rozum, veď tá jeho žena ani nevie po anglicky. Čo povieme ľuďom, to je pani Patelová, manželka Desmondovho partnera, ktorá vie len prikyvovať a usmievať sa?"

Nechal to tak. Ale trápilo ho to. Bol si istý, že keby Suresh Patel oslavoval niečo doma, Doylovci by boli určite pozvaní. Lenže nemalo zmysel sa hádať, pretože aj keby vyhral, mal by Patelovcov celý večer na krku. A musel sa sústrediť na toľko vecí. Napríklad, že príde jeho syn... úplne sám od seba. Možno si teraz, keď aj on nabral odvahu utiecť zo sveta, ktorý ho desil, nájdu spoločnú reč. Možno sa už dávna pichľavosť trocha otupila, možno sa dokonca úplne stratila.

Veľmi sa tešil, že znova uvidí otca Hurleyho – je to taký milý pán. Aj v tých dávno minulých, zlých časoch, keď farári nesmeli odobriť žiaden hriech, urýchliť sviatosť manželstva a podobne. Otec Hurley ho vôbec neodsudzoval, keď za ním prišiel a požiadal ho, aby im pomohol vziať sa čo najskôr. Podľa možnosti ešte včera.

„Ste si istí?“ spýtal sa otec Hurley.

„Och, áno, testy boli pozitívne,“ vyhŕkol Desmond bojujúc so záchvatom paniky.

„Nie, myslím, či ste si obaja istí, že to chcete. Je to na celý život.“

V tom čase to bola zvláštna otázka. Desmond tomu neprikladal veľkú dôležitosť. Jediné, čo ho zaujímalo, bolo, či ich môže farár do troch týždňov oddať, aby sa to dieťa nenarodilo priskoro. Dieťa, ktoré sa nenarodilo nikdy. Dieťa, ktoré Deirdre na Štedrý večer potratila.

Uvažoval, či sa nad tým otec Hurley vôbec zamyslel, či si farár, ktorý potom krstil Annu, uvedomil, že sa narodila až celých štrnásť mesiacov po vynútenej svadbe. Že Deirdre potratila jej sestričku alebo bračeka.

Desmond si vzdychol. Otec Hurley mal v Írsku, ktoré tak rýchlo dobiehalo v bezbožnosti zvyšok sveta, zrejme iné starosti. Asi nemal čas špekulovať nad tým, čo sa stalo v manželstve, ktoré požehnal pred dvadsiatimi piatimi rokmi.

Keď sa Anna zobudila okolo siedmej vo svojom byte v Shepherd's Bush, šla rovno k oknu, aby sa pozrela, ako dnes bude. Výborne – nádherný, jasný, jesenný deň. Londýn bol na jeseň úchvatný. Parky boli odeté v najkrajšom šate. Včera, keď sa bola prejsť s kamarátkou Judy, videli na stromoch hádam tucet rôznych odtieňov zlatej a oranžovej. Judy hovorila, že v Amerike, hore v Novom Anglicku, sa dokonca organizujú špeciálne zájazdy a výlety pre milovníkov jesene, ktorí sa chodia dívať, ako listy menia farbu. Malo by sa to robiť aj v Londýne.

Anna šla ráno do práce. Na Rosemary Drive by aj tak len zavadzala, tam bude všetko hore nohami a čím menej ľudí, tým lepšie.

Pôjde tam až okolo tretej, vtedy, keď dorazia s jedlom, aby sa im matka neplietla pod nohy a neliezla im príliš na nervy. Veľmi prosila Helen, aby sa nezjavila pred piatou, kým oslava oficiálne nevypukne. Predstava vpustiť Helen kamkoľvek, kde profesionálni kuchári pripravujú jedlo, bola pomerne desivá.

Helen bola práve vo veľmi zlej forme, stále mala nejaké problémy v kláštore. Zvyšok osadenstva kláštora si očividne neželal, aby Helen zložila sľub a stala sa riadnou členkou ich spoločenstva. Anna to čítala medzi riadkami, ale Helen to, samozrejme, nedošlo, myslela si, že ich dráždi maličkosťami a všetci jej chcú len zle.

Anna si vzdychla. Ak by bola v kláštore ona, čo bolo to posledné miesto na tejto zemi, kde by chcela skončiť, Helen by bola tým úplne posledným človekom na svete, s ktorým by tam chcela žiť. Helenina prítomnosť musela rozčuľovať každého. Pri tých niekoľkých príležitostiach, keď prišla za Annou do kníhkupectva, musela Anna zakaždým opäť zrovnať veľké stohy kníh vo výkladoch – žiaden iný zákazník ich neprevrhol, ale Helen áno. Dokonca sa jej podarilo zhodiť aj terminál na kreditné karty z pokladničného pultu a rozbiť vitrínu. A jej kabát zakaždým zachytil niečiu šálku s kávou. Kamkoľvek prišla, všade nastal zmätok. Anna len dúfala, že Helen dnes večer nepovie niečo nevhodné.

Čo by mohla také strašné povedať? Napríklad niečo o Brendanovi podľa vzoru „nie je to úžasné, že sme ho prinútili prísť?... Nebolo to síce tak, ale otec by si mohol myslieť, že áno. Alebo o otcovi, že odišiel od Palazza a pracuje s tým otrasne milým Pakim. Helen bola jedinou osobou, ktorú Anna poznala, čo skutočne používala slová ako Paki a Špagetárka. Áno, aj Renatu Quigleyovú by mohla nazvať Špagetárkou.

Anna sa naboso odťapkala urobiť si nesku. Ďalšie potešenie a výhoda, že nebýva s Joeom Ashom. On musel mať vždy zrnkovú kávu, čerstvo pomletú v mlynčeku, z ktorého jej išla prasknúť hlava. Síce by nechcela žiť naveky sama, ale denne nachádzala viac a viac kladov na tom, že nežije s Joeom Ashom.

Odišiel tak priateľsky a ľahko, ako prišiel. Pobozkal ju na líce a povedal, že robí z komára somára. Povedal, že mu bude chýbať, vzal si zopár platní a veľmi drahú prikrývku, ktorú si kúpila na posteľ. Sledovala ho, ako ju skladá, ale nepovedala nič.

„Mám dojem, že si mi to darovala, nie?“ usmial sa.

„Iste, Joe," prikývla. Nebude predsa plakať kvôli prikrývke. Ani kvôli tej druhej žene v jej posteli.

Judy bola k nej pri rozchode veľmi milá.

„Som s tebou, mne môžeš zavolať, keď ťa chytí svetobôľ. Mne sa môžeš vyžalovať. Nieže zavoláš jemu, keď sa budeš cítiť sama, zavolaj mu len vtedy, keď budeš schopná ho prijať späť."

Priatelia sú úžasní, pomyslela si Anna, skutočne hodní zlata. Priatelia ťa pochopia, keď sa šialene zamiluješ, neprekáža im, že ti nejaký čas šibe, a sú tu, keď ťa zamilovanosť prejde. Alebo tak nejako. Teda presne tak.

Lenže ona sa v najbližšom čase vôbec nemienila zamilovať. Ken Green to chápe, povedal, že skôr než ju začne vážne obiehať, chce, aby odtiaľto vypáchol smrad silnej kolínskej Joea Asha. Ken Green bol veľmi zvláštny. Veľmi dobre si rozumel aj s jej otcom, čo bolo dosť čudné, a presvedčil otca a pána Patela, aby si dali do výkladu s časopismi aj zopár knižiek, keby mal náhodou niekto záujem, prehodil... a ľudia záujem, samozrejme, mali. Otcovi s pánom Patelom sa začalo dariť. Nakoniec si otvorili v štvrti kníhkupectvo. Ken dokonca aj Anne navrhol, či by v spolupráci s nimi nepomýšľala na vlastné kníhkupectvo.

„Príliš blízko domova," povedala.

„Možno máš pravdu," súhlasil Ken, lenže nie tým spôsobom ako Joe Ashe. Joe s ľuďmi súhlasil, aby mu dali pokoj, kým Ken preto, lebo to vymyslel on. Takmer ho požiadala, aby s ňou šiel na ten strieborný cirkus, ale uvedomila si, že by to bol príliš verejný záväzok. Matkine priateľky by si mali o čom šepkať a stará mama O'Haganová by sa určite rozhodla všetko zistiť, aj keď vlastne nebolo čo.

Brendan dorazil do Londýna skoro ráno, vystúpil a obzeral sa okolo seba. Bola práve ranná špička. Asi štvrťhodinu len stál a sledoval, ako cezpoľní obyvatelia tej časti Londýna bzučia, cupitajú, ženú sa hore rampami a dolu schodmi, stavajú sa do radov na taxíky, v rade pri pokladni pchajú do seba rýchle raňajky a dobiehajú na eskalátory. Vyzerajú takí veledôležití, pomyslel si, akoby tá ich prácička, o ktorú sa tak trhajú, bola nejako významná, akoby oni boli tými najdôležitejšími na svete. Aj od neho rodičia chceli, aby sa hnal dolu po Rosemary Drive chytiť vlak na Baker Street a ďalej sa viezť metrom na miesto ako toto. Bolo absurdné žiť tak len preto, aby sa človek mohol *pochváliť*, že je úspešný.

Brendan si však uvedomil, že oslavu nesmie skaziť tým, že povie nahlas, čo si myslí.

A spomenul si aj na to, ako mu Vincent prízvukoval, aby si na tú príležitosť kúpil vhodný oblek.

„Dobrý oblek sa vždy zíde, kamoško," hovoril mu strýko.

„Bože, Vincent, nie, oblek nie. Do obleku ma nikto nedostane."

„Nuž, za mojich čias sa obleky nosili. Alebo aspoň sako a nohavice."

„A nebola by lepšia bunda?" rozžiarila sa Brendanovi tvár.

„V žiadnom prípade, ty chuligán, nie na takú veľkú oslavu u nich doma, tam sa patrí mať aspoň elegantné tmavé sako, najradšej v námorníckej modrej so svetlomodrými nohavicami. A keď v tom nabudúce pôjdeš na zábavu, všetkých porazí."

Strčil mu do ruky hrču bankoviek. Musel prisahať, že si kúpi niečo elegantné. Takže napísal Anne a povedal jej, koľko môže minúť. Dúfal, že si z neho nebude strieľať, ale zmýlil sa, keď ju z takého niečoho podozrieval.

Napísala mu nadšený a vďačný list a oznámila mu, že najlepší výber nájde u Marksa alebo v C & A a vlastne v každom obchode na High Street, a že je dojatá a uveličená, že si robí kvôli tomu toľko starostí. Napísala, že ona bude mať na sebe šaty so sakom v námorníckej modrej s otrasnými bielymi čipkami, ktoré si kúpila len preto, aby potešila matku, takže podľa matky bude oblečená a podľa nej naparádená, ale je to matkin deň. Anna mu napísala aj to, ako povedala Helen, že odkedy máme druhý Vatikán, nikto neočakáva od mníšky, aby sa na miesto, ako je toto, dostavila oblečená v duchu pokory a smútku, ale myslí si, že Helen si aj tak urobí po svojom.

Maureen Barryová vyšla od Selfridgea a zazdalo sa jej, že vidí Desmondovho a Deirdrinho syna Brendana prechádzať cez Oxford Street s obrovskou taškou Marks & Spencer, akoby vykúpil pol obchodu.

Potom sa však rozhodla, že sa jej to asi len zdalo. V Londýne predsa žije dvanásť miliónov ľudí, prečo by mala stretnúť akurát niekoho z rodiny, na ktorú myslí?

A pokiaľ vedela, ten chlapec je zrejme ešte stále v západnom Írsku a s rodinou sa veľmi nebaví. Matka pred smrťou povedala, že Eileen O'Haganová jej hovorila, že nie je síce celkom jasné prečo, ale Deirdrin a Desmondov syn zdrhol a žije tam, odkiaľ sa kedysi podarilo ujsť jeho otcovi. Tam, odkiaľ utiekol aj Frank. Neblázni, povedala si Maureen. Aj keby ten chlapec bol v Londýne, určite by bol vonku v Pinneri a pomáhal by prestierať stoly. Nesmie sa dať uniesť, toto mesto nie je dedina ako Dublin. Ibaže v to ráno sa jej v hoteli zazdalo, že na druhom konci jedálne vidí Deirdrinu matku, ale ako ju pozná, ona by určite prešla cez celú miestnosť len preto, aby ju pozdravila, a tá žena tam bola s nejakým nablýskaným panákom v saku s nápadne veľkou značkou. Zrejme už potrebuje okuliare. Zasmiala sa, lebo si spomenula, ako si pred rokmi sľubovali, že keď pôjdu robiť do Londýna, nikdy si nedajú urobiť štátne zuby a okuliare. Vtedy im ani nenapadlo, že to niekedy budú potrebovať.

Bolo fajn byť zasa v Londýne. Maureen mala jarnú náladu a tri kreditky v peňaženke. Vlastne sa sem vybrala len „nakuknúť", ako hovorievajú ľudia od filmu, potúlať sa a preskúmať ponuku v ľudových butikoch a veľkých módnych obchodoch. Keby chcela, mohla by sa zastaviť a kúpiť si nejaké potešenie. Prechádzala sa v obláčiku drahého parfumu, ktorý si práve kúpila u Selfridgea, kde kúpila aj apartnú kravatu pre otca. Určite mu pristane a určite ocení, že ho považuje za „kravatového" muža.

Helen Doylová sedela v kuchyni v kláštore s rukami ovinutými okolo hrnčeka s kávou, akoby si ich ohrievala. Rána neboli chladné, lenže ju nemohli rozohriať ani jasné lúče slnka, ktoré prenikali oknom. Na druhom konci stola sedela sestra Brigid, ostatní už odišli. Zrejme tušili, že dôjde ku konfrontácii, takže buď zaliezli späť do svojich izieb, alebo šli za robotou.

Žltá mačka so zlomenou labkou sa dôverčivo dívala na Helen. Helen ju našla a urobila jej dlahu, aby mohla chodiť. Ostatní hovorili, že by ju mala odniesť do útulku, ale to by pre žltú mačku znamenalo definitívny koniec, tvrdila Helen. Nemôže im predsa prekážať, veď ani veľa nezje.

Bola to však len ďalšia Helen v dome a robota navyše. Od Helen sa totiž nedalo čakať, že bude mačku *celý* čas kŕmiť a čistiť. Mačka začala hlasno priasť a natŕčila chrbát, aby ju hladkali. Sestra Brigid ju však jemne zodvihla a vyniesla do záhrady. Vrátila sa a sadla si k Helen. Pozrela jej priamo do ustráchaných očí a spustila.

„Ty máš lásky a dobroty na rozdávanie," začala. „Lenže toto nie je pre teba vhodné miesto."

Zbadala, ako sa Helen roztriasla pera, spodná pera, ktorú si obhrýzala. Veľké oči sa jej naplnili slzami.

„Posielate ma preč," povedala Helen.

„Mohli by sme tu sedieť celé dopoludnie, Helen, a ty by si tvrdila to, ja zasa ono. Mohla by som ti hovoriť, že musíš nájsť sama seba a že stále niečo hľadáš, ty by si tvrdila, že ťa vyhadzujem a posielam ťa preč z domova."

„Čo som vyviedla tentoraz?" spýtala Helen zničene. „Tá mačka?"

„Pravdaže nie mačka, Helen, to nie je len jedna vec, jeden incident. Uvedom si, prosím ťa... mohla by si skúsiť pochopiť, že to nie je trest ani skúška, pri ktorej prejdeš alebo neprejdeš? To je voľba a tento dom je náš život, my sme si ho zvolili a my si aj zvolíme, s kým sa oň budeme deliť."

„Vy ma nechcete, rozhodli ste o tom na schôdzi, je to tak?"

„Nie, mýliš sa, nekonal sa žiaden súd, ktorý by ťa odsúdil. Keď si sem prišla po prvýkrát, dohodli sme sa, že..."

Helen ju prudko prerušila: „Kedysi si mníšky nemohli vyberať, s kým chcú byť v kláštore, ak sa im niekto nepáčil, mali proste smolu a museli to vzdať, bola to súčasť ich obety..."

„Nikto netvrdí, že ťa nemáme rady..." začala opäť sestra Brigid.

„Ale aj keď netvrdí, kedysi to nebývala súťaž popularity ako dnes."

„Keby šlo o súťaž popularity, ty by si mala vo viacerých ohľadoch navrch. A keď už hovoríme o tých starých časoch, boli to veľmi zlé staré časy, v tých starých časoch sa dievčatá do kláštora zatvárali, ak boli priveľmi bujaré alebo sa sklamali v láske a tak. To už bol len spôsob budovania spoločenstva!" povedala neúprosne Brigid.

„To nie je môj prípad, mňa nikto nenúti, vlastne sa ma pokúšajú zadržať doma."

„Práve preto sa dnes s tebou rozprávam," povedala jemne Brigid. „Nerob si falošné nádeje, že budeš skladať sľub. Pretože ty nie, Helen, aspoň nie u nás. Nebolo by to odo mňa, ako od hlavy tohto domu, férové, aby som ťa nechala odísť na rodinnú oslavu vo viere, že si na najlepšej ceste stať sa mníškou. Jedného dňa mi možno zo srdca poďakuješ. Dnes však chcem, aby si sa na svoju rodinu dívala inými očami, zvážila iné možnosti..."

„Tak teda mám vyhadzov už dnes. Takže sa nesmiem vrátiť!" povedala skľúčená Helen.

„Nedramatizuj..."

„Tak kedy? Ak mi dávate výpoveď, kedy mám uvoľniť izbu?" To Helen ranilo.

„Myslím, že keby si sa na chvíľu zamyslela, nič nerobila, len sa zamyslela, prebrala si myšlienky a uvážila, čo by si chcela robiť..."

„Kedy?" opakovala Helen.

„Myslím, že na Vianoce," odvetila pevne Brigid. „Povedzme o také dva-tri mesiace. Do Vianoc by si to už mohla vedieť."

Na nastávajúcu udalosť sa chystali aj Frank a Renata Quigleyovci.

„Mám sa obliecť lepšie alebo horšie?" spýtala sa Renata.

„Tak dobre, ako len vieš," zasmial sa.

„Ale nebude to vyzerať... ja neviem... akoby sme sa predvádzali?" zapochybovala Renata.

„Och, Desmondovej žene nikdy neulahodíš, keď sa oblečieš príliš jednoducho, bude mať pocit, že ti za to nestojí, ak sa budeš snažiť vyzerať dobre, bude ťa ohovárať, že sa vyťahuješ..."

„Takže?"

„Takže si obleč niečo, čo bude môcť obdivovať na fotkách. Tá ženská je blázon do fotenia. Každý prd jej visí na stene."

„Ale, Frank!"

„Nie, ty netušíš, čo sú zač. Vážne, ten dom je plný zarámovaných fotiek. Pamätám si, že ich majú plnú minimálne jednu stenu."

„V istom zmysle je to pekné."

„Áno, bolo by, keby bolo na čo spomínať. Keby bolo čo oslavovať."

„Ale vy ste predsa priatelia, prečo tak hovoríš?"

„Boli sme priatelia s Desmondom, s Deirdrou nikdy, ona mi vždy zazlievala moju slobodu, bála sa – a myslím, že oprávnene –, že úbohý starý Desmond sa bude v porovnaní so mnou cítiť zviazaný. My sa však dnes vyobliekame najlepšie, ako vieme, nech im oči vypadnú."

Usmiala sa naňho. Frank bol v týchto dňoch veselý, mnoho vecí sa totiž vyriešilo. Podnik sa rozrastal. Rozširoval sa na sever, a pritom to neznamenalo, ako sa Renata obávala, že by bol Frank často preč. Nie, cestoval skutočne len občas, väčšinou cestoval jej otec a strýko a, samozrejme, najdôležitejšou časťou projektu bola pani Eastová. Cestovala dokonca aj so synčekom a zdalo sa, že sa jej darí. Niektoré ženy sú proste schopné robiť všetko, pomyslela si smutne Renata.

Dnešok nevyzeral vôbec ružovo, ráno mala ísť na injekcie a očkovania kvôli ceste. Frank pôjde do práce ako skoro každú sobotu, pretože vtedy je podľa neho vo veľkej palazzovskej budove ticho a môže pokojne diktovať a za hodinu urobiť viac ako normálne za týždeň. Pripomenula mu, že má ísť k holičovi. Vlasy na krku má už dlhé a nevyzerá to upravene.

Frankovi to nebolo treba pripomínať, určite zájde k Larrymu a dá sa napariť a podstrihnúť. Oblečie si najlepší oblek a novú košeľu. Keď naňho Maureen Barryová pozrie, nech má čo obdivovať. Preto aj ženu požiadal, aby sa obliekla čo najlepšie. Keď si Renata dala záležať, vyzerala skutočne skvele. Maureen Barryová nebude môcť povedať, že muž, ktorého odmietla, si vzal prachatú sivú myš.

Otca Hurleyho čakalo v Londýne skvelé ubytovanie, hovorieval, že je to kríženec luxusného hotela s pánskym klubom. V skutočnosti to však bol penzión pre veriacich, jednoduché miesto, kde väčšinu izieb s vysokými stropmi prenajímali ako kancelárie. Kedysi tu boli salóny s naleštenými stolmi a výtlačkami *Misionárskych análov*. Bola to oáza, kam sa človek môže vrátiť po dni strávenom vo veľkom, hlučnom meste. Otec Hurley sa ráno cítil trochu unavený a už sa tešil, ako sa sem vráti a oddýchne si.

Jeho priateľ Daniel Hayes, rektor, bol korektný muž, ktorý, ako sa zdalo, veľmi dobre chápal aj bez toho, aby mu bolo treba veľa vysvetľovať. Včera večer, keď sa otca Hurleyho spýtal na synovca, zistil, že tadiaľ cesta nepovedie. Otec Hurley diplomaticky a s rokmi vybrúsenou ľahkosťou zmenil tému. Otec Hayes vytušil aj to, že jeho starému priateľovi Jamesovi Hurleymu sa na tú striebornú svadbu ísť nechce.

„Môžem ti povedať, Daniel, je to taký čudný príbeh, pekný mladý párik, ona je skutočný produkt Dublinu štyri*... hoci vtedy sme ten výraz ešte nepoznali. On tak trochu surový diamant zo západu Írska, bez haliera, čiže nula. Zvyčajná historka, pretože ona bola vážne a statočne tehotná a ja som sa poznal s rodinou, teda s *jej* rodinou, a mal som ich bleskovo oddať."

„A oddal si?" skočil mu do reči otec Hayes.

„Nuž, samozrejme, čo sa v tých časoch dalo iného robiť? Zakryť

* Southside - módna štvrť Dublinu (pozn. prekl.)

hanbu, pochovať hriech, dať veci na poriadok tak rýchlo, ako je to len možné..."

„A nevyšlo to...? Veď sú ešte spolu."

„Viem, Daniel, lenže niečo mi tu nesedí. Po prvé, to dieťa sa nenarodilo."

„Čože?"

„Och, neskôr mali tri. Lenže nie vtedy. Akoby sa chceli zahrať na manželov, hrali... akoby boli súčasťou nejakej drámy... vážne, Desmond hral manžela a Deirdre manželku."

„Myslím, že to robia viacerí."

„Áno, aj ja si to myslím, a my sa tiež určitým spôsobom len hráme na kňazov. Ale vieš, čo tým myslím? Akoby to celé nebola ani pravda. Deirdre mi poslala fotku z pikniku či odkiaľ, kde sa všetci usmievajú a žmurkajú do svetla, akoby chceli ľuďom niečo dokázať."

„Čo dokázať?"

„Bože, ja neviem, že sú normálna rodina, alebo také niečo."

„Možno sú len veľmi nešťastní," povedal otec Hayes. „Veľa ľudí je nešťastných, vážne. Vstupujú do manželstva s takými zvláštnymi očakávaniami. Preto mi celibát vždy pomerne vyhovoval..."

„Aj mne," súhlasil otec Hurley, ale tváril sa smutne.

„Pravdaže, keď to vyjde, je to tá najfantastickejšia vec na svete, priateľstvo, reálne a skutočné, zveriť niekomu do rúk svoj život... My sme to nikdy nepoznali, James."

„To teda nie," súhlasil otec Hurley, no ešte stále bol mimo.

„Zato tvoja sestra to pozná, nie? Pamätám, ako si mi hovoril, že má perfektné manželstvo, zdá sa, akoby oni dvaja vopred vedeli, čo ten druhý povie, a keď to povie, smejú sa."

„To je fakt, lenže ani ich život nebol vždy ľahký..."

Otec Hayes ho prerušil. „Pravdaže nie, ale to je ten druh vzťahu, o ktorom sa hovorí... že ich udrží nad vodou, aj keby všetko padlo. A to sa zrejme nedá povedať o svadbe, na ktorú sa chystáš do Pinneru."

Otcovi Hurleymu sa úspešne podarilo vymanévrovať. „Nie, tam bude len plno prázdnych rečí, akože všetko sa to začalo pred štvrťstoročím."

„Ach, ale na to sme predsa tu, James," zasmial sa jeho priateľ. „Ak kňazi nemôžu do nezmyselných utešujúcich fráz vniesť trocha presvedčivosti... tak sa ťa pýtam... kto teda?"

Dodávateľská služba dorazila o tretej. Bolo to dohodnuté už celé týždne vopred. Philippa z Philippa's Caterers poznala panikára na prvý pohľad a pani Doylová mala všetky vlastnosti človeka, ktorý by dokázal vyvolať blázinec prvého rangu. Asi hodinu pred obradom sa mali podávať kanapky a aperitív, potom sa mala spoločnosť odobrať do kostola, kde bude omša a Doylovci sa nahlas vyjadria, že obnovujú svoj manželský sľub. Potom sa zrumenení ako víťazi vrátia späť na Rosemary Drive, asi okolo siedmej, bude sa podávať ďalší aperitív a hostia sa budú môcť obslúžiť zo studeného bufetu – losos a studené kura v karí majonéze. K tomu teplý, krehký chlieb. Philippa, keď videla, aký je dom veľký a rúra malá, neradila podávať teplé jedlo a presvedčila pani Doylovú, že hostia budú s najväčšou pravdepodobnosťou spokojní, že dostali *skutočné* jedlo, aj keď bude studené a bez zemiakov.

Philippa vykladala škatule zo svojej dodávky a v malej kuchynke Doylovcov si zriaďovala prevádzkové centrum. Dúfala, že táto ženská s čerstvou frizúrou a zjavne novou manikúrou, ktorá nešikovne mávala rukami, akoby si sušila lak na nechtoch, nedoženie niekoho k šialenstvu.

Našťastie dorazila jej dcéra, citlivo vyzerajúce dievča, pokojné a inteligentné. Šaty si niesla na vešiaku. Philippa cez kuchynské okno videla, ako ďakuje mužovi, ktorý ju doviezol. Dievča sa oprelo o auto a pobozkalo ho. Philippe sa to páčilo, v tých domoch, kde vládlo vysoké napätie a ona musela pracovať, to bola príjemná zmena.

Keby však nebolo svadieb, židovských sviatkov bar-mitzvah, strieborných svadieb či odchodov do dôchodku, čím by sa živila? Pomyslela si, že pani Doylová a jej manžel sa museli asi zblázniť, keď idú znova do kostola, aby verejne vyhlásili, že sú ešte manželmi. Akoby to nebolo dosť očividné. Akoby niektorého z nich chcel dostať niekto iný! Ale, povedala si, drž hubu a krok, pekne si vybaľuj, začni prestierať stoly a zišlo by sa poslať do spálne kanvicu s čajom, aby tam matka s dcérou zostali čo najdlhšie.

„Vyzeráš perfektne, mama," vyhlásila Anna. „Vieš, že vôbec nemáš vrásky? Si ako dievčatko."

Deirdru to potešilo. „Och, prestaň, zachádzaš priďaleko."

„Myslím to vážne. A ten účes je úžasný! Veľmi elegantný."

Deirdre sa zadívala na dcérinu hlavu s tmavými, lesklými vlasmi. „Keby si aj *ty* občas zašla ku kaderníčke... len tu a tam, trocha upraviť... tiež by si vyzerala lepšie. Viem, že dnes sa nosí umývať si vlasy denne pri sprchovaní..." snažila sa jej pomôcť Deirdre.

„Viem, mama... Och, pozri, nie je to úžasné, nesie sa nám čaj... ako pre dámy! *To* je život, čo?"

Deirdre sa zamračila. „Tvoj otec by už tiež mohol prísť, určite príde neskoro. Neviem, načo sa musel trepať dolu k tomu Patelovi..."

„To nie je Patel, ale Rosemary Central Stores, mama, *a* otec je spolumajiteľom, a sobota je vždy veľmi rušná, takže šiel pomôcť Sureshovi a určite príde domov včas. Veď poznáš otca."

„Kedy príde Brendan?"

„Každú chvíľu. Chcel sa ešte trochu poobzerať, povedal, že nechce prísť príliš skoro, aby nezavadzal."

„Bože, kto by si len pomyslel, že príde..."

„A iste príde aj zajtra a znova a znova."

„Ale prečo nemôže bývať vo svojom vlastnom dome..."

„Mama, Brendan prišiel a myslím, že o to nám všetkým šlo. Býva u mňa, pretože je to jednoduchšie, viac v centre. Každý deň vás príde pozrieť."

„Otec by tiež mohol vysťahovať všetky tie škatule a šanóny z jeho izby."

„To už nie je *jeho* izba, ani *moja* izba už nie je moja, nemá zmysel, aby tu čakali na nás, treba z nich urobiť kancelárie, archívy a tak."

„Ale Helenina izba je ešte stále Helenina a ona býva vonku v kláštore."

„To je múdre, že Helen má kde skloniť hlavu, nikdy nevieš, kedy to bude potrebovať," rezignovane povedala Anna.

„Nemali by sme sa už prezliecť?"

„Ešte chvíľu počkaj, mama, bude nám teplo a spotíme sa, keď sa príliš skoro hodíme do gala."

„Dúfam, že všetko dobre dopadne."

„Bude to perfektné. Prídu všetci, ktorých si tu chcela mať... a my nemusíme pohnúť ani prstom... všetci budú otvárať oči."

„Niežeby sme sa snažili, aby niekto otváral oči," ohradila sa Deirdre.

„To nie, načo?" povedala Anna uvažujúc, či to matka myslela vážne. Načo by to bolo, ak nie na to, aby sa starej mame O'Haganovej ukázalo, v akom prepychu žijú, Maureen Barryovej, že aj v Pinneri existuje spoločenský život, a najmä Frankovi Quigleymu, že Desmondovi sa darí, aj keď si nevzal šéfovu dcéru. Aby sa ukázalo otcovi Hurleymu, aký poctivý katolícky život sa dá viesť v tomto pohanskom Anglicku. Aby susedia videli, koľko ľudí si môžu dovoliť pozvať – tridsať hostí s obsluhou, obradom a dobrým, klasickým šampanským na prípitok. Načo by to bolo dobré, ak nad tým nemal nikto otvárať oči?

Keď počuli na schodoch ruch, akoby niekto vrazil do dverí, a začali sa zvyšovať hlasy, uvedomili si, že prišla Helen. Zrejme nechcela prísť prednými dverami, aby nerušila, a pokúša sa otvoriť zadné. Keďže tam však stáli prepravky s vínom, ťažko sa jej otváralo. Philippa z Philippa's Caterers jej okamžite vtisla do rúk šálku s čajom a poslala ju hore.

Keď vošla Helen do izby so zvesenými plecami, ihneď vedeli, že niečo nie je v poriadku. Anna len dúfala, že to nebudú teraz rozoberať.

„Nevyzerá mama úžasne, Helen?" zvolala.

„Krásne," odpovedala poslušne a neosobne Helen.

„Aj Brendan tu bude každú chvíľu."

„Býva tu?" spýtala sa Helen.

„Nie, my... ehm... mysleli sme si, že by... bolo hádam vhodnejšie, keby spal u mňa. Teraz sa prezlieka, nechala som mu kľúč pod kvetináčom. Je to tak lepšie, je viac v centre, bližšie ku všetkému."

„K čomu?" spýtala sa Helen.

„Ku všetkému," zaškrípala Anna zubami.

„Takže nebude tu dnes spať?"

„Nie, ani o tom neuvažoval..." začala sa sťažovať Deirdre.

„Jeho izba je aj tak otcovou pracovňou, takže..."

„Aj moju izbu má otec?" spýtala sa Helen.

„Nie, pravdaže nie. Prečo sa pýtaš?"

„Myslím, že tu dnes zostanem spať," odvetila Helen. „Ak by to nebol problém."

Anna zadržala dych. Neverila vlastným ušiam. Takže Helen sa rozhodla odísť z kláštora. A teraz to chcela všetkým povedať. *Teraz*, hodinu pred matkinou a otcovou striebornou svadbou. Anna sa zahľadela na dvoje šiat, ktoré viseli na dverách. Z otcových visela dlhá šnúra. Asi by ju mala vziať a zaškrtiť Helen, alebo by to v dlhodobom pláne znamenalo len ďalší odklad? Ťažko povedať.

Ďalších myšlienok však bola ušetrená, pretože dorazil Brendan.

Svižne vybehol po schodoch a matka s dcérami ho vyšli privítať. Je opálený a vyzerá dobre, pomysleli si, a v tom elegantnom tmavomodrom saku, žiarivo bielej košeli a kravate s diskrétnym vzorom je skutočný fešák.

„Vzal som si striebornú, myslel som, že sa bude hodiť," povedal.

Deirdre Doylová si pyšne obzerala svojho jediného syna. Dnes ho nebude treba ospravedlňovať ani nič vysvetľovať. Nech už v tom zapadákove žije, ako chce, dnes, keď na tom záleží, sa aspoň dobre obliekol. A zrejme bude aj milý, nie utiahnutý a ufrflaný. V tak veľa sa ani neodvažovala dúfať.

Desmond sa vrátil dosť skoro na to, aby sa umyl a prezliekol, a päť minút pred oficiálnym začiatkom mohla Philippa vyhlásiť, že všetci vyzerajú úžasne a všetko má pod kontrolou.

Pri svojej práci si stále viac a viac uvedomovala, že upokojiť hostiteľku a celú rodinu je aspoň také dôležité ako pripraviť vhodné menu a správne ho naservírovať.

Postavili sa do obývačky. Dvere do záhrady boli otvorené a oni boli prichystaní. Anna s minimálnym možným komentárom vyhrabala v matkinom šatníku odev vhodný pre Helen. Jednoduchú zelenú sukňu a na to dlhú krémovú blúzku. Bolo to dosť jednoduché, aby to mohla nosiť aj mníška... ak by sa ňou ešte chcela stať. Bolo to však aj perfektne vhodné ako prechodný odev, ak by si zvolila inú cestu.

Každú chvíľu mali prísť hostia. Doylovci odmietli drink, ktorý im naliala Philippa, lebo vraj musia mať čistú hlavu.

Philippa si všimla, že sa k sebe správajú ako cudzí. Ani len ruky si nepotriasli, ani si nepoblahoželali k striebornej svadbe! Vlastná udalosť ich vôbec nevzrušovala, starali sa len o to, ako ju osláviť.

Prvá prišla stará matka O'Haganová. Deirdre blysla pohľadom po taxíku, či za ňou nejde Tony. Našťastie sa matka rozhodla prísť sama. A práve keď sa s nimi vítala, zjavilo sa auto Franka a Renaty. Zároveň dorazila aj dodávka s kvetmi, obrovskou kyticou od Carla a Marie s mnohými ospravedlniami a tými najvrúcnejšími blahoprianiami k tejto nádhernej rodinnej udalosti. Včera to zariadila sekretárka Franka Quigleyho a v kancelárii Carla Palazza nechala odkaz, že všetko vybavila.

A keď Westovci odvedľa vyzreli a videli, ako sa dom plní, prišli aj oni, a za nimi aj otec Hurley, ktorého doviezol jeho priateľ, otec Hayes.

„Otec Hayes, nezájdete na drink?" pozvala ho ďalej Deirdre Doylová. Na udalosti, ako je táto, farárov nikdy nie je dosť.

Otec Hayes si dal len pohárik sherry a povedal, že je to až úžasné v tomto svete, v ktorom toľko ľudí berie manželstvo na ľahkú váhu, nájsť pár, ktorého láska tak dlho prežila.

„Nuž áno," potešila sa Deirdre komplimentu, ale prekvapil ju spôsob, akým ho vyslovil.

V tej chvíli dorazila Maureen Barryová.

Z taxíka zrejme vystúpila už na rohu Rosemary Drive, ľahkým krokom prešla cez bráničku a vybehla po cestičke k dverám. Hostia postávali vonku i vnútri, bol to jeden z tých teplých jesenných večerov, za ktorých sa dalo byť aj vonku.

Maureen zrejme čakala, že všetky zraky sa uprú na ňu, ale v spôsobe, akým vošla, nebolo nič márnivé ani koketné.

Mala na sebe citrónovožltý hodvábny kostým s citrónovo-čiernym šálom. Bola štíhla a vysoká a jej čierne vlasy sa leskli ako reklama na šampón. Široko a dôverne sa usmievala a vzrušene chodila od jedného k druhému.

Hovorila samé správne veci a dokonca niečo i z toho, čo jej ležalo na srdci. Áno, bol to Brendan, koho dnes ráno videla bojovať s veľkou zelenou taškou Marks & Spencer. Zrejme oblek, ktorý mal teraz na sebe. Absolútne vhodný, lenže si vedela predstaviť, ako by ten veľký, fešný chlapec vyzeral, keby mal oblek šitý na mieru.

Áno, napodiv to *bola* Deridrina matka, ktorú v to ráno videla pri raňajkách s tým až príliš nápadným chlapíkom. Je to možné, že by úžasná a úctyhodná Eileen O'Haganová mala pomer? Už sa teší, ako to bude zajtra v Ascote vyprávať otcovi.

Pobozkala sa so svojou priateľkou Deirdrou a nadšene jej pochválila prekrásne šaty. V kútiku duše sa však divila, ako sa mohla dať Deirdre nahovoriť na takú obyčajnú fialovú róbu matróny s fialovou, nevýraznou bižutériou na pleci. Boli to jej svadobné šaty vo fialovom. Deirdre by si zaslúžila viac, mohla vyzerať aj lepšie. A tie šaty stáli určite celý majetok.

Ani Doylových dievčence nevyzerali veľmi vábne. Helen mala sukňu a blúzku, čo bolo zrejme najbližšie k tomu, čo mohol rád povoliť ako civilné šaty. Anna, ktorá by bola celkom pôvabná, keby sa obliekla podľa svojho vkusu, vyzerala v tých tmavomodro-bielych šatách vyzdobená ako opica: všade, kam sa biely volán zmestil, tam ho mala, na krku, na leme, na manžetách. Ako naparádená školáčka.

A Frank.

„Ako dobre vyzeráš, Frank, už som ťa roky nevidela," povedala mu.

„Ale to nie je možné, ako to robíš, že vôbec nestarneš?" spýtal sa výsmešne, jemne ju napodobňujúc.

Pohľad jej stvrdol.

„Renata, toto je Maureen Barryová, pre tými dvadsiatimi piatimi rokmi bola mojou družičkou. Maureen, toto je Renata, moja žena."

„Veľmi ma teší, že vás spoznávam."

Ženy sa premerali pohľadom od hlavy po päty.

Maureen mala pred sebou dievča s neopísateľnou tvárou vo veľmi dobre strihnutom modeli, starostlivo nalíčenú, s diskrétnymi šperkami. Ak je tá reťaz, ktorá Renate Quigleyovej visí okolo krku, pravá, má hodnotu niekoľkých domov na Rosemary Drive.

„Frank mi povedal, že ste veľmi úspešná podnikateľka a vlastníte obchody s najmódnejším tovarom," hovorila Renata, akoby sa naučila krátky prejav. Mala príťažlivý prízvuk.

„Trochu to preháňa, Renata, mám len dve malé predajne, ale rozmýšľam, že otvorím ďalšiu. Nie v Londýne, skôr niekde v Berkshire."

„Ľutujem, že ti zomrela mama," povedal Frank a patrične znížil hlas.

„Áno, bolo to smutné, bola taká životaschopná a tvrdohlavá, že si mohla ešte požiť. Ako tu pani O'Haganová," kývla Maureen smerom k Deirdrinej matke, ktorá rečnila v kúte.

Renata sa vzdialila, aby sa porozprávala s Desmondom a otcom Hurleym.

„Ona ma, pravdaže, nenávidela," povedal Frank nespúšťajúc oči z Maureen.

„Kto? Kto, prosím?"

„Tvoja matka. Nenávidela ma. To predsa vieš, Maureen," povedal tvrdo. Maureen mu pevne hľadela do očí.

„Nie, myslím, že sa veľmi mýliš, nebolo to v tom. Vždy o tebe hovorila pekne, tvrdila, že ten jediný raz, čo ťa stretla, si bol veľmi príjemný. Pamätám sa, ako stála doma v rannej izbe a hovorila: ‚Je to veľmi príjemný chlapec, Maureen.'" Maureen si spomenula na matkin úškrn, ako ju nemilosrdne odbila, ako sa na nej bavila.

To bola tá najkrutejšia vec, ktorú mohla urobiť.

Lenže koledoval si o to, bol arogantný, pekný, mocný. Teraz sa pohráva so životmi druhých a plánuje, čo kúpia a kde to kúpia.

„Ty si sa nikdy nevydala?" spýtal sa. „Nebolo za koho?"

„Nie, nebolo."

„Si ty ale beštia, len s tým trochu, s tamtým trochu..." Ešte stále sa jej díval do očí. Neuhla pohľadom, ale nasadila matkin smrtiaci tón.

„Och, Frank, pravdaže som beštia, s tým trochu, s tamtým trochu, ako všetci biznismeni. To však nemá s manželstvom nič spoločné. Som si celkom istá, že to poznáš. *Veľmi* by ma prekvapilo, keby nie. Ale vydať sa a usadiť, na to musí byť dôvod."

„Láska alebo vari príťažlivosť?"

„Myslím, že to nestačí. Na to asi treba niečo prozaickejšie, napríklad..." Poobzerala sa okolo seba a zrak jej padol na Deirdru. „Napríklad otehotnieť, alebo také niečo..." Opäť sa poobzerala a zastavila sa pri Renate.

Nebola však dosť rýchla, Frank ju predbehol.

„Alebo peniaze?" spýtal sa mierne.

„Presne tak," odvetila.

„Ani jeden z tých dôvodov nie je dosť dobrý."

„Nuž, tehotenstvo teda naozaj nie. Najmä ak sa ukáže, že to bol planý poplach."

„Povedali ti, čo sa stalo?" spýtal sa Frank.

Maureen pokrčila plecami. „Bože, mne predsa nepovedali ani to, že sa musia brať, ako som teda mohla vedieť, že nebezpečenstvo sa zažehnalo, alebo čo sa to vlastne stalo."

„Myslím, že potratila," povedal Frank.

„To ti povedal Desmond?" spýtala sa prekvapene.

„Ani náhodou, ale boli to ich prvé Vianoce v Londýne a ja som bol trochu mimo, trochu na dne a cítil som sa veľmi stratený. Spýtal som sa, či by som nemohol stráviť Vianoce s nimi, a výhovorka znela, že Deirdre sa neciti dobre. Ani nevyzerala dobre. Myslím, že to bolo vtedy."

Hlas mal teraz omnoho ľudskejší. Teraz sa už dívala naňho mäkšie a cítila, že aj on na ňu.

„Aká smola, takto sa pre nič za nič zaviazať, pre planý poplach," povedala.

„Možno sa im to páči, deti môžu byť určitou útechou," namietal Frank.

Teraz sa už rozprávali ako priatelia, ako starí priatelia, ktorí sa nejaký čas nevideli.

Philippa si vydýchla, keď sa spoločnosť začala zberať do kostola. Nemala ani potuchy a nechcela si ani predstaviť, čo sa tam odohráva, ale vedela, že je to pre nich veľmi dôležité. Nie sa najesť a napiť, ale vrátiť sa do toho kostola, kde sa to všetko začalo. Veselo mykla plecom a začala zbierať poháre a vetrať. Táto bizarná udalosť jej aspoň umožní odpratať predjedlo a nerušene naložiť šaláty.

Do kostola to bola krátka prechádzka, čo všetci pokladali za rozumné. Keby museli ísť autami a taxíkmi a hádať sa, kto bude s kým sedieť, trvalo by to večnosť.

Celá skupinka tridsiatich ľudí, ktorí tvorili spoločnosť, si pokľakla.

Bola to úplne normálna omša a mnohí sa tešili, že nemusia ísť zajtra do kostola, pretože v týchto liberálnych časoch stačila aj sobotná večerná omša.

Niektorí, ako Anna, ktorí do kostola nechodili vôbec, v tom zas až takú veľkú výhodu nevideli.

Brendan s Vincentom pokladali omšu za spoločenskú udalosť. Brendan nebol presvedčený, že strýko verí v Boha, ale na nedeľnú omšu chodil tak pravidelne ako po benzín alebo na trh kupovať ovce. Bola to súčasť ich života.

Helen sa na omši úporne modlila, aby jej Boh naznačil, čo je správne. Ak sestra Brigid hovorila, že uteká, od čoho uteká a ktorým smerom sa má vydať, ak kláštor nie je ten správny? Keby dostala aspoň nejaké znamenie. Veď nežiada tak veľa.

Otec Hurley sa sám seba spytoval, prečo má pocit, že ide o nejakú šarádu, akúsi televíznu verziu obnovenia sľubu. Každú chvíľu čakal, že niekto povie: „Strih. Ešte raz od začiatku." Nepociťoval to ako nejaký aspekt svojej misie. Bolo v tom niečo, čo nemal rád, verejné opakovanie niečoho, čo sa myslelo a povedalo už dávno. No verných vždy žiadali, aby zopakovali svoje sľuby pri krste, takže prečo sa v tomto prípade cíti tak nepríjemne?

Frank sa v kostole pozeral na Maureen a myslel na to, aká je to krásna žena, duchaplná, v mnohom podobná Joy Eastovej. Spomenul si na Joy a na syna, ktorého pomenovala Alexander. Na syna, ktorého nikdy nebude poznať.

V kostole sa nepatrilo fotografovať. To nie je ozajstná svadba, na fotografovanie sú už trocha starí, chichotala sa Deirdre a dúfala, že niekto zaprotestuje.

Zaprotestovala Maureen, a poriadne. „Ale choď, Deirdre, ja skáčem do vody rovnými nohami, a keď skočím, chcem mať brehy plné fotografov," povedala.

„Okrem toho, láska kvitne v každom veku, fakt v každom," dodala Deirdrina matka a Deirdre sa trochu zachvela.

„A pri spôsobe, akým sa cirkev uberá, sa o chvíľu začnú ženiť aj farári, mama, a možno raz aj otec Hurley bude schádzať uličkou vo svadobnom obleku," zaklincovala to Helen.

To všetkých rozveselilo, najmä otca Hurleyho, ktorý sa však smutne ohradil, že ani keby bol o štyridsať rokov mladší, na taký záväzok by nemal odvahu.

Do Salthillu na Rosemary Drive sa vrátili rýchlo. Susedia, ktorí neboli pozvaní, im kývali a zdravili ich, a potom sa vo vnútri rozsvietili svetlá a začala sa podávať večera.

„Vyzerá to tu ako na ozajstnej párty," povedala Deirdre skoro neveriacky Desmondovi.

V tvári mala rumenec a obavy, tie nalakované lokničky jej trochu opadli a teraz vyzerala prirodzenejšie. Na čele a vrchnej pere sa jej perlil pot.

Jej obavy ho napodiv dojali.

„Nuž, je to *fakt* skutočná párty," prisvedčil a nežne ju pohladkal po čele.

Bolo to neznáme gesto, ale neuhla a usmiala sa.

„Myslím, že je," súhlasila.

„A tvoja matka si s každým výborne rozumie," dodal povzbudivo.

„Áno, áno, s každým."

„Aj Brendan vyzerá dobre, však? Povedal, že zajtra ráno by chcel prísť do Rosemary Central Stores, aby videl, ako fungujeme."

To ju prekvapilo. „To bude cestovať až zo Shepherd's Bush skoro ráno, keď môže prespať tu, vo svojej izbe?" Ešte vždy ju hnevalo, že nebude spať u nich.

„To už nie je jeho izba, Deirdre, to je moja kancelária."

„Miesta je tu dosť," nadhodila.

„Áno, je a on tu nejaký čas aj zostane. Na návšteve."

„Ako rodina," opravila ho.

„Ako rodina na návšteve," upresnil.

Správal sa veľmi vľúdne. Lenže Desmond Doyle spred niekoľkých mesiacov by sa tak nesprával. Príliš by sa obával, príliš by sa snažil hrať tú ich hru na lži, podporiť každú historku, ktorú Deirdre nakukala svojej matke a Maureen Barryovej o jeho mystickej moci u Palazza, pokúšajúc sa zmanipulovať rozhovory tak, aby nedošlo k výsluchu Franka a Renaty, ktorí vedeli, že to nie je pravda.

Aké to bolo upokojujúce, aspoň pre Desmonda Doyla, mať vlastné postavenie, vlastné miesto vo svete. Byť po prvý raz samým sebou, nie palazzovskou figúrkou. Irónia bola v tom, že mu to dodávalo sebavedomie, ktoré v ňom jeho žena vždy chcela vidieť, ale ktoré by na Palazzovej pôde nikdy nezískal.

„Mama sa úplne normálne baví s otcom," šepol Brendan Anne na druhej strane miestnosti. „To si už videla?"

„Tak to som ešte nevidela," odvetila. „Nechcem ti brať ilúzie, ale myslím, že si zachytil veľmi zriedkavý okamih, takže si ho uži."

A naozaj, zrazu bolo po všetkom. Jeden z kuchárov prišiel povedať matke, že v kuchyni majú malý problém.

„To bude určite Helen," povedala smutne Anna. Aj bola.

Helen sa pustila do ozdobovania torty sviečkami; kúpila ich dvadsaťpäť a prehrabala spodok kredenca, kde mali byť staré škatule s plastikovými špičkami na sviečky. Našla ich len štrnásť. Nevedela si predstaviť prečo.

„Zrejme preto, že to je vek, keď už normálni ľudia na tortách sviečky nepotrebujú," povedala pichľavo Anna. „V poriadku, mama, vráť sa k hosťom. Ja to zvládnem."

„Čo myslíš tým, že to zvládneš?" odula sa Helen. „Malo to byť malé gesto, aby to tu bolo slávnostnejšie."

Philippa z Philippa's Caterers tvrdila, že písomná dohoda znela na tortu s praženými mandľami, ktorými sa na poslednú chvíľu mala posypať šľahačka do nápisu: Desmond a Deirdre, október 1960.

„Myslím, Helen, že to bude lepšie *tak*, nie?" povedala Anna, akoby sa zhovárala so psom, ktorému sa pení z papule, alebo so štvorročným, mierne zaostalým deckom. Ken Green jej hovoril, že veľkú časť svojho života strávil práve takýmito rozhovormi s ľuďmi, a dobré meno si človek získa len tak, že bude veľmi trpezlivý, mierne neústupný a bude pôsobiť dojmom človeka, na ktorého sa možno v každej situácii spoľahnúť. Anna si spomenula, ako Ken hovoril, že čím viac chce človek dosiahnuť, tým pomalšie hovorí.

„Nemyslíš, Helen, že by sme to mali nechať na kuchárov?" spýtala sa Anna kladúc dôraz na každé jasne a pomaly vyslovené slovo.

„Och, vyser si oko, Anna, si nepríjemná ako vred na riti," vybuchla Helen.

Vtedy si Anna uvedomila, že toto je definitívny koniec Heleninho života v kláštore.

Helen vyletela do záhrady.

„Mám ísť za ňou?" spýtala sa Philippa.

„Nie, bude lepšie, keď tam zostane, tam nikomu neublíži a nemá tam veľmi čo zničiť." Anna si pomyslela, že Ken by bol na ňu hrdý, a uvažovala, prečo musí naňho toľko myslieť.

Helen si v záhrade, na mieste, kde sedávala v detstve, vždy keď sa cítila nepochopená a nikým nemilovaná, sadla a objala si kolená. Zrazu začula za sebou kroky. Určite ju Anna ide presviedčať, aby sa vrátila a prestala robiť scény, alebo jej matka ide povedať, aby nesedela na vlhkom kameni, alebo sa stará mama O'Haganová ide vyzvedať, kedy sa stane mníškou. Pozrela hore. Bol to Frank Quigley.

Hrdlo sa jej zovrelo úzkosťou a na chvíľu sa jej zakrútila hlava. Nie, pravdaže, nie je možné, aby ju začal hladkať a obťažovať v dome jej rodičov.

Ale v tej tme vyzeral hrozivo.

„Tvoj otec mi povedal, že sa chystáš odísť z kláštora," začal.

„Áno. Chcú, aby som odišla, vyhodili ma."

„Som si istý, že to nie je pravda."

„Sestra Brigid tvrdí, že ma nechcú." Uvedomila si, že teraz hovorí ako päťročné decko s palcom v ústach.

„Sestra Brigid ťa má príliš rada na to, aby si to myslela, nie aby to aj povedala."

„Ako vieš? Ty si ju videl len raz, v tú noc, v tú strašnú noc." Helenine zreničky sa rozšírili ako taniere. Spomenula si, ako sa pokúsila ukradnúť pre Franka a Renatu Quigleyovcov dieťa, spomenula si na tú noc, ktorá sa nakoniec skončila tak strašne a v domove sa na ňu začal ozajstný pohon.

„Nie, Helen, odvtedy som sa so sestrou Brigid stretol už mnohokrát," tvrdil Frank. „Ale veľa sme o tebe nehovorili, mali sme iné témy... Radila mi. Veľmi mi pomohla, musím ti za to poďakovať."

„V tú noc som to myslela dobre, naozaj som si myslela, že to bude každému vyhovovať."

„To určite, viem, ale nemohli sme to urobiť, museli by sme stále utekať, stále sa skrývať, stále niečo predstierať. Tak sa nedá žiť."

„Ja tak žijem odjakživa." V Heleninom hlase znela obrana i útok.

„Nie, nie, to nie."

„V tomto dome sa vždy niečo predstieralo, aj dnes sa predstiera."

„Pst," zahriakol ju jemne.

„Ako to, že ty si taký priamy a nemusíš nič hrať, ako my ostatní?"

„Ja nie som priamy. Ty by si to mala vedieť zo všetkých najlepšie," povedal vážne Frank. „Urobil som veci, za ktoré sa hanbím, jednu aj s tebou. Veľmi, veľmi sa za to hanbím."

Od toho dňa v jeho byte sa Helen Doylová po prvýkrát pozrela Frankovi Quigleymu rovno do očí. Po prvýkrát po mnohých rokoch sa neohradila.

„Vždy som dúfal, že stretneš nejakého milého, mladého a nežného muža, niekoho, kto by tomu čudnému, smutnému zážitku dokázal dať nejakú perspektívu. Ukázať ti, že zatiaľ čo to v istom zmysle bolo dôležité, v mnohých ďalších to dôležité vôbec nebolo."

Helen ešte vždy mlčala.

„Myslím, že som ľutoval, keď si odišla do kláštora, pretože mám dojem, že to, čo sa stalo, si priveľmi berieš k srdcu."

„Ja som to pochovala," povedala Helen. Klamala, ale hľadela naňho dôverčivými očami a so vztýčenou hlavou.

Vedel, že klame, lenže bolo dôležité, aby to ona nezistila.

„Tak to má byť, tam to patrí."

Usmial sa na ňu. Smutne i s úľavou. Urobil dobre. Aj jej sa viditeľne uľavilo.

„Takže čo budeš robiť, keď odídeš, ak odídeš?"

„Odídem. Ešte neviem. Možno potrebujem len čas na rozmyslenie."

„Tu?" neisto pozrel na Salthill, Rosemary Drive 26.

„Možno."

„Asi by si mala odísť preč z Londýna. Ty to vieš s deťmi, hovorí sestra Brigid, rozumieš si s nimi."

„Áno, mám ich rada. Určite. Tie nedokážu tak ubližovať ako dospelí."

„A prijala by si jedno? Tak na rok, na dva, kým budeš rozmýšľať?"

„Vieš o nejakom?"

Teraz hovorili ako rovný s rovným, už sa ho nebála.

„Viem, volá sa Alexander. Jeho síce nepoznám, ale poznám jeho matku. My sme však na vojnovej nohe a ona ma nemá rada, takže keby som jej to navrhol ja, odmietla by. Ale keby podala inzerát a, povedzme, ty by si sa prihlásila..."

„Nebola by to priveľká zhoda náhod?"

„Nie, môžeme to urobiť cez Carla: požiada Carla, aby jej zohnal pestúnku. Carlo povie, že si dcéra jedného z jeho bývalých manažérov, že pozná tvojho otca."

„Nie je to slečna Eastová?"

„Je."

„Prečo ste na vojnovej nohe?"

„To i ono."

„Aký je Alexander?"

„Neviem, Helen."

„A chcel by si vedieť?" Zdalo sa, že v tej chvíli dospela.

„Veľmi."

„Fajn," kývla Helen Doylová. „Musím niekde rozmýšľať a celkom dobre to môže byť aj u Alexandra Easta."

Potom priniesli a rozkrojili tortu. A keď už mali všetci na tanieri kusisko skvelého dezertu, Desmond zacinkal lyžičkou o pohár a zahlásil, že Frank Quigley, ktorý si tak dobre zastal svoju úlohu už pred štvrťstoročím, chce povedať niekoľko slov.

Frank vystúpil do popredia a začal, že je veľmi šťastný a cíti sa veľmi poctený tým, že ho požiadali, aby prehovoril. Aj na to vyzeral. Ten, kto ho počúval, mal na moment pocit, že byť dnes tu znamená skutočné šťastie.

Hovoril, že si pamätá deň, keď Deirdre, ktorá sa odvtedy skoro vôbec nezmenila, prisahala; vtedy bola mladá a krásna, celý život mala pred sebou, mohla sa rozhodnúť, ako chcela, mohla si vybrať cestu, ktorú chcela. Ona si vybrala Desmonda Doyla. Potom hladko prešiel od sobáša cez prvé dni u Palazza, radosti z detí, až k potešeniu z každého dieťaťa zvlášť a zo všetkých naraz, z dcéry, ktorej sa darí v obchode s knihami – aj Palazzo ju chcel odlákať, ale bezúspešne. Z ďalšej dcéry, ktorá zasvätila svoj život starostlivosti o druhých, a syna, ktorého zas vedie láska k zemi. To boli pre Deirdru a Desmonda tri tučné odmeny, ktoré splnili ich nádeje.

On sám nemal spočiatku také šťastie, nestretol nikoho, koho by miloval. Až neskôr. Pohľadom nežne sklĺzol na Maureen v citrónových hodvábnych šatách, ktorá tam pokojne stála a pozorne počúvala. Potom však aj on spoznal radosti manželského života, hoci bohužiaľ na rozdiel od Desmonda, on sa nemôže tešiť z troch vydarených detí. Dnes je však šťastný, a to úplne a bez nádychu žiarlivosti, ktorá ho roky trápila. Na budúci víkend pôjdu s Renatou do Brazílie, kde sa vybavila legálna adopcia, a vezmú si domov dievčatko menom Paulette, ktorej chcú dať nový domov. Má osem mesiacov. Mníšky im vybavili papiere. Paulette bude síce omnoho mladšia ako Desmondove deti, ale dúfa, že zostanú i naďalej priateľmi. Priateľmi na celý život, povedal. Určité veci sa nikdy nemenia.

Bol to majstrovský prípitok, vypadla nejedna slzička, a poháre so šampanským zaštrngali.

Frank dojal každého. Všetkých v tejto miestnosti.

Dokonca i Maureen Barryovú.

„Bože, ty si ale herec," vyslovila s obdivom.

„Ďakujem, Maureen," odvetil galantne a uhladene.

„Nie, vážne. Vždy si bol. Nkdy si sa mi nepokúšal dokázať, že moja mama sa mýli, dokázať, že aj ja sa mýlim."

„Ale tvoja mama ma mala predsa rada, tvrdila, že som veľmi príjemný mladý muž," napodobnil hlas jej matky. Imitoval ju veľmi dobre.

„Som rada, že budete mať dieťa," povedala.

„Áno, aj my."

„A navštívite ma aj s Paulette, keď si otvorím obchod v Anglicku?"

„To bude Paulette na tvoje šaty ešte primladá."

„Ani nie, budem mať totiž aj detský butik."

„Tak dobre," usmial sa srdečne. Lenže nie dosť srdečne.

Maureen si pomyslela, že to musí prebrať s otcom. Ten starý lotor si vedel vždy poradiť. Nemôže dopustiť, aby znova prišla o túto korisť.

Otec Hurley zahlásil, že si potrebuje zavolať, ale pri telefóne už stál rad. Slúchadlo mala v ruke Anna.

„Iste, príď," hovorila. „Počuj, Ken Green, máme rok 1985, môžeme si robiť, čo chceme. A ja chcem, ak aj ty chceš, bolo by proste fajn, keby si sem prišiel." Chvíľa ticha.

„Aj ja ťa ľúbim," povedala a sama sebou prekvapená zavesila.

K telefónu pristúpila Deirdrina matka.

„Áno, Tony, perfektne, nemala som príležitosť. Nie, nie, nepriznala som sa, veď vieš, že celé umenie života spočíva v tom, že vieš, kedy máš čo povedať. Áno, áno. Nič sa nezmenilo. Absolútne. Aj ja. Čau."

Otec Hurley zdvihol telefón, aby povedal otcovi Hayesovi, že pôjde domov taxíkom s ostatnými. Objednali si veľký voz.

Áno, povedal, bolo to nádherné, len mal pocit, že musí zavolať, všetci teraz volajú svojim blízkym, aby im povedali, ako ich ľúbia.

Nie, povedal otcovi Hayesovi. Vôbec nemá vypité, len tam sedel a počul ženu a jej vnučku, ako telefonujú. To je všetko.

Pomaly sa začali poberať domov. Ešte však niečo chýbalo.

Deirdre vyhrabala fotoaparát. Na túto príležitosť si založila nový film a vybehla do kuchyne, kde Philippini ľudia balili zvyšky jedál do celofánu a ukladali do chladničky, niečo aj do mrazničky.

Deirdre Philippe vysvetlila, ako fotoaparát funguje, a Philippa ju trpezlivo počúvala. Tento typ žien bol charakteristický tým, že si o svojich fotoaparátoch mysleli, že sú bohvieako komplikované.

Postavili sa do polkruhu, oslávenci v strede. Úsmev. Aparát blikol a ešte raz.

Medzi fotografie pribudne za dvadsiatu štvrtú ďalšia, ktorá po zväčšení musí vyzerať dobre. Na stene bude visieť fotka zo striebornej svadby, aby ju každý videl. Každý, kto odteraz zavíta na Rosemary Drive.